HAMNET

Um romance sobre o luto, a peste e uma
das maiores peças de todos os tempos

—

MAGGIE O'FARRELL

Tradução de Regina Lyra

Copyright © Maggie O'Farrell, 2020
Os direitos morais da autora foram assegurados.
Todos os personagens da presente publicação — exceto os claramente históricos — são ficcionais e qualquer semelhança com pessoas reais, vivas ou falecidas, deve-se a uma mera coincidência.

TÍTULO ORIGINAL
Hamnet
REVISÃO
Eduardo Carneiro e Fernanda Machtyngier
PROJETO GRÁFICO E DIAGRAMAÇÃO
Estúdio Insólito

CIP-BRASIL. CATALOGAÇÃO NA PUBLICAÇÃO
SINDICATO NACIONAL DOS EDITORES DE LIVROS, RJ

O27h
    O'Farrell, Maggie, 1972-
        Hamnet / Maggie O'Farrell ; tradução Regina Lyra. - 1. ed. - Rio de Janeiro : Intrínseca, 2021.
        384 p. ; 23 cm.

        Tradução de: Hamnet
        ISBN 978-65-5560-221-0
                 978-65-5560-073-5 [c.i.]

        1. Romance inglês. I. Lyra, Regina. II. Título.
21-69710
                              CDD: 823
                              CDU: 82-31(410.1)

Leandra Felix da Cruz Candido - Bibliotecária - CRB-7/6135

2021
Todos os direitos desta edição reservados à
Editora Intrínseca Ltda.
Rua Marquês de São Vicente, 99, 3º andar
22451-041 — Gávea
Rio de Janeiro — RJ
Tel./Fax: (21) 3206-7400
www.intrinseca.com.br

Para Will

NOTA HISTÓRICA

—

Na década de 1580, um casal que morava na Henley Street tinha três filhos: Susanna e os gêmeos Hamnet e Judith. O menino, Hamnet, morreu em 1596, aos onze anos. Cerca de quatro anos depois, seu pai escreveu uma peça chamada *Hamlet*.

Senhora, ele se foi,
Não mais existe, morreu;
Na cabeça lhe nasce um tufo de grama,
Aos pés, uma louça.

Hamlet, ato IV, cena V

Hamnet e Hamlet são de fato o mesmo nome, intercambiáveis nos registros em Stratford no final do século XVI e início do século XVII.

Stephen Greenblatt, "The Death of Hamnet and the Making of *Hamlet*", *New York Review of Books* (21 de outubro de 2004)

I

m menino desce um lance de escadas.

O corredor é estreito e ele se esgueira para atravessá-lo. Ele dá cada passo devagar, desliza ao longo da parede, as botas pisando firme e ruidosamente.

Próximo ao final, ele para, olha para o caminho concluído. De repente, então, de súbito decidido, pula os últimos três degraus, como é seu hábito. Vacila ao aterrissar, caindo de joelhos no chão de lajota.

É um dia abafado, sem vento, no final do verão, e o cômodo do andar térreo está sulcado por longas listras de claridade. O sol o encara, brilhante, do lado de fora, e as janelas são como placas de treliça amarela encravadas no gesso.

O menino se levanta, esfregando as pernas. Olha para um lado, para o alto da escada; para o outro lado, sem conseguir escolher que rumo tomar.

O aposento está vazio, o fogo crepita no braseiro, brasas alaranjadas sob a fumaça suave que sobe em espiral. Os joelhos machucados latejam no compasso do seu coração. Ele fica ali parado, uma das mãos no ferrolho da porta da escada, o bico de couro gasto da bota erguido, pronto para o bote, para a fuga. O cabelo claro, quase dourado e em tufos, coroa sua fronte.

Não há ninguém ali.

Ele suspira, inspirando o ar morno e poeirento, atravessa o cômodo e sai pela porta que leva à rua. O ruído de carrinhos de mão, cavalos, ambulantes, pessoas chamando umas às outras e de um homem que atira uma saca da janela não o alcança. Ele passa pela frente da casa e chega à porta do vizinho.

O cheiro da casa dos avós é sempre o mesmo: uma mistura de fumaça de lenha, verniz, couro e lã. É semelhante, porém inquestionavelmente distinto do cheiro do anexo de dois cômodos, construído pelo avô na brecha estreita junto à casa maior, onde ele mora com a mãe e as irmãs. Às vezes lhe escapa o porquê de ser assim. As duas moradias são, afinal, separadas apenas por uma parede fina de pau a pique, mas o ar em cada uma delas tem um volume diferente, um aroma diferente, uma temperatura diferente.

A casa assovia com correntes e contracorrentes de ar, com as batidas e marteladas da oficina do avô, com as vozes dos fregueses na janela, com o barulho e o rebuliço do pátio lá nos fundos, com o som do vaivém dos tios.

Mas não hoje. O menino fica ali no corredor, apurando o ouvido para ver se há movimento. Pode ver dali que a oficina, à sua direita, está vazia, as banquetas na bancada, desocupadas, as ferramentas ociosas, e uma bandeja de luvas abandonadas, que parecem mãos descarnadas, está à vista de todos. A janela em que os fregueses são atendidos está fechada e aferrolhada. Não há ninguém na sala de jantar, à sua esquerda. Um monte de guardanapos compõe uma pilha na mesa comprida junto a uma vela apagada e um monturo de penas. Nada mais.

Ele chama, é um grito de saudação, um som indagador. Uma vez, duas vezes ele faz esse barulho. Então, inclina a cabeça, atento a uma resposta.

Nada. Apenas o estalido das vigas se expandindo suavemente ao sol, o suspiro do ar passando por debaixo das portas entre os cômodos, o farfalhar das cortinas de linho, o crepitar do fogo, o ruído indefinível de uma casa em repouso, vazia.

Seus dedos se fecham em torno do ferro da maçaneta da porta. O calor do dia, mesmo já sendo tão tarde, faz com que o suor lhe brote na fronte, lhe escorra pelas costas. A dor nos joelhos se aguça, lateja e depois diminui de novo.

O menino abre a boca. Chama os nomes, um por um, de todos que moram naquela casa. O da avó. Da criada. Dos tios, da tia. Do aprendiz. O do avô. Tenta todos eles, um após o outro. Por um instante, lhe ocorre chamar o nome do pai, gritá-lo, mas o pai está a quilômetros e horas e dias de distância, em Londres, onde o menino jamais pôs os pés.

Mas onde, ele gostaria de saber, onde estarão sua mãe, a irmã mais velha, a avó, os tios? Onde estará a criada? Onde estará o avô, que não tem o hábito de sair de dia, que em geral pode ser encontrado na oficina, atormentando o aprendiz ou calculando seus lucros num livro-caixa? Aonde foi todo mundo? Como é possível que as duas casas estejam vazias?

Ele atravessa o corredor. Diante da porta da oficina, para. Lança um rápido olhar por sobre o ombro, para garantir que não há ninguém ali, e depois entra.

A oficina de luvas do avô é um lugar em que raramente lhe permitem entrar. Até ficar parado diante da porta é proibido.

Não fique aí à toa, rosna o avô quando o flagra. Será que um homem não pode passar um dia de trabalho honesto sem que alguém pare para espiá-lo? Você não tem nada melhor para fazer do que perder tempo caçando moscas?

A mente de Hamnet é rápida: ele não tem dificuldade para entender as lições do professor. É capaz de captar a lógica e o sentido do que estão lhe dizendo e de memorizar prontamente. Lembrar-se de verbos e de gramática, de tempos e retórica e números e cálculos é tarefa que desempenha com uma facilidade que chega, vez por outra, a atrair a inveja de outros meninos. Mas sua mente também se distrai facilmente. Uma carroça que passa na rua durante a aula de grego desviará sua atenção da lousa e o levará a imaginar para onde ela vai e qual será sua carga e em como foi maravilhoso o dia em que o tio deu a ele e às irmãs uma carona na carroça de feno, e a recordar o aroma e o pinicar do feno recém-cortado, do balanço das rodas avançando em compasso com os cascos da égua cansada. Mais de duas vezes nas últimas semanas, ele apanhou na escola por não prestar atenção (a avó avisou que se acontecesse mais uma vez, uma vezinha só, ela mandaria contar ao pai dele). Os professores não entendem. Hamnet aprende rápido, sabe recitar de cor, mas não consegue manter a atenção no que está fazendo.

O barulho de um pássaro no céu pode fazê-lo parar de falar no meio de uma frase, como se o próprio céu o deixasse surdo e mudo de uma hora para outra. A visão, pelo canto do olho, de alguém entrando numa sala é capaz de levá-lo a interromper o que quer que esteja fazendo — seja comer, ler, copiar o dever da escola — para fixar a atenção no recém-chegado como se este trouxesse uma mensagem importante dirigida apenas a ele. Hamnet tende a extrapolar os limites do mundo real, tangível, à sua volta e entrar em outro lugar. Senta-se fisicamente numa sala, mas em sua mente está longe dali, é outra pessoa, num lugar que só ele conhece. Acorde, menino, grita a avó, estalando os dedos para ele. Volte aqui, sibila a irmã mais velha, Susanna, puxando-lhe a orelha. Preste atenção, repreendem os professores. Onde você estava? é o que ouve Judith sussurrar quando enfim retorna ao mundo, quando volta a si, quando olha à volta e descobre que está em casa, sentado à mesa, cercado pela família, a mãe a encará-lo com um meio-sorriso, como se soubesse precisamente por onde ele andou.

Do mesmo jeito, agora, ao entrar no território proibido da oficina de luvas, Hamnet já não recorda o que fora fazer ali. Temporariamente se libertara de suas amarras, do fato de que Judith não está bem e precisa de alguém para cuidar dela, que sua tarefa é encontrar a mãe ou a avó ou outra pessoa que saiba o que fazer.

Peles pendem de um trilho. Hamnet tem conhecimento suficiente para identificar o couro salpicado de vermelho-ferrugem de um cervo, a pele delicada e flexível de uma cabra, a peliça menor de esquilos, a pele de porco, áspera e eriçada. Quando o menino se aproxima das peles, elas começam a farfalhar e se mover nos ganchos, como se alguma vida ainda restasse nelas, um pinguinho apenas, o suficiente para ouvi-lo chegando. Hamnet estende o dedo e toca a pele de cabra. É indizivelmente macia, como o roçar das algas do rio em suas pernas quando ele nada nos dias de calor. Hamnet se balança de leve para a frente e para trás, as pernas afastadas, estendidas, como que em fuga, como um pássaro ou uma assombração.

Então se vira, examina os dois bancos na bancada: o estofado de couro, amaciado pelo atrito da calça do avô, e o de madeira dura para Ned, o aprendiz. Vê as ferramentas penduradas em ganchos na parede acima da bancada de trabalho. Consegue identificar as que servem para cortar, as usadas para esticar, as destinadas a prender e a costurar. Vê que o mais estreito dos esticadores de luva — usado nas femininas — não se encontra no lugar, largado na bancada onde Ned trabalha de cabeça baixa, ombros curvados e dedos ansiosos, ágeis. Hamnet sabe que o avô precisa de pouca provocação para gritar com o rapaz, ou coisa pior, e por isso pega o esticador, sentindo a textura cálida de lã, e o recoloca no gancho a que pertence.

Está prestes a puxar a gaveta em que ficam guardados os carretéis de linha e as caixas de botões — com muito, muito cuidado porque sabe que a gaveta vai ranger —, quando um ruído, um leve movimento ou chiado, lhe chega aos ouvidos.

Segundos depois, Hamnet já está se esgueirando pelo corredor que leva ao pátio. Lembra-se de sua tarefa. Por que foi perder tempo remexendo na oficina? A irmã não está bem: ele tem que encontrar alguém para ajudar.

Escancara, uma por uma, as portas da cozinha, da cervejaria, da lavanderia. Todos os cômodos estão vazios, seus interiores escuros e frios. Torna a chamar, meio rouco dessa vez, a garganta irritada de tanto gritar. Apoia-se na parede da cozinha e chuta uma casca de noz, arremessando-a para o outro lado do pátio. Sente-se totalmente perdido por estar tão sozinho. Alguém deveria estar ali, tem sempre alguém ali. Onde estarão? O que fazer? Como pode todos terem saído? Como a mãe e a avó podem não estar em casa, como costuma acontecer, abrindo e fechando as portas do forno, mexendo alguma coisa no fogo? Fica parado no pátio, olhando à volta, para a porta que dá na passagem, para a porta da cervejaria, para a porta da casa em que mora. Aonde ir agora? A quem pedir socorro? E onde está todo mundo?

—

Toda vida tem sua essência, seu núcleo, seu epicentro, do qual tudo flui, para o qual tudo reflui. Esse momento é o da mãe ausente: o menino, a casa vazia, o pátio deserto, o chamado sem resposta. Ele parado ali nos fundos da casa, chamando as pessoas que o alimentaram, vestiram, que o embalaram até dormir, seguraram-lhe a mão quando ele deu os primeiros passos, lhe ensinaram a usar a colher, a soprar a sopa antes de tomá-la, a ter cuidado ao atravessar a rua, a não responder, a lavar o copo antes de usar, a manter distância de águas profundas.

Esse momento ficará gravado a fogo nela pelo resto da vida.

—

Hamnet raspa as botas na terra do pátio. Vê os resquícios de um jogo com que ele e Judith haviam se entretido não muito tempo antes: os metros de barbante presos a pinhas para serem puxados e balançados para os filhotes da gata da cozinha, criaturinhas com carinhas de amor-perfeito e almofadinhas nas patas. A gata se escondeu num barril na despensa para pari-las e lá ficou durante semanas. A avó de Hamnet procurou por todo lado a ninhada, com a intenção de afogar todos os filhotes, como de costume, mas a gata a impediu, mantendo as crias em segredo, seguras, e agora elas estavam quase crescidas, duas delas correndo para lá e para cá, subindo nas sacas, perseguindo penas e retalhos de lã e folhas caídas. Judith não consegue ficar muito tempo longe das gatinhas. Em geral costuma levar uma delas no bolso do avental, onde o volume é delator, e um par de orelhas mal disfarçado a denuncia, levando a avó a gritar e ameaçar afogar a bichana. No entanto, a mãe de Hamnet sussurra que as gatinhas já são grandes demais para que a avó as afogue.

— Ela não pode mais fazer isso — diz aos dois, em particular, enxugando as lágrimas do rosto aterrorizado de Judith. — Ela não teria coragem. Os filhotes lutariam, se defenderiam.

Hamnet se aproxima das pinhas abandonadas, com os barbantes largados na terra batida do pátio. Os filhotes não estão à vista. Ele chuta uma pinha com o bico da bota, e ela rola para longe, descrevendo um arco irregular.

Ergue, então, o olhar na direção das casas, para as várias janelas da maior e a sombria entrada da sua. Em geral, ele e Judith ficariam encantados por se virem sozinhos. Ele estaria, nesse exato momento, tentando convencê-la a subir até o telhado da cozinha com ele, para que pudessem alcançar os ramos da ameixeira, logo acima do muro do vizinho. Nos galhos carregados, as cascas vermelho-ouro das ameixas maduras estão prestes a explodir. Hamnet as tem vigiado de uma janela no andar de cima da casa dos avós. Se esse fosse um dia normal, ele ajudaria Judith a subir no telhado de modo a encher os bolsos de frutas roubadas, apesar dos protestos e dúvidas da menina. Ela não gosta de fazer nada que seja desonesto ou proibido, tamanha é a retidão da sua natureza, mas quase sempre pode ser persuadida com algumas palavrinhas de Hamnet.

Hoje, porém, enquanto brincavam com os filhotes que escaparam de uma morte prematura, Judith reclamara de dor de cabeça, de dor de garganta. Uma hora estava com frio, logo depois, com calor, e por isso fora para casa se deitar.

Hamnet torna a entrar na casa principal e atravessa o corredor. Está prestes a sair para a rua quando ouve um ruído. É um clique ou um estalido, um som insignificante, mas sem dúvida o barulho é de outro ser humano.

— Tem alguém aí? — pergunta Hamnet. Ele aguarda. Nada. O silêncio lhe responde lá da sala de jantar e da sala de estar. — Quem está aí?

Por um instante, um instante apenas, ele acalenta a ideia de que possa ser o pai, chegado de Londres para surpreendê-los — isso já aconteceu antes. O pai há de estar lá, atrás daquela porta, talvez brincando de esconder, para provocá-lo. Se Hamnet entrar na sala, o pai vai surgir à sua frente; terá presentes na mala, na sacola; estará cheirando a cavalo, a feno, depois de tantos dias na estrada; vai envolver o filho nos braços e Hamnet apertará o rosto contra os cordões grossos, de tecido rústico, que mantêm fechado o justilho do pai.

Hamnet sabe que não verá o pai agora. Sabe disso muito bem. O pai teria respondido ao chamado reiterado, jamais se esconderia numa casa vazia. Ainda assim, quando entra na sala de estar, tem a sensação penosa de decepção ao se deparar com o avô, ao lado da mesa baixa.

O cômodo está envolto em sombras, as cortinas vedando a maioria das janelas. O avô está ali, de costas para ele, agachado, mexendo em alguma coisa: papéis, uma sacola de pano, medidores de algum tipo. Na mesa há uma jarra e um copo. A mão do avô vagueia entre esses objetos, sua cabeça está baixa e a respiração, ofegante.

Hamnet tosse educadamente.

O avô se vira, com expressão furiosa, selvagem, o braço açoitando o ar, como se lutasse contra um agressor.

— Quem está aí? — grita. — Quem?

— Sou eu.

— Quem?

— Eu. — O menino se aproxima da estreita nesga de claridade que vem da janela. — Hamnet.

O avô se senta ruidosamente.

— Você me deu um susto danado, garoto — vocifera. — Que ideia é essa de aparecer assim de mansinho?

— Desculpe — diz Hamnet. — Eu estava chamando, chamando, mas ninguém respondia. Judith está...

— Saíram — corta o avô com um movimento do pulso. — O que você quer com todas aquelas mulheres, afinal?

Pega a jarra pelo gargalo e a aproxima do copo. O líquido — cerveja, supõe Hamnet — cai um pouco dentro do copo e um pouco nos papéis na mesa, levando o avô a praguejar e depois secar os papéis com a manga da camisa. Pela primeira vez, Hamnet se dá conta de que o avô talvez esteja bêbado.

— O senhor sabe aonde elas foram?

— Hã? — diz o avô, ainda secando os papéis. A raiva por terem sido molhados parece escapar ao controle e se projetar do seu corpo, como uma espada. Hamnet pode sentir sua ponta afiada vagar pelo aposento, buscando um adversário, e imagina por um instante a aveleira da mãe e o jeito como se inclina em direção à água, salvo que ele não é uma corrente subterrânea e a raiva do avô não lembra em absoluto uma varinha da sorte. É cortante, afiada, imprevisível. Hamnet não faz ideia do que virá a seguir nem o que deve fazer.

— Não fique aí parado de boca aberta — sibila o avô. — Me ajude aqui.

Hamnet dá um passo hesitante e depois mais outro. Está cauteloso, as palavras do pai lhe ecoam na mente: fique longe do seu avô quando ele estiver com o humor sombrio. Trate de manter distância. Mantenha distância, entendeu?

O pai lhe dissera isso em sua última visita, enquanto os dois ajudavam a descarregar uma carroça vinda do curtume. John, o avô, deixara cair uma trouxa de peles na lama e, num repentino ataque de fúria, atirara uma faca de aparar na direção do muro do pátio. O pai imediatamente puxara Hamnet para trás, ficando à frente dele, tirando-o do caminho, mas John passara pelos dois enraivecido e entrara em casa sem dizer uma palavra. O pai segurara o rosto de Hamnet com as mãos, os dedos entrelaçados na base do pescoço, o olhar firme e penetrante. Ele não encostará um dedo em suas irmãs, mas é com você que me preocupo, murmurara, com o cenho franzido. Você sabe de que humor estou falando, não sabe? Hamnet assentira, mas desejara prolongar o momento, para que o pai continuasse segurando sua cabeça: o gesto lhe deu uma sensação de leveza, de segurança, de ser totalmente entendido e valorizado. Ao mesmo tempo, teve consciência de um desconforto coagulado circulando em suas entranhas como uma refeição indesejada circulando no estômago. Pensou na troca ríspida de palavras que perfuravam o ar entre o pai e o avô e na forma como o pai continuamente procurava afrouxar o colarinho quando sentado à mesa com os próprios pais. Jure para mim, dissera o pai, ali no pátio, com voz rouca. Jure. Preciso saber que você estará seguro quando eu não estiver presente para cuidar disso.

Hamnet acredita estar mantendo a palavra. Está afastado. Está do outro lado da lareira. O avô não poderia alcançá-lo, ainda que tentasse.

O avô esvazia o copo que segura com uma das mãos, enquanto com a outra sacode as gotas de uma folha de papel.

— Pegue isto — ordena, estendendo a folha para o menino.

Hamnet se inclina, sem mexer os pés, e pega o papel com as pontinhas dos dedos. Os olhos do avô estão semicerrados, vigilantes; a língua se insinua para fora do canto da boca. Senta-se na cadeira, com as costas encurvadas: um sapo velho e triste numa pedra.

— E isto — diz, estendendo outra folha.

Hamnet se inclina da mesma maneira, mantendo a distância necessária. Pensa em como o pai se orgulharia dele, como ficaria satisfeito.

Rápido como uma raposa, o avô dá o bote. Tudo acontece tão depressa, que, depois, Hamnet não saberá com certeza em que sequência tudo ocorreu; a folha cai no chão entre os dois, a mão do avô o agarra pelo pulso, depois se apossa do cotovelo, puxando-o para a frente, aproximando o garoto e neutralizando a distância que o pai lhe dissera para manter, enquanto a outra mão, que ainda segura o copo, se ergue com rapidez. Hamnet está ciente de raios em sua visão — vermelho, laranja, as cores do fogo surgem no canto do seu olho — antes de sentir a dor. É uma dor aguda, potente, um baque. A borda do copo o atingiu logo abaixo da sobrancelha.

— Isso vai lhe ensinar — diz o avô, num tom calmo — a não dar susto nos outros.

Lágrimas brotam dos olhos de Hamnet, de ambos, não apenas do que foi machucado.

— Está chorando? Como uma garotinha? Você é tão ruim quanto seu pai — insulta o avô, com repulsa, liberando o neto. Hamnet dá um salto para trás, batendo com a canela na lateral de um móvel. — Sempre chorando, se lamuriando e reclamando — resmunga o velho. — Não tem espinha dorsal. Não tem juízo. O problema sempre foi esse. Nunca conseguiu se apegar a nada.

Hamnet corre para o lado de fora, segue pela rua, enxugando o rosto, limpando o sangue com a manga da camisa. Entra em casa pela porta da frente, sobe a escada até o quarto do andar superior, onde uma figura está deitada na esteira junto à cama grande com cortinado que pertence aos pais. A figura está vestida — um avental marrom, uma touca branca, com cordões desatados e lhe caindo pelo pescoço — e deitada nos lençóis. Os sapatos foram chutados dos pés e jazem, virados, como um par de vagens murchas ao lado dela.

— Judith — chama o menino, tocando a mão da irmã. — Você está melhor?

As pálpebras se abrem. Ela fita o irmão durante um instante, como se estivesse a uma grande distância, e depois volta a fechar os olhos.

— Estou dormindo — murmura.

Seu rosto tem o mesmo formato de coração que o de Hamnet, o mesmo bico de viúva, de onde o mesmo cabelo cor de milho cresce, eriçado. Os olhos que tão brevemente fixaram o rosto dele são da mesma cor — um tom morno de âmbar, salpicado de dourado — e do mesmo formato que os dele. Existe um motivo para isso: os dois compartilham a data do nascimento, assim como partilharam o útero da mãe. O menino e a menina são gêmeos, nascidos com minutos de diferença um do outro. São tão idênticos quanto se houvessem brotado do mesmo caule.

Ele fecha os dedos em volta dos dela — as mesmas unhas, com as mesmas juntas, embora os dele sejam maiores, mais largos, mais encardidos — e tenta ignorar a noção de que os da irmã parecem úmidos e quentes.

— Como você está? Está melhor?

Ela se mexe. Seus dedos envolvem os dele. O queixo se ergue e depois afunda. Existe, o menino nota, um inchaço na base do pescoço. E mais outro onde o ombro encontra o pescoço. Ele fixa o olhar no que vê. Um par de ovos de codorna sob a pele de Judith. Pálidos, ovalados, aninhados ali, como à espera de serem chocados. Um no pescoço, outro no ombro.

Ela diz alguma coisa, os lábios se entreabrindo, a língua se movendo dentro da boca.

— O que você disse? — pergunta Hamnet, chegando mais perto.

— Seu rosto — murmura Judith. — O que houve com seu rosto?

Ele leva a mão à testa, sentindo o inchaço que se formou, a umidade de sangue novo.

— Nada. Não foi nada. Olha só — diz ele, com mais urgência —, vou buscar o médico. Não demoro.

Ela fala mais alguma coisa.

— A mamãe? — repete ele. — Ela... Ela já vem. Não está longe daqui.

—

Ela está, na verdade, a quase dois quilômetros de distância.

Agnes tem um pedaço de terra em Hewlands, alugado do irmão, que se estende desde a casa onde nasceu até a floresta. Ela cria abelhas ali, em colmeias de cânhamo trançado, abelhas que zumbem com uma vida que as ocupa e absorve; há fileiras de ervas, flores, plantas, caules que crescem apoiados em gravetos. É o jardim das bruxas de Agnes, como o chama a madrasta, revirando os olhos.

Agnes pode ser vista, quase toda semana, andando para cima e para baixo entre essas plantas, arrancando mato, passando a mão nas volutas das colmeias, podando talos aqui e acolá, cortando determinados brotos, folhas, pétalas, com uma bolsa de couro cheia de sementes atada ao quadril.

Hoje ela foi chamada ali pelo irmão, que despachou o pastorzinho para lhe avisar que havia algo errado com as abelhas, que tinham saído da colmeia e se amontoado nas árvores.

Agnes circula entre as colmeias, de ouvido atento ao que as abelhas estão lhe dizendo; observa o enxame no pomar, uma mancha bem escura que se espalha pelos ramos e vibra e estremece de indignação. Alguma coisa as perturbou. O clima, uma mudança na temperatura... Ou será que alguém mexeu na colmeia? Uma das crianças, alguma ovelha fugida, sua madrasta?

Ela desliza a mão para cima e para baixo dentro da colmeia, além da abertura, na camada de abelhas remanescentes. Ela não sente calor sob a escura sombra das árvores, com a trança grossa presa no alto da cabeça, escondida sob uma touca branca. Não há véu a proteger seu rosto das abelhas — ela jamais usa um desses. Alguém que se aproxime o suficiente verá que seus lábios se movem, murmurando para os insetos que voam em torno da sua cabeça, pousam na manga da roupa, esbarram em seu rosto.

Ela tira da colmeia o favo de mel e se agacha para examiná-lo. A superfície está coberta, fervilhante, com algo que parece ter movimento: marrom, listrado de ouro, cheio de asas no formato de coraçõezinhos. São centenas de abelhas, aglomeradas, agarradas a seu favo, seu prêmio, seu trabalho.

Ela ergue um molho de alecrim fumegante e o balança suavemente acima do favo, a fumaça deixando um rastro no ar parado de agosto. As abelhas alçam voo em conjunto, para circular em torno da sua cabeça, numa nuvem sem contornos, uma teia suspensa no ar, que se organiza e reorganiza sem cessar.

A cera pálida é raspada, com o maior cuidado, para dentro de uma cesta; o mel cai em gotas, cauteloso, quase relutante. Com a lentidão de uma seiva, de um alaranjado dourado e com o aroma forte de timo e a suavidade floral da lavanda, ele alcança a panela que Agnes segura. Um fio de mel escorre do favo para a panela, se alargando, sinuoso.

Uma sensação de mudança, uma agitação no ar, parece indicar que um pássaro sobrevoou-a silenciosamente. Agnes, ainda agachada, ergue o olhar. O movimento faz sua mão vacilar e o mel escorre para o seu pulso, encontrando o caminho até os dedos que seguram a lateral da panela. Agnes franze o cenho, pousa no chão o favo de mel e fica de pé, lambendo os dedos.

Ela abarca com o olhar os beirais de colmo de Hewlands, à sua direita, o biombo alvo de nuvens no céu, os ramos inquietos da floresta, à esquerda, o enxame de abelhas nas macieiras. A distância, um dos seus irmãos está tocando as ovelhas numa trilha com uma vara na mão, o cachorro correndo em direção às ovelhas e, depois, para longe delas. Tudo está em ordem. Agnes observa um instante o agitado cortejo das ovelhas, o movimento de suas patas, o pelo lanoso manchado de lama. Uma abelha pousa em sua bochecha e ela a espanta abanando a mão.

Mais tarde, e pelo resto da vida, ela irá pensar que se tivesse ido embora nessa hora, se tivesse juntado as sacolas, as plantas, o mel e tomado o rumo de casa, se tivesse levado a sério esse desconforto abrupto, anônimo, talvez tivesse alterado o que aconteceu em seguida. Se tivesse deixado as abelhas por conta própria, a seu bel-prazer, em vez de tentar atraí-las de volta para as colmeias, talvez pudesse ter alterado o rumo do que estava por vir.

Mas ela não faz isso. Enxuga o suor da testa e do pescoço e diz a si mesma para deixar de ser boba. Tampa a panela cheia, enrola o favo de mel numa folha, pressiona a mão contra a colmeia seguinte, a fim de lê-la, de entendê-la. Inclina-se ao encontro dela, sentindo o interior roncar, vibrar. Sente seu poder, sua potência, como uma tempestade que se aproxima.

—

O menino, Hamnet, corre pela rua, dobra uma esquina, driblando um cavalo postado, pacientemente, entre os eixos de uma carroça, e contorna um grupo de homens reunidos do lado de fora do auditório da guilda, conversando entre si com expressões sérias. Passa por uma mulher com um bebê no colo, que implora para uma criança mais velha andar mais rápido, a fim de acompanhar seu ritmo, um homem açoitando o lombo de um burro, um cachorro que levanta os olhos do que quer que esteja comendo para observar Hamnet correndo. O cachorro late uma vez, numa represão veemente, e depois volta a mastigar.

Hamnet chega à casa do médico — pedira o endereço à mulher com o bebê — e bate na porta. Registra, momentaneamente, o formato dos próprios dedos, as unhas, e olhá-los lhe traz de volta à cabeça os dedos e as unhas de Judith; bate com mais força. Esmurra, soca, grita.

A porta se abre e o rosto magro e aflito de uma mulher surge na fresta.

— O que você está fazendo? — grita a mulher, balançando um pano na direção de Hamnet, como se ele fosse um inseto. — Essa barulheira toda acorda um defunto. Vá embora.

Ela vai fechando a porta, mas Hamnet dá um pulo para a frente.

— Não. Por favor. Desculpe, minha senhora. Preciso do médico. Nós precisamos. Minha irmã... Ela não está bem. Será que ele pode ir lá em casa? Agora?

A mulher segura com firmeza a porta com os dedos avermelhados, mas olha para Hamnet com cautela, com atenção, como se lesse a gravidade do problema nas feições do menino.

— Ele não está — diz finalmente. — Foi ver um paciente.

Hamnet tem que engolir em seco.

— Quando ele vai voltar, pode me dizer?

A pressão sobre a porta está cedendo. Ele põe um pé dentro da casa, deixando o outro do lado de fora.

— Não sei dizer. — Ela o examina de alto a baixo, olha o pé já dentro do vestíbulo. — O que tem a sua irmã?

— Eu não sei. — Pensa então em Judith, na sua aparência lá deitada nos lençóis, os olhos fechados, a pele corada, mas ao mesmo tempo pálida. — Está com febre. De cama.

A mulher franze o cenho.

—Febre? Ela tem bulbos?

— Bulbos?

— Caroços. Debaixo da pele. No pescoço, debaixo dos braços.

Hamnet olha fixamente para a mulher, para a pequena prega de pele entre as sobrancelhas, para o arremate da sua touca, notando que ela ralou a pele atrás da orelha, para os fios eriçados de cabelo que escapam da parte de trás. Pensa na palavra "bulbos", em sua sugestão vagamente vegetal, em como seu som volumoso imita a coisa que ela descreve. Um suor frio lhe empapa o peito, aprisionando instantaneamente seu coração numa pedra de gelo indestrutível.

A mulher franze mais o cenho. Põe a mão no centro do peito de Hamnet e o empurra para trás, para fora da casa.

— Vá — ordena, com o rosto contraído. — Vá para casa. Agora. Já. — Ela está fechando a porta, mas, então, pela mais estreita das frestas, diz, não de forma grosseira: — Vou pedir ao médico para ir lá. Sei quem você é. O garoto do luveiro, não? O neto dele. Da Henley Street. Vou pedir ao doutor para passar na sua casa, quando voltar. Agora vá. Não pare no caminho. — E acrescenta, quase automaticamente: — Boa sorte.

Ele volta correndo para casa. O mundo parece mais brilhante, as pessoas mais ruidosas, as ruas mais compridas, a cor do dia de um azul invasivo, cintilante. O cavalo ainda está parado ao lado da carroça, o cachorro agora se enrosca numa soleira. Bulbos, pensa ele novamente. Já ouviu essa palavra antes. Sabe o que significa, o que indica.

Com certeza não, ele pensa, ao entrar na rua de casa. Não pode ser. Não pode. Aquilo — não vai dizer o nome, não permitirá que a palavra se forme, nem mesmo em sua cabeça — não circula na cidade há anos.

Alguém estará em casa, ele sabe, no momento em que chegar à porta da frente. No momento em que abrir a porta. No momento em que entrar. No momento que chamar, alguém, qualquer um, haverá de responder. Alguém há de estar lá.

—

Sem saber, ele passou pela criada, pelo avô e pela avó e pela irmã mais velha a caminho da casa do médico.

A avó, Mary, vinha descendo um beco, próximo ao rio, fazendo entregas, a bengala estendida para impedir os avanços de um galo especialmente irritante. Susanna segue atrás dela. A menina havia sido levada para carregar a cesta de luvas de Mary — de pele de cervo, de pelica, forradas de pele de esquilo, de lã, bordadas, lisas.

— Não consigo atinar com o porquê — vinha falando Mary, quando Hamnet passou, como um bólido e sem ser visto, no final do beco — de você não conseguir sequer olhar as pessoas nos olhos quando é cumprimentada. Esses são alguns dos clientes mais abastados do seu avô, e um pingo de cortesia não faria mal. Agora, você acha mesmo que...

Susanna seguia em seu rastro, revirando os olhos, carregando a cesta cheia de luvas. Parecem mãos separadas do corpo, pensava, deixando a voz da avó ser abafada pelo som do próprio suspiro, pela visão de uma nesga do céu por entre os telhados das casas.

John, o avô de Hamnet, estava entre os homens reunidos do lado de fora do auditório da guilda. Deixara a sala e seus cálculos enquanto o garoto estava com Judith no andar de cima e se achava de costas quando o neto passou correndo em busca do médico. Se tivesse virado a cabeça ao passar, ele teria visto o avô entrando no grupo, indo em direção aos outros homens, puxando-os pelo braço, assediando-os, provocando e insistindo para que fossem com ele a uma taberna.

John não havia sido convidado para esse encontro, mas ouvira falar que ele estava acontecendo e por isso fora para lá na esperança de alcançar os homens antes que o grupo se dispersasse. Nada mais desejava além de se reimpor como homem importante e influente e recuperar o status que já tivera no passado. É possível, ele sabe que é. Tudo de que precisa é o ouvido desses homens, os quais conhece há anos, que o conhecem, que podem dar testemunho da sua diligência, da sua lealdade com a cidade.

Ou, no mínimo, convencer a guilda ou as autoridades municipais a perdoá-lo ou fazerem vista grossa a suas transgressões. No passado, ele foi meirinho e depois membro graduado do conselho municipal; costumava sentar-se no primeiro banco da igreja e usar a roupa vermelha. Será que esses homens se esqueceram disso? Como não o convidaram para a reunião? Ele costumava ter influência — costumava mandar em todos eles. Costumava ser alguém. E agora estava reduzido a viver dos míseros trocados que o primogênito pudesse lhe enviar de Londres (e que jovem insuportável ele havia sido, vagabundeando na praça do mercado, jogando tempo fora; quem diria que um dia seria alguém?).

O negócio de John ainda prospera, de certa forma, porque as pessoas sempre precisarão de luvas, e, se esses homens estão cientes das suas transações secretas no mercado de lã, das intimações por não frequentar a igreja e das multas por jogar lixo na rua, que se danem. John é capaz de encarar com tranquilidade a desaprovação, as multas e as exigências deles, os comentários sarcásticos sobre a ruína da família, sobre sua exclusão das reuniões da guilda. Sua casa é uma das melhores da cidade, isso é fato. O que John não suporta é que nenhum deles aceite tomar um trago em sua companhia, dividir o pão à sua mesa, se aquecer diante da sua lareira. Do lado de fora do auditório da guilda, os homens evitam encará-lo, continuam a conversa. Não escutam o seu discurso decorado sobre a confiabilidade do comércio de luvas, sobre os seus sucessos, seus triunfos, não dão ouvidos aos seus convites para beber, para jantar em casa. Assentem friamente, viram-lhe as costas. Um lhe dá uma palmadinha no braço e diz salve, John, salve.

Assim, ele vai sozinho à taberna. Para matar o tempo. Não há nada de errado em contar com a própria companhia. Vai se sentar lá, à meia-luz, numa penumbra semelhante ao crepúsculo, com um toco de vela na mesa à sua frente, e observar as moscas voarem ao redor da luz.

—

Judith está deitada na cama, e as paredes parecem inchar e depois murchar. Inchar e murchar, inchar e murchar. Os balaústres em volta da cama dos pais se retorcem e ondulam como serpentes, o teto acima dela ondeia como a superfície de um lago; suas mãos parecem de repente demasiado próximas e depois muito distantes. A linha onde o branco do gesso encontra a madeira escura dos barrotes reluz e refrange. O rosto e o peito estão quentes, queimando, cobertos de suor pegajoso, mas os pés estão frios como gelo. Ela treme uma, duas vezes, uma convulsão completa, e vê as paredes se inclinarem sobre ela, se fechando, e depois retrocederem. Para bloquear as paredes, os balaústres reptilianos, o teto que se mexe, ela fecha os olhos.

Assim que faz isso, ela se vê em outro lugar. Em vários lugares ao mesmo tempo. Caminha por um prado, apertando a mão de alguém. A mão pertence à irmã, Susanna. Tem dedos longos e um sinal na quarta junta. A mão não quer que a segurem: os dedos não estão fechados em volta da mão de Judith, mas retesados e esticados. Judith precisa agarrá-la com toda a força para que não lhe escape. Susanna dá passos largos no extenso gramado da pradaria e, a cada um deles, sua mão tenta se livrar da de Judith. Se a largar, Judith é capaz de afundar sob a superfície gramada. Pode se perder e nunca mais ser encontrada. É importante — crucial — agarrar-se a essa mão. Não pode soltá-la. À frente delas, Judith sabe, está o irmão. A cabeça de Hamnet surge e some em meio à vegetação alta. O cabelo tem a cor do milho maduro. Ele corre pela pradaria, à frente dela, como uma lebre, como um cometa.

Agora, Judith está no meio de uma multidão. É de noite, faz frio; o brilho de lanternas enfatiza o escuro gélido. Ela acha que é a festa da Purificação. Está dentro e também acima de uma multidão, sobre um par de ombros fortes. O pai. Suas pernas se enroscam no pescoço dele, que a segura pelos tornozelos; ela enterrou as mãos em seu cabelo, escuro e grosso como o de Susanna. Usa o menor dos dedos para tocar a argola de prata na orelha esquerda do pai. Ele ri do gesto — ela sente o ronco do riso, como um trovão, passar do corpo dele para o dela — e balança a cabeça para fazer o brinco chocalhar ao encostar na unha da filha. A mãe também está presente, e Hamnet e Susanna, e a avó. Judith foi quem o pai escolheu carregar bem alto nos ombros: ela e mais ninguém.

Vê-se um grande clarão. Braseiros incandescentes cercam a plataforma de madeira, erguida à mesma altura em que ela está, nos ombros do pai. Na plataforma estão dois homens vestidos com roupas vermelhas e douradas ornadas com muitas borlas e fitas; usam chapéus altos e o rosto deles é branco como giz, as sobrancelhas, negras, e os lábios, carmins. Um deles emite um grito alto, entusiasmado, e atira uma bola dourada para o outro, que dá uma cambalhota, apoiando-se nas mãos, e apara a bola com os pés. O pai larga os tornozelos de Judith para aplaudir, e a menina se agarra à sua cabeça, cheia de medo de cair, escorregar para trás, soltar-se daqueles ombros, desabando sobre a multidão, que fervilha, inquieta, que cheira a casca de batata, a cachorro molhado, a suor e castanhas. O grito do homem amedrontou seu coração. Ela não gosta de braseiros; não gosta das sobrancelhas pontudas dos homens; não gosta de nada disso. Começa a chorar em silêncio, as lágrimas escorrendo das bochechas para pousar como pérolas no cabelo do pai.

—

Susanna e a avó, Mary, ainda não chegaram em casa. Mary parou para falar com uma mulher da paróquia: as duas trocam cumprimentos e queixas, dão tapinhas no braço uma da outra, mas Susanna não se deixa enganar. Ela sabe que a mulher não gosta da sua avó; a mulher não para de olhar à volta, por cima do ombro, imaginando se alguém a observa conversando com Mary, a esposa do luveiro renegado. Existem muitos na cidade, Susanna sabe, que já foram amigos do casal e que agora atravessam a rua para evitá-lo. Isso já faz anos, mas, desde que o avô foi multado por não frequentar a igreja, muitos dos moradores abandonaram o verniz de civilidade e agora passam pelos dois sem cumprimentá-los. Susanna vê como a avó se planta no caminho da mulher, de modo a não deixá-la prosseguir, impedindo que ela as ignore. Nada disso lhe escapa. Tal percepção queima o interior da sua cabeça, gravando ali marcas negras.

—

Judith está deitada sozinha na cama, abrindo e fechando os olhos. Não consegue entender o que aconteceu com esse dia. Num instante, ela e Hamnet estavam puxando fios de barbante para os novos filhotes da gata — de olho atento à chegada da avó, porque Judith havia sido incumbida de cortar a lenha e encerar a mesa enquanto Hamnet estivesse fazendo a lição de casa — e então ela sentira uma fraqueza nos braços, uma dor nas costas e uma ardência na garganta. Não estou me sentindo bem, disse ao irmão, e ele erguera os olhos dos filhotes, a fitara e varrera seu rosto com o olhar. Agora, ela estava nessa cama sem fazer ideia de como chegara lá ou aonde Hamnet teria ido ou quando a mãe voltaria ou por que a casa estava vazia.

—

A criada está levando um tempão para fazer sua escolha diante do que restou da ordenha mais recente no mercado, flertando com o leiteiro atrás do balcão. Ora, ora, diz ele, relutante em devolver a ela o balde. Oh, reage a criada, puxando o utensílio pela alça. Você não vai me dar? Dar o quê?, pergunta o leiteiro, erguendo as sobrancelhas.

—

Agnes terminou de coletar o mel e pegou uma saca e o alecrim ardente, com os quais se encaminha para o enxame de abelhas. Ela vai botá-las na saca e devolvê-las à colmeia, mas com delicadeza, com a maior delicadeza.

—

O pai está a dois dias de distância, em Londres, e neste exato momento atravessa a Bishopsgate em direção ao rio, onde pretende comprar um daqueles bolinhos solados não fermentados que são vendidos nos quiosques ali. Está morto de fome hoje; acordou com ela, e o café da manhã de cerveja e mingau e o almoço de torta não o saciaram. Tem cuidado com o dinheiro, mantendo-o guardado com ele, jamais gastando mais do que precisa. Isso dá margem a muita zombaria entre os colegas de trabalho. As pessoas dizem que ele tem ouro guardado em sacas debaixo das tábuas do chão: ele ouviu esse falatório e sorriu. Claro que não é verdade: tudo que ganha ele manda para casa, em Stratford, ou leva consigo, embrulhado e escondido em alforjes, quando viaja. Mesmo assim, só gasta um único *groat* salvo quando absolutamente necessário. E nesse dia o bolinho solado no meio da tarde é uma absoluta necessidade.

A seu lado caminha um homem, o genro do seu locador. Esse homem não para de falar desde que saiu da casa. O pai de Hamnet ouve apenas intermitentemente o que o homem diz — alguma coisa sobre um ressentimento que tem do sogro, um dote não pago por completo, uma promessa não cumprida. Em vez de ouvi-lo, ele pensa na forma como o sol vai descendo no céu, como uma escada, através das brechas estreitas entre os prédios, para iluminar a rua que a chuva vidrou, pensa no bolinho que o aguarda próximo ao rio, pensa no cheiro forte de sabão da roupa lavada pendurada acima da sua cabeça, pensa na esposa, brevemente, na maneira como suas espáduas se juntam e se separam quando ela prende com grampos o cabelo pesado, pensa no remendo no bico da bota que aparentemente se abriu e quanto terá de pagar agora por uma visita ao sapateiro, talvez depois de comer o bolinho solado, assim que conseguir se livrar do genro do locador e de sua lenga-lenga ranzinza.

—

E Hamnet? Ele torna a entrar na casa estreita, construída num vão, uma lacuna. Tem certeza, agora, de que os outros terão voltado. Ele e Judith não mais estarão sozinhos. Haverá alguém ali agora que há de saber o que fazer, alguém que se encarregará disso, alguém que lhe dirá que está tudo bem. Ele entra, deixando que a porta se feche às suas costas. Grita para avisar que voltou, que está em casa. Faz uma pausa, esperando uma resposta, mas não há nada além de silêncio.

Se acaso você estivesse em frente a uma janela em Hewlands e esticasse para o lado a cabeça, veria as fímbrias da floresta.

Talvez achasse essa uma visão inquietante, verdejante, inconstante: o vento acaricia, desarruma, perturba a massa de folhas; cada árvore responde aos caprichos do clima em um ritmo levemente distinto da vizinha, curvando-se, estremecendo e agitando seus galhos, como se tentasse escapar do ar, do próprio solo que a alimenta.

Numa manhã no início da primavera, mais ou menos quinze anos antes de Hamnet correr até a casa do médico, um professor de latim está junto a essa janela, distraidamente mexendo na argola em sua orelha esquerda. Observa as árvores. A presença delas, alinhadas como estão, margeando os limites da fazenda, lhe traz à lembrança o pano de fundo de um teatro, o tipo de artifício pintado que se arma depressa para que a plateia saiba que está agora em um ambiente silvestre, que a cidade ou as ruas da cena anterior se foram, que agora a ação se passa num terreno arborizado, não cultivado, talvez instável.

Um leve franzir de cenho se esboça em seu rosto. O homem continua à janela, os dedos da mão pressionando com força o vidro. Os meninos estão às suas costas; conjugam verbos, por um tempo não ouvidos pelo professor, que se concentra no incrível contraste entre o céu agudamente azul de primavera e o verde das folhas novinhas da floresta. As cores parecem brigar, disputando a supremacia, a vibração: o verde *versus* o azul, um contra o outro. Os verbos latinos das crianças passam despercebidos, através dele, como o vento por entre as árvores. Em algum lugar da fazenda um sino é tocado, primeiro brevemente, depois com mais insistência. Ouvem-se passos, o som de uma porta batendo. Um dos meninos — o mais novo, James, o professor identifica sem se virar — suspira, tosse, pigarreia e depois retorna à ladainha dos verbos. O professor arruma o colarinho, alisa o cabelo.

Os verbos latinos continuam sendo recitados à sua volta, como uma neblina, por entre seus pés, subindo-lhe até os ombros e se erguendo acima deles, além dos seus ouvidos, para saírem pelas frestas da janela. Ele permite que as palavras entoadas se fundam numa bruma aural que enche o cômodo, chegando até as traves enegrecidas do teto alto. Ali elas se amontoam, ao longo das espirais e dos véus de fumaça do fogo que arde no braseiro que não tem chaminé. Ele mandou que os meninos conjugassem o verbo "*incarcerare*": o repetido som do "c" parece arranhar as paredes, como se as próprias palavras buscassem uma saída.

O professor é obrigado a estar ali duas vezes por semana. Quem o obriga é o pai, o luveiro, que tem com Hewlands uma espécie de dívida, depois do fracasso de algum acordo ou negócio com o fazendeiro que era o proprietário da fazenda. O fazendeiro, um homem espadaúdo, levava enfiado no cinto um bastão com a ponta curva e havia alguma coisa em seu rosto franco, sincero, que agradava um bocado ao professor. Mas o fazendeiro morrera de repente no ano anterior, deixando para trás todos os seus hectares e todo o gado, juntamente com a esposa e oito ou nove filhos (o professor não sabe o número exato). Esse foi um acontecimento que o próprio pai recebera com uma satisfação mal disfarçada. Só ele conhecia a natureza do empréstimo: o professor entreouvira o pai vangloriando-se, tarde da noite, quando pensava que ninguém pudesse ouvi-lo (o professor é bem treinado em escuta clandestina): Não é óbvio? A janela não há de saber ou, se souber, não há de se atrever e vir aqui me fazer cumprir o trato, nem aquele filho grandalhão imbecil que é o primogênito.

Ao que parece, porém, a janela ou o filho fizeram exatamente isso, e o arranjo atual (o professor deduziu, depois de ouvir conversas atrás da porta do quarto dos pais) tem algo a ver com o que o pai fez com a remessa das peles de carneiro do fazendeiro. O pai dissera ao fazendeiro que mandaria as peles para serem alvejadas, e o fazendeiro acreditara. Depois, no entanto, o pai insistira para que a lã não fosse removida, o que causara a desconfiança do fazendeiro, o que por algum motivo dera origem a todo esse problema. Para o professor, esse último ponto não ficara claro, já que a mãe fora obrigada a abandonar a conversa sussurrada por conta do choro queixoso e insistente de Edmond, o filho caçula.

O pai luveiro do professor tem alguma empreitada levemente ilícita da qual supostamente nenhum deles tem conhecimento: esse tanto o tutor sabe. Os filhos devem inventar, lhes disseram os pais, para qualquer um que indagar que a lã das ovelhas era para luvas. Ele e os irmãos ficaram pasmos, já que não lhes ocorrera que a lã pudesse ser para outra coisa que não luvas. O que mais poderia o pai, o mais bem-sucedido luveiro da cidade, querer com ela?

Há uma dívida, ou uma multa, e o pai não pode — não quer? — pagá-la, e a viúva, ou o filho, do fazendeiro não pretende esquecê-la, o que leva a entender que o próprio professor seja o pagamento. Seu tempo, seu conhecimento de latim, seu cérebro. Duas vezes por semana, conforme lhe disse o pai, ele tem que caminhar um par de quilômetros ao longo do córrego para sair da cidade e chegar a esse átrio baixo, cercado de ovelhas, onde tem de acompanhar os meninos menores em suas lições.

Não o alertaram a respeito desse plano, dessa teia que era tecida ao seu redor. O pai o chamara à oficina um dia à noite, enquanto todos se preparavam para dormir, a fim de lhe dizer que ele teria de se apresentar em Hewlands para começar a incutir alguma instrução nos meninos que ali moravam. O tutor ficara parado à porta, encarando com firmeza o pai. Quando, ele quis saber, isso tudo fora combinado? O pai e a mãe estavam polindo as ferramentas para serem utilizadas no dia seguinte. Isso não é da sua conta, respondera o pai. Tudo que lhe cabia saber é que assim seria. E se eu não quiser ir?, indagou o filho. O pai guardou uma faca comprida em seu invólucro de couro, aparentemente sem ouvir a pergunta. A mãe olhou de relance para o marido, depois para o filho, dirigindo a este um breve balanço de cabeça. Você vai, disse o pai por fim, pousando o trapo de pano na mesa e encerrando a conversa.

O desejo de se afastar dessas duas pessoas, de sair a passos largos da oficina, de escancarar a porta da frente e sair correndo para a rua brotou no filho, como seiva em uma árvore. E, sim, de bater no pai, infligir algum tipo de dor àquele corpo, de recorrer aos próprios punhos, braços e dedos para revidar tudo que sofrera. Todos seis já haviam, de tempos em tempos, sido vítimas das surras, dos agarrões e dos tapas resultantes do mau humor do pai, mas nem de longe com a frequência e a brutalidade dispensada ao primogênito. O professor não sabia por quê, mas algo nele sempre atraíra a raiva e a frustração do pai, como um ímã atrai uma ferradura. Carregava consigo, sempre, a sensação da mão calejada do pai apertando a pele macia do seu braço, a pegada inescapável que o mantinha preso para que a outra mão, a mais forte, pudesse desferir golpes. O choque de levar um tapa, repentino e violento, vindo de cima, a dor de sentir o baque de um instrumento de madeira na parte de trás das pernas. Como eram duros os ossos da mão de um adulto, como era macia e tenra a carne de uma criança, como era fácil dobrar e distender os ossos jovens ainda em crescimento. A sensação que encharca, que empapa, de fúria, de humilhação impotente, durante os longos minutos de uma surra.

Os acessos do pai brotavam do nada, como um vendaval, e logo se agigantavam. Não havia padrão, aviso, racionalidade; jamais eclodiam pelo mesmo motivo duas vezes. O filho aprendeu, desde cedo, a pressentir o início dessas erupções, bem como uma série de fintas e dribles para evitar os punhos do pai. Como um astrônomo lê as minúsculas reviravoltas e alterações no alinhamento dos planetas e esferas a fim de ver o que está para acontecer, o primogênito se tornou especialista na interpretação dos humores e expressões do pai. Podia dizer, pelo som da porta da frente quando o pai entrava vindo da rua, pelo ritmo dos seus passos nas lajotas do chão, se havia ou não o risco de levar uma surra. Uma concha de água derramada, um sapato largado no lugar errado, uma expressão facial considerada insuficientemente respeitosa — tudo isso podia ser a desculpa que o pai buscava.

No último ano, o filho crescera, ficara mais alto do que o pai: é mais forte, mais jovem, mais ágil. Suas idas a pé a vários mercados locais, a fazendas nos arredores, as visitas ao curtume com sacas de peles ou luvas já prontas nas costas desenvolveram músculos e fortaleceram seus ombros e o pescoço. Não passa despercebido ao filho que ultimamente os golpes do pai vêm diminuindo. Houve um momento, vários meses antes, em que o pai saiu da oficina tarde da noite e, ao encontrar o filho na passagem, sem uma palavra caiu-lhe em cima e, erguendo o odre que segurava, estapeou o filho no rosto. A sensação foi ardida, não dolorida, não contundente, não de espremedura, mas cortante, fustigante, dilacerante. Causara, sabia o filho, um lanho vermelho em seu rosto. A visão daquele lanho pareceu enfurecer mais ainda o pai, pois ele ergueu novamente o braço para desferir um segundo golpe, mas o filho reagiu. Agarrou o braço do pai e fez pressão contra seu corpo, usando toda a força de que dispunha. Para sua surpresa, viu que o corpo do pai cedeu sob o dele. Conseguiu imprensar aquele homem, aquele leviatã, o monstro da sua infância, de encontro à parede com muito pouco esforço. E assim fez. Manteve o pai ali com a ponta do cotovelo. Balançou o braço do pai, como se fosse o de uma marionete, e o odre de vinho caiu no chão. Inclinou o rosto para encará-lo nos olhos, percebendo, ao mesmo tempo, que o olhava de cima. Esta, disse ao pai, foi a última vez que você me bateu.

De pé diante da janela de Hewlands, a necessidade de ir embora, de se rebelar, de escapar, é tão grande que o preenche até as bordas: não consegue comer coisa alguma do prato que a viúva do fazendeiro lhe deixou, de tão empanzinado que está da necessidade de partir, de fugir, de fazer os pés e as pernas o levarem a qualquer outro lugar, tão distante dali quanto possível.

A ladainha em latim prossegue, os verbos envolvendo-o de novo, do mais-que-perfeito ao presente. Ele está a ponto de se virar e encarar os alunos quando vê surgir, dentre as árvores, uma figura.

Por um instante, o tutor crê tratar-se de um jovem. Está usando um casquete, um justilho de couro, luvas; sai de trás das árvores com uma indiferença e superioridade masculinas e passos fortes dos pés calçados em botas. Traz no punho estendido uma espécie de pássaro: marrom-acastanhado com o peito cor de creme, as asas salpicadas de preto. O pássaro parece domado, dominado, o corpo balançando com o movimento de seu companheiro, seu conhecido.

O tutor imagina que essa pessoa, esse jovem domador de falcões, seja uma espécie de faz-tudo na fazenda. Ou um parente da família, um primo de visita, talvez. Então, registra a longa trança jogada sobre o ombro e chegando abaixo da cintura, o justilho bem amarrado em torno de uma forma que se acentua de modo suspeito na altura da cintura. Vê as saias, que antes estavam arregaçadas, agora sendo baixadas depressa até cobrir as meias. Vê um rosto pálido, oval, sob o casquete, uma testa arqueada, uma boca vermelha e carnuda.

O tutor se aproxima mais da janela, debruçando-se no parapeito, e observa a mulher se mover da direita para a esquerda na moldura da janela, o pássaro imóvel em seu punho, as saias farfalhando em volta das botas. Ela entra, então, na fazenda, passa em meio às galinhas e aos gansos, pela lateral da casa, e desaparece de vista.

Ele se apruma, o cenho não mais franzido, um sorriso se formando sob a barba rala. Atrás dele, a sala está silenciosa. Ele se obriga a lembrar: a aula, os meninos, a conjugação verbal.

Então se vira. Junta as pontas dos dedos, como imagina ser apropriado a um tutor, como seus mestres faziam na escola há não muito tempo.

— Excelente — diz aos alunos.

Todos o fitam, como plantas se virando para o sol. Ele sorri para os rostos macios, pueris, pálidos como massa crua de pão sob a claridade que vem da janela. Finge não ver que o irmão caçula está sendo cutucado por debaixo da mesa com um graveto descascado, que o mais velho encheu a própria lousa com desenhos repetidos de círculos.

— Agora — diz ele para todos. — Eu gostaria que vocês traduzissem a seguinte frase: "Obrigado, senhor, por sua generosa carta."

Os meninos começam a escrever em suas lousas, o mais velho (e mais burro, o tutor sabe) respirando pela boca, o caçula deitando a cabeça no braço. E, com efeito, que sentido faz dar aos meninos essas aulas? Não é fato que estão destinados a serem fazendeiros, como o pai e os irmãos mais velhos? Em contrapartida, que utilidade teve para ele? Anos e anos na escola e aonde isso o levou? A um átrio com fumaça, a ensinar aos filhos de um criador de ovelhas conjugações e gramática.

Espera que os meninos cheguem quase ao fim do exercício antes de indagar:

— Como é o nome daquela criada? Aquela do pássaro?

O caçula o encara com um olhar franco. O tutor sorri de volta. Ele é, orgulha-se disso, perito em dissimular, em ler os pensamentos dos outros, em saber para que lado vão pular, o que farão a seguir. A vida com um genitor de temperamento instável aguça essas habilidades desde a mais tenra idade. O tutor sabe que o primogênito não perceberá a intenção por trás da sua pergunta, mas que o caçula, de apenas nove anos, sim.

— Pássaro? — questiona o mais velho. — Ela não tem passarinho — diz, antes de olhar para o irmão e perguntar: — Tem?

— Não? — insiste o tutor, registrando os olhares vagos dos meninos. Mais uma vez, relembra, por um instante, as penas castanhas sarapintadas do falcão. — Talvez eu tenha me enganado.

O caçula então fala, apressado:

— Tem a Hettie, que cuida dos porcos e das galinhas. — Franzindo o cenho, acrescenta: — Galinhas não são pássaros, são?

O tutor assente:

— Na verdade, são, sim.

Vira-se novamente para a janela. Olha para fora. Tudo está como antes. O vento, as árvores, as folhas, o amontoado de ovelhas molhadas, o trecho de terra domada, cultivada, que se encontra com o limite da floresta. Não há nenhuma moça ali. Será que o que ela segurava no braço estendido era uma galinha? Ele acha que não.

—

Mais tarde no mesmo dia, depois de encerrada a aula, o tutor circunda os fundos da casa. Deveria estar pegando o caminho para a cidade, começando a longa jornada de volta para casa, mas ele quer ver a moça mais uma vez, observá-la, quem sabe trocar algumas palavras com ela. Precisa examinar aquele pássaro de perto, saber que tipo de voz sairá daquela boca. Gostaria de pegar aquela trança, sentir os sulcos sedosos do entremeado lhe escorregarem por entre os dedos. Ergue os olhos para as janelas da casa enquanto caminha ao longo do muro. Claro que não existe desculpa para estar ali no terreno da fazenda. A mãe dos meninos perceberia na hora do que está atrás e o mandaria embora. Ele corre o risco de perder o emprego, de pôr em perigo qualquer que seja o acordo precário que o pai fizera com a viúva do fazendeiro. Mas nem mesmo esse pensamento o refreia.

Segue caminhando pelo terreno, evitando poças e monturos de esterco. Chovera mais cedo, enquanto ele tentava ensinar o subjuntivo: ele ouvira o barulho da chuva caindo no telhado de colmo da sala de aula. O céu começa agora a escurecer; o sol está se retirando do dia; no ar, ainda resiste o rastro gélido do inverno. Uma galinha cisca diligentemente na terra, resmungando baixinho para si mesma.

Ele pensa na moça, em sua trança, no falcão. Uma forma de amenizar o peso dessas visitas obrigatórias agora se apresenta. Esse emprego, com essas crianças, nesse lugar inóspito e horrível, pode se tornar tolerável, afinal. Começa a imaginar contatos pós-aula, um passeio no bosque, um encontro atrás de uma das choupanas ou dos casebres.

Nem por um segundo lhe ocorre que a mulher que ele viu seja, na verdade, a filha mais velha da família.

Ela goza de certa notoriedade na vizinhança. Dizem que é estranha, exótica, peculiar, talvez louca. O tutor ouviu falar que ela costuma vagar pelas estradas secundárias e pela floresta a seu bel-prazer, sozinha, colhendo plantas para poções suspeitas. É recomendável não irritá-la, pois dizem que ela aprendeu seu ofício com uma velha megera que preparava remédios, rogava pragas e podia matar um bebê com um único olhar. Dizem que a madrasta morre de medo de ela lhe lançar um feitiço, ainda mais agora que o pai da moça morreu. Mas ele devia tê-la amado, pois lhe deixou um vultoso legado no testamento. Não que alguém queira se casar com ela. Dizem que é demasiado selvagem para qualquer homem. A mãe, que Deus a tenha, era uma cigana ou uma feiticeira ou um espírito da floresta: o tutor ouviu um bocado dessas histórias a seu respeito. Sua mãe mesmo balança a cabeça e faz um muxoxo de desaprovação sempre que mencionam essa moça.

O tutor nunca a viu, mas imagina que ela seja metade mulher, metade animal, com sobrancelhas espessas, cabelo grisalho, que coxeie e ande com a roupa suja de lama e folhagem. A filha de uma falecida bruxa da floresta. Ela manca, resmungando sozinha enquanto remexe na sacola em busca de pragas e curas.

Ele olha em volta, para a sombra do galinheiro, para os ramos nus das macieiras que se inclinam sobre a cerca no limite da fazenda. Não tem o menor desejo de esbarrar com a filha do fazendeiro sem querer. Passa por um portão na cerca e sai caminhando por uma trilha. Olha por cima do ombro para as janelas da casa, para as portas do estábulo, onde o gado rumina em suas baias. Por onde ela andará?

Seus pensamentos sobre a filha louca e meio bruxa do fazendeiro são interrompidos por um movimento à sua esquerda: uma porta que se abre, o farfalhar de saias, o ranger de uma dobradiça. É a moça com o pássaro! A própria! Saindo de um casebre tosco, fechando a porta ao passar. Bem ali, à sua frente, como se ele houvesse invocado sua presença com o mero pensamento.

Ele tosse na mão espalmada.

— Bom dia — saúda.

Ela se vira. Fita-o por um instante, ergue as sobrancelhas, muito de leve, como se tivesse lido os pensamentos dele, como se a cabeça do tutor fosse transparente como água. Ela o examina da cabeça até as botas e até a cabeça novamente.

— Meu senhor — responde a moça, passado um tempo, com a leve sugestão de uma reverência. — O que o traz a Hewlands?

A voz é cristalina, modulada, articulada e produz um efeito instantâneo nele: uma aceleração no pulso, um calor no peito.

— Estou dando aula para os meninos. De latim.

Ele espera impressioná-la, espera que ela demonstre alguma deferência. Ele é um homem erudito; um homem de letras, com instrução. Não é um ignorante que se apresenta diante da senhora, queria poder dizer, não é um mero camponês.

Mas a expressão da moça não se altera.

— Ah — diz ela. — O professor de latim, claro.

Ele fica confuso com a indiferença da reação. Ela é uma pessoa totalmente desconcertante: difícil calcular sua idade, bem como seu status na casa. Talvez seja um pouco mais velha do que ele. Veste-se como uma criada, com roupas rústicas e sujas, mas fala como uma senhora. É alta, talvez tanto quanto ele, e tem o cabelo escuro como o dele. Encara-o como o faria um homem, mas suas formas preenchem aquele justilho de um jeito definitivamente feminino.

O tutor conclui que a audácia é a melhor alternativa ali:

— Posso ver... Posso ver o seu pássaro?

Ela franze o cenho:

— Meu pássaro?

— Eu a vi mais cedo saindo da floresta, não vi? Com um pássaro pousado no braço? Um falcão. Algo incrível...

Pela primeira vez, o rosto da moça trai uma emoção: preocupação, aflição, certo temor.

— Não vai contar a eles — corta ela, com um gesto que indica a casa. — Vai? Me proibiram de sair com ela hoje, mas ela estava tão inquieta, faminta, que não aguentei vê-la trancada a tarde toda. O senhor não vai contar que me viu, vai? Que eu estava aqui fora.

O tutor sorri. Aproxima-se dela.

— Jamais mencionarei isso — consegue dizer, condescendente, tranquilizador. Põe a mão no braço dela. — Não se preocupe.

Ela o fita diretamente nos olhos. Os dois se encaram bem de perto. Ele vê olhos quase cor de ouro, com um círculo âmbar em torno das íris. Salpicos de verde. Cílios longos e escuros. A pele clara com sardas no nariz e nas maçãs do rosto. Ela faz uma coisa estranha: cobre a mão dele com a sua no lugar onde está pousada em seu braço. Segura a pele e o músculo entre o polegar e o indicador e pressiona. A pegada é firme, insistente, curiosamente íntima, quase dolorosa. Faz com que ele prenda o fôlego. Faz sua cabeça girar. A determinação do gesto. Ele acha que nunca ninguém o tocou naquele lugar, desse jeito, antes.

Não poderia retirar a mão sem um puxão veemente, mesmo se quisesse. A força dela surpreende e, ele se dá conta, excita.

— Eu... — começa o tutor, sem ter a mínima ideia de aonde quer chegar, do que quer dizer. — A senhora...

Imediatamente, ela larga a mão dele e afasta o braço. Ele sente que sua mão, no lugar em que ela a segurou, está quente e muito exposta. Esfrega com ela a testa, como se pretendesse trazê-la de volta ao normal.

— O senhor pediu para ver o meu pássaro — disse ela, cheia de decisão e competência agora, pegando uma chave de uma corrente escondida entre as saias, destrancando a porta e escancarando-a. Entra, então, seguida por ele, que está meio tonto.

É um lugar estreito, pequeno e sombrio, com um odor desidratado e familiar. Ele inspira: o aroma de madeira, de lima, de algo doce e fibroso. Ao mesmo tempo, há uma sugestão de aroma calcário, almiscarado. E a mulher a seu lado: ele sente o cheiro do seu cabelo e da sua pele, sendo que um ou outra tem um leve odor de alecrim. O tutor está prestes a estender a mão para tocá-la — seu ombro e sua cintura se acham irresistivelmente próximos, e por que outro motivo ela o levaria até ali se também não estivesse pensando...

— Aqui está ela — sussurra a moça, insistente. — Consegue vê-la?

— Ver quem? — indaga o rapaz, distraído pela cintura, pelo alecrim, pelas prateleiras à volta, que começam a ficar mais nítidas, conforme seus olhos se ajustam à escuridão. — Ver o quê?

— O meu falcão — responde ela e dá um passo à frente. O tutor vê, então, no extremo do casebre, um poleiro alto de madeira no qual se encontra um pássaro predador.

Ele está encapuzado, as asas dobradas para trás, com as garras ocres agarrando o suporte. Sua postura é encurvada, encolhida, como se açoitado pela chuva. As penas das asas são escuras, mas o peito é branco e sulcado como o tronco de uma árvore. Parece extraordinário ao tutor se ver numa proximidade tão grande com uma criatura tão enfaticamente pertencente a um outro elemento, ao vento, ao céu ou talvez mesmo mito.

— Santo Deus! — Ele se ouve exclamar, e ela se vira e, pela primeira vez, sorri.

— Ela é um francelho — murmura a moça. — Um amigo do meu pai, um padre, me deu de presente quando ainda era filhote. Eu a levo para voar quase todo dia. Não vou tirar o capuz agora, mas ela sabe que o senhor está aqui. Vai se lembrar do senhor.

O tutor não tem dúvida. Embora os olhos e o bico do pássaro estejam cobertos com um capuz em miniatura, feito de couro — de ovelha ou talvez cabra, ele se pega indagando, irritado por fazê-lo —, a cabeça do pássaro se mexe a cada palavra dita, a cada movimento de ambos. O tutor gostaria, se dá conta, de olhar nos olhos da criatura, de ver aquele olho, de saber o que existe atrás daquele capuz.

— Ela pegou dois camundongos hoje — diz a mulher. — E um rato-do-mato. Ela voa — completa, virando-se para ele — sem fazer barulho algum. Eles não a ouvem se aproximar.

O tutor, encorajado pelo olhar que encontra o seu, estende a mão. Encontra a manga do justilho, o justilho e, finalmente, a cintura, que envolve com a mão, com a mesma firmeza com que ela o havia tocado, tentando puxá-la para si.

— Como você se chama?

Ela se afasta, mas ele a prende com mais força.

— Não vou dizer.

— Diga.

— Me solte.

— Primeiro me diga.

— Depois o senhor me solta?

— Sim.

— Como vou saber que cumprirá sua promessa, Mestre Tutor?

— Sempre cumpro minhas promessas. Sou um homem de palavra.

— Assim como um homem de mãos. Me solte. Estou mandando.

— Primeiro seu nome.

— Depois o senhor me solta?

— Solto.

— Muito bem.

— Vai me dizer?

— Sim, é...

— Qual é?

— Anne — responde ela, ou parece responder, ao mesmo tempo em que ele diz "Preciso saber".

— Anne? — repete o tutor, a palavra ao mesmo tempo familiar e estranha em sua boca. Esse era o nome da sua irmã, falecida há menos de dois anos. Dá-se conta de não ter dito esse nome desde o dia do seu enterro. Torna a ver, por um instante, o cemitério molhado, os teixos pingando chuva, a bocarra escura da terra rasgada para aceitar o corpo envolto em pano branco, tão leve e tão pequeno. Demasiado pequeno, aparentemente, para ser enterrado assim, sozinho.

A garota do falcão aproveita essa confusão momentânea e o empurra para longe; ele tomba de encontro às prateleiras que revestem as paredes. Ouve-se um som estranho, que ecoa, como se mil esferas corressem todas para um dos lados do contador. Ele tateia à volta e encontra vários objetos redondos, com casca lisa, frios, com uma espícula no centro. De repente, percebe de onde vem o odor familiar presente ali.

— Maçãs! — exclama.

Ela solta uma risada breve, que paira no espaço entre os dois, as mãos pousadas na prateleira às suas costas, o falcão a seu lado.

— Aqui é o depósito das maçãs.

Ele leva uma das frutas ao rosto e inspira o aroma, forte, específico, ácido. Isso lhe traz à mente imagens passadas: folhas mortas, grama encharcada, fumaça de lenha, a cozinha da mãe.

— Anne — repete, mordendo a maçã.

Ela sorri, encurvando os lábios de um jeito que o encanta e enlouquece, tudo ao mesmo tempo.

— Esse não é o meu nome.

Ele abaixa a maçã, fingindo indignação, mas em parte aliviado.

— Você me disse que era.

— Não disse.

— Disse.

— Então você não estava escutando.

Ele atira longe a maçã mordida e se aproxima dela.

— Me diga agora.

— Não vou dizer.

— Vai, sim.

Ele põe as mãos nos ombros dela e depois deixa as pontas dos dedos deslizarem pelos braços, observando-a estremecer sob seu toque.

— Você vai me dizer — afirma — quando nos beijarmos.

Ela inclina a cabeça para um lado.

— Pretensioso... E se nunca nos beijarmos?

— Mas nos beijaremos.

Mais uma vez, a mão dela encontra a dele; seus dedos prendem a carne entre o polegar e o indicador. Ele ergue a sobrancelha e a encara. A expressão que vê é a de uma mulher lendo um trecho especialmente complexo de um texto, uma mulher tentando decifrar, entender alguma coisa.

— Hummm — faz ela.

— O que você está fazendo? Por que segura a minha mão desse jeito?

Ela franze o cenho; olha diretamente em seus olhos, inquisitiva.

— O que é isso? — insiste o tutor, de repente desconcertado por ela, por seu silêncio, sua concentração, pelo jeito firme com que mantém sua mão presa. As maçãs descansam ao redor dos dois. O pássaro, imóvel em seu poleiro, escuta.

A mulher se inclina para ele. Solta sua mão, que de novo parece em carne viva, descarnada, destroçada. Sem aviso, ela pressiona os lábios contra os dele. O tutor sente a volúpia gêmea dessa boca, a intensa pressão desses dentes, a impossível maciez da pele desse rosto. Então, ela se afasta.

— É Agnes — revela. E esse nome também lhe é familiar, embora jamais tenha conhecido alguém que assim se chamasse. Agnes. Dito de forma diferente de como é escrito no papel, com aquele quase oculto, secreto, G. A língua se encurva para pronunciá-lo, mas mal o toca. Ann-yis. Agn-yez. É preciso demorar na primeira sílaba e depois saltar por cima da última.

Ela está escapando do espaço entre o corpo dele e as prateleiras. Abre a porta e a claridade lá fora é estonteantemente alva, avassaladora. Então a porta bate quando ela sai e ele fica sozinho, com o falcão, com as maçãs, com o odor de madeira e outono e o cheiro seco, de penas e carne, do pássaro.

Ficou tão estupefato com o beijo, com o depósito de maçãs, com a lembrança da sensação dos ombros dela, com os planos para o que fará da próxima vez que for mandado a Hewlands, esquemas para flagrar aquela criada de novo sozinha, que só quando já está quase na entrada da cidade um pensamento lhe ocorre: não dizem que a primogênita da família cria um falcão?

—

Havia uma lenda nesses arredores sobre uma moça que vivia no limite da floresta.

As pessoas perguntavam umas às outras você já ouviu falar da moça que vivia no limite de uma floresta?, quando se sentavam em volta do braseiro à noite, quando faziam massa de pão, quando cardavam lã para tecer. Essas histórias, claro, aceleravam o passar da noite, acalmavam uma criança indócil, distraíam uns e outros de suas preocupações.

No limite da floresta, uma moça.

Há uma promessa do contador para o ouvinte, disfarçada nessa introdução, como uma espécie de bilhete enfiado furtivamente num bolso, uma sugestão de que algo está para acontecer. Qualquer um que esteja próximo há de virar a cabeça e aguçar o ouvido, a mente já prestes a fazer uma imagem da moça, talvez caminhando por entre árvores ou de pé ao lado da muralha verde de uma floresta.

E que floresta! Densa, verdejante, bordada em ponto de cruz com amoreiras e trepadeiras de hera, as árvores tão próximas que se dizia que trechos inteiros da mata não recebiam claridade alguma. Daí não ser, definitivamente, um lugar onde alguém quisesse se perder. Havia trilhas que serpeavam e levavam ao mesmo lugar, trilhas que afastavam os caminhantes de sua rota, de suas intenções, brisas que surgiam do nada. Em algumas clareiras, era possível ouvir música, sussurros ou murmúrios clamando nosso nome, dizendo vem, toma este caminho.

As crianças que moravam perto da floresta eram alertadas desde o berço para jamais se aventurarem ali sozinhas. Donzelas eram instadas a manter distância, avisadas do que poderia surgir daquelas profundezas verdes e silvestres. Ali viviam criaturas que pareciam humanas — habitantes da mata, eram chamadas —, que andavam e falavam, mas que jamais botavam o pé fora da floresta, que haviam passado a vida toda sob sua luz verdejante, em seus ramos envolventes, em seu interior úmido e emaranhado. Diziam que um perdigueiro, criatura esplêndida, com pelo lustroso e presas cintilantes, mergulhara nos arbustos em busca de um cervo e jamais fora visto de novo. Ele seguiu o vulto branco do animal e a floresta o engoliu e jamais o devolveu.

Quem precisava atravessar a floresta parava para rezar; havia um altar, uma cruz, onde se podia parar e entregar a própria segurança ao Senhor, esperando que Ele ouvisse as orações, confiando na proteção d'Ele para que não permitisse que lhe cruzassem o caminho esses habitantes da mata, os espíritos da floresta ou as criaturas das folhas. A cruz acabou coberta, asfixiada, segundo alguns, por grossos emaranhados de hera. Outros caminhantes punham sua fé em poderes mais sombrios: por todo lado nas orlas da floresta havia santuários onde se amarravam trapos de roupa nos galhos e onde eram deixados copos de cerveja, fatias de pão, pedaços de pele de porco e fios de contas brilhantes, na esperança de que os espíritos das árvores fossem apaziguados e garantissem uma passagem segura.

Assim, numa casa bem no extremo da floresta, moravam a moça e seu irmãozinho. As árvores podiam ser vistas das janelas nos fundos das casas, balançando suas copas inquietas em dias ventosos, sacudindo seus punhos nus e retorcidos no inverno. A moça e o irmão nasceram sentindo o chamado da floresta, seu poder de atração.

Quem morava há muito tempo na aldeia acreditava que a mãe da moça saíra dali. De que lugar, exatamente, ninguém sabia dizer. Talvez tivesse sido uma habitante da mata que se perdera, que se separara dos outros da sua espécie, ou fosse de natureza diferente.

Ninguém sabia. Rezava a lenda que ela aparecera um dia, afastando a vegetação, saindo daquele mundo verde e penumbroso e, desde então, o fazendeiro, que por acaso estava por ali cuidando de suas ovelhas, nunca mais conseguira tirar os olhos dela. Removera as folhas do seu cabelo e as lesmas das suas roupas, lavara a lama dos seus pés. Abrigou-a em sua casa, alimentou-a, casou-se com ela e não muito depois uma menininha nascera.

Nessa altura da história, os narradores em geral deixavam claro que mulher alguma jamais se dedicara tanto a uma criança. Ela amarrava o bebê nas costas e o levava aonde quer que fosse, andando pela fazenda descalça, mesmo nos dias mais frios do inverno. Não botava o bebê num berço, mesmo à noite, e o mantinha junto a si, do jeito como fazem os animais. Sumia durante horas a fio na floresta, levando o bebê, e voltava para casa depois de escurecer, com talvez um punhado de castanhas ainda com casca no avental. Na casa não havia braseiro nem comida, nada preparado para o marido comer. As esposas nas casas vizinhas começaram a comentar, perguntando-se como um homem aceitava tudo isso. E, sabendo que a nova mãe não tinha mãe, ou dava a impressão de não ter, essas mulheres iam até a fazenda para partilhar seus conhecimentos sobre as tarefas domésticas, desmame, sobre como evitar doenças, sobre a melhor forma de remendar roupas e a necessidade de toda mulher usar uma touca para cobrir o cabelo depois de casada.

A mulher assentia para todas, com um sorriso distante. Era vista com frequência na estrada com o cabelo descoberto e lhe caindo nos ombros. Havia aberto uma cova na terra do lado de fora da fazenda e cultivava plantas estranhas ali — samambaias silvestres e ervas trepadeiras, flores de pimenteira e feias moitas rasteiras. A única mulher com quem aparentemente falava era uma velha viúva que morava no extremo da aldeia. As duas podiam ser flagradas regularmente conversando no pequeno jardim murado da viúva, a velha inclinada sobre o cajado, enquanto a mais nova, com o bebê amarrado às costas, ainda descalça, ainda com o cabelo à mostra, ficava agachada cuidando das ervas da viúva.

Não demorou para que a mulher ficasse novamente acamada, dessa vez para dar à luz um menino, que se mostrou forte desde que respirou pela primeira vez. Era uma criança enorme, com mãos largas e pés grandes o suficiente para sustentar seu peso. A mulher fez como fizera antes, amarrando o bebê ao corpo, mas um ou dois dias depois do parto ela foi para a floresta, com a menina caminhando a seu lado.

Quando a barriga lhe cresceu pela terceira vez, a sorte da mulher acabou. Foi para a cama parir o terceiro filho, mas dessa vez não tornou a se levantar. As mulheres da aldeia se apresentaram para lavá-la e prepará-la para o outro mundo. Choraram enquanto desempenhavam tal encargo não porque gostassem da mulher, que surgira da floresta e se casara com um de seus conterrâneos, que levava o nome de uma árvore, que tinha tão pouco a dizer a elas, que rejeitara suas tentativas de camaradagem, mas porque sua morte lhes recordou a possibilidade de elas mesmas terem tal destino. Choraram juntas enquanto lavavam e escovavam seu cabelo, enquanto limpavam a sujeira sob suas unhas, enquanto a vestiam de branco, enquanto embrulhavam o pequeno natimorto para colocá-lo nos braços da defunta.

A garotinha, sentada sobre as pernas cruzadas e de costas para a parede, observava sem dizer palavra. Não soluçou, não chorou, nada disse. Seu olhar não se afastou do corpo da mãe. Em seu colo, segurava o irmãozinho, que soluçava e resmungava, enxugando os olhos no vestido dela. Quando qualquer daquelas vizinhas bem-intencionadas se aproximava, a menina cuspia e unhava, como uma gata. Não largava o irmão, independentemente de quantas pessoas tentassem tirá-lo dela. É difícil ajudar uma criança dessas, comentavam entre si as aldeãs, é difícil sentir pena.

A única pessoa que a menina deixava se acercar era a viúva, que havia sido amiga próxima da mãe. A viúva, sentada numa cadeira junto às crianças, praticamente imóvel, tinha no colo um prato de comida. De vez em quando, a menina lhe permitia dar uma colherada de mingau na boca do menino.

Uma das vizinhas lembrou-se da irmã solteira, Joan, que era jovem, mas havia cuidado de vários irmãos menores, bem como de porcos, e se habituara a trabalhar duro. Por que não empregá-la na fazenda? Alguém teria de cuidar da casa, das crianças, dar conta do fogão e mexer as panelas. Quem sabe o que viria depois? O fazendeiro, todos sabiam, era um sujeito de recursos, com uma boa mansão e hectares de terra; as crianças poderiam ser controladas se tivessem o comando adequado.

Ora, pode ou não ser verdade, mas não fizera ainda um mês que Joan se mudara para a fazenda e ela já se queixava da menina para quem se dispusesse a ouvir. A criança a estava deixando zonza. Duas vezes acordara no meio da noite com a garota de pé ao lado da cama agarrando com força sua mão. Pegara-a enfiando sorrateiramente em seu bolso algo que, uma vez examinado, dava a impressão de ser um molho de ervas amarrado com uma pena de galinha. Descobrira folhas de hera sob o seu travesseiro — quem mais as teria posto ali além da menina?

As mulheres da aldeia não sabiam o que dizer nem se deviam acreditar em suas histórias, mas muitas notaram que a pele de Joan se tornou manchada e esburacada. Que em suas mãos brotaram verrugas. Que o que tecia emaranhava e se esfiapava, que seu pão não crescia. Mas a menina não passava de uma criança, uma criança muito novinha... Como seria capaz de tais feitos?

Seria de esperar que Joan desanimasse, deixasse a fazenda e voltasse a morar com a família. Mas Joan não era do tipo de se deixar abater por uma criança cabeçuda, geniosa. Aguentou firme, passando gordura de porco nas verrugas, esfregando o rosto com um pano que continha cinzas.

Com o tempo, como costuma acontecer nesses casos, a persistência de Joan foi recompensada. O fazendeiro casou-se com ela, e os dois tiveram seis filhos, todos louros e rosados e gorduchos, como a mãe, como o pai.

Depois do casamento, Joan parou de se queixar da menina de um jeito tão abrupto como se lhe tivessem cerzido a boca. Não havia nada de mais com ela, retrucava irritada. Nadinha. Eram bobagens e mexericos os boatos de que a garota podia ver a alma das pessoas. Não havia nada de errado na sua família nem na fazenda. Nadinha.

Claro que se espalhou a notícia dos talentos incomuns da menina. Começou a aparecer gente na calada da noite. A garota, quando cresceu, descobriu um jeito de cruzar o caminho daqueles que dela precisavam. Era sabido, na vizinhança, que ela perambulava pelos limites da floresta, por entre as árvores, no fim da tarde, começo da noite, o falcão alçando voo para os galhos e depois retornando para pousar na mão enluvada da dona. Ela levava o pássaro para passear ao crepúsculo, de modo que, se alguém desejasse, podia tomar providências para estar nos arredores.

Quando lhe pediam, a menina — agora uma mulher — despia a luva de falcoeiro e segurava a mão do interessado, apenas por um instante, pressionando a carne entre o polegar e o indicador, onde a força da mão está presente, e dizia o que sentira. A sensação, comentavam alguns, era estonteante, extenuante, como se ela sugasse toda a energia da pessoa; outros consideravam revigorante esse contato, como uma pancada de chuva. O pássaro voava em círculos acima, as penas estendidas, crocitando, como se emitisse alertas.

Diziam que o nome dela era Agnes.

—

Essa é a história, o mito da infância de Agnes. Ela mesma talvez contasse uma história diferente.

Do lado de fora estavam as ovelhas, e elas precisavam ser alimentadas, lavadas, cuidadas, em qualquer circunstância. Precisavam ser levadas para dentro e para fora e tocadas de um campo para outro.

Dentro estava o braseiro que jamais podia se apagar. Precisava ser alimentado, cuidado e avivado, e às vezes a mãe precisava soprar as brasas, com os lábios crispados.

E a própria mãe era algo escorregadio, porque houvera outra mãe, e essa era magra, com os tornozelos fortes acima dos pés descalços. Aqueles pés tinham as solas enegrecidas e caminhavam para um lado e depois para o outro sobre os desenhos das lajotas, e às vezes a levavam para fora da casa e para além das ovelhas e para dentro da floresta, onde pisavam nas folhas, nos galhos e nos musgos. Havia também a mão, que segurava a de Agnes para impedi-la de cair, e essa mão era quente e firme. Quando era erguida do solo da floresta para as costas da mãe, Agnes podia se aninhar sob o manto daquele cabelo. As árvores então lhe pareciam, por entre as madeixas escuras, um show de sombras. Olhe, dizia a mãe, um esquilo, e com um floreio avermelhado, um rabo peludo, sumia tronco acima, como se ela mesma o tivesse ordenado a sair do tronco. Veja! Um martim-pescador: uma flecha azul-turquesa cindindo a pele prateada de um regato. Olhe as nozes: a mãe trepando nos galhos fazendo-os balançar com os braços fortes para receber embaixo um punhado de pérolas de casca parda.

O irmão, Bartholomew, com os olhos bem abertos e surpresos e os dedos que se abriam para formar estrelas brancas, ia em frente preso ao peito da mãe, os dois cara a cara enquanto prosseguiam, os dedos entrelaçados por cima dos ossos redondos

dos ombros da mãe. A mãe cortava juncos verdes para ambos, que depois de secos eram transformados em bonecos. Os bonecos eram idênticos, e Agnes e Bartholomew os guardavam lado a lado numa caixa, seus rostos verdes sem expressão olhando, confiantes, para o telhado.

Então a mãe se fora e outra mãe surgira em seu lugar, ao lado do braseiro, alimentando-o com lenha, soprando as chamas, transferindo o pote da pedra da lareira para a grade, dizendo não mexam, cuidado, está quente. Essa segunda mãe era maior, seu cabelo, claro, enroscado num coque, escondido debaixo de uma touca suja de suor. Cheirava a carneiro e a gordura. Tinha a pele avermelhada coberta de sardas, como se respingada pela lama que uma carroça espirra ao passar. Seu nome, "Joan", fazia Agnes pensar num cachorro uivante. Com uma faca, ela cortara o cabelo de Agnes, dizendo não ter tempo para cuidar dele diariamente. Pegara os bebês de junco, declarando que eram instrumentos do diabo, e os jogara no fogo. Quando Agnes queimou os dedos tentando resgatar suas figuras chamuscadas, ela rira e dissera que Agnes tivera o que merecia. Ela usava sapatos amarrados aos pés, pés que jamais saíam da fazenda para a floresta. Quando Agnes se aventurava sozinha, sem pedir permissão, essa mãe tirava um dos sapatos, levantava a saia de Agnes e descia o sapato nas costas das suas pernas, pá, pá, e a dor era tão surpreendente, tão desconhecida, que Agnes se esquecia de gritar. Em vez disso, encarava as vigas, lá em cima, onde a outra mãe amarrara um molho de ervas numa pedra com um buraco no meio. Para afastar a má sorte, havia dito. Agnes se lembrava de tê-la visto fazer isso. Mordia o lábio. Se obrigava a não chorar. Olhava para o olho negro da pedra. Imaginava quando a mãe estaria de volta. Não chorava.

Essa mãe nova também tirava o sapato se Agnes dissesse você não é a minha mãe ou se Bartholomew pisasse no rabo do cachorro ou se Agnes derramasse a sopa ou deixasse os gansos saírem para a estrada ou não amarrasse a trança da forma correta. Agnes aprendeu a ser ágil, rápida. Aprendeu as vantagens da invisibilidade, como passar por um cômodo sem chamar a atenção. Aprendeu que o que está escondido dentro de uma pessoa pode ser trazido para fora se, digamos, uma pitada de utriculária achasse um jeito de entrar na xícara dessa pessoa. Aprendeu que trepadeiras desentranhadas de um tronco de carvalho esfregadas nas roupas de cama de alguém garantiam a insônia de quem se deitasse ali. Aprendeu que se pegasse o pai pela mão e o levasse até a porta dos fundos, onde Joan arrancara todas as plantas silvestres, o pai ficava calado e depois Joan se lamentava aos prantos, jurando que não pretendera magoar ninguém, que imaginara serem ervas daninhas. E aprendeu que, depois, sempre ganhava um beliscão de Joan por debaixo da mesa, que deixava manchas roxas na sua pele.

Foi uma época confusa, de estações se atropelando ao longo do ano. De aposentos esfumaçados. De constantes balidos e gemidos das ovelhas. De ver o pai passar a maior parte do dia ausente do lar, cuidando dos animais. De tentar impedir a lama que havia do lado de fora de chegar ao lado de dentro, já limpo. De manter Bartholomew longe do fogo, longe de Joan, longe do lago e das carroças na estrada e dos perigosos cascos dos cavalos e da lâmina imprevisível da foice. Cordeirinhos doentes eram postos numa cesta ao lado do fogo, alimentados por meio de trapos embebidos em leite, seus guinchos agudos enchendo o cômodo. O pai no quintal, com uma ovelha revirando os olhos cheios de terror para o céu presa entre os joelhos, guiando a tosquiadeira por entre sua lã. A lã caía no chão como nuvens de tempestade e a criatura que do processo emergia era totalmente diferente — magra, macilenta.

Todos diziam a Agnes que não existira mãe alguma antes. Do que você está falando?, gritavam. Quando a garota insistia, a tática mudava. Você não se lembra da sua mãe verdadeira, não pode se lembrar. Ela retrucava que isso não era verdade; batia o pé; esmurrava a mesa com os punhos, gritava, enraivecida. O que significava tudo isso? Por que persistiam nessas mentiras, nessas falsidades? Ela se lembrava. Lembrava-se de tudo. Disse o que sentia à viúva do boticário, que morava na periferia da aldeia, uma mulher que recebia lã para tecer; a mulher continuou a trabalhar no tear, como se Agnes nada tivesse dito, mas depois assentiu. Sua mãe, disse, era pura de coração. Tinha mais bondade no dedo mindinho, prosseguiu enquanto erguia a mão deformada, do que essa gente tem no corpo inteiro.

Agnes se lembrava de tudo. Com exceção de para onde ela teria ido, do porquê de haver partido.

À noite, Agnes sussurrava para Bartholomew sobre a mulher que gostava de caminhar com eles pela floresta, que amarrara às ervas uma pedra com um buraco, que lhes fazia bebês de junco, que tinha um jardim de plantas nos fundos da casa. Ela se lembrava de tudo. De quase tudo.

Então, um dia, ela esbarrou no pai atrás do chiqueiro, com o joelho no pescoço de um cordeiro prestes a usar sua faca. O cheiro, a cena, a cor a levaram de volta a uma cama empapada de vermelho e a um quarto de massacre, de violência, de um carmim pavoroso. Encarou o pai, encarou-o com firmeza inabalável, mas ainda assim sem vê-lo. Em vez disso, viu uma cama com uma mancha vermelha no centro e depois uma caixa estreita. Nela, Agnes sabia, estava a mãe, porém não como havia sido. Essa mãe estava diferente de novo. Cor de cera, gelada e muda, e em seus braços havia uma trouxinha com o rosto triste e enrugado de um boneco. O padre viera à noite, porque se tratava de um segredo, e era um padre que Agnes jamais vira. Vestia uma roupa comprida e portava uma tigela fumegante que balançou sobre a caixa, murmurando palavras estranhas, ritmadas. Agnes jamais poderia contar, instruíra o pai, entre soluços, jamais poderia contar aos vizinhos ou a qualquer pessoa que o padre estivera ali e dissera palavras mágicas de pé ao lado da mulher de cera e do bebê triste. Antes de partir, o padre tocara Agnes, uma vez e de leve, na cabeça, o polegar lhe pressionando a testa, e dissera, fitando-a diretamente nos olhos, numa linguagem que lhe era familiar, pobre cordeirinha.

Agnes se abre com o pai a esse respeito, enquanto ele continua ajoelhado sobre o outro cordeiro, o vermelho brotando da linha aberta no pescoço. Ela grita as palavras — grita com toda a força dos pulmões, do fundo do coração, eu me lembro, eu sei de tudo.

Chega, menina, retruca o pai, virando-se para ela. Você não pode se lembrar. Já chega. Não diga essas coisas. Não veio padre nenhum aquela noite. Ele não tocou na sua cabeça. Nunca mais diga isso na frente de outra pessoa. Nunca diga isso na frente da sua mãe.

Agnes não sabe se ele está falando de Joan, a mulher da casa, ou da sua mãe, lá no céu. Sente como se o mundo tivesse se quebrado, como um ovo. O céu acima dela poderia, a qualquer momento, se abrir e dele cair fogo e cinzas. Na periferia da sua visão parece haver formas escuras e nebulosas à espreita. A casa da fazenda, o chiqueiro, os irmãos no quintal, tudo parece ao mesmo tempo distante e insuportavelmente próximo. Ela sabe que um padre esteve ali. Como o pai é capaz de fingir que não? Ela se lembra da cruz em volta do pescoço do homem, que ele levou até os lábios e beijou, se lembra da forma como a tigela soltava fumaça no ar, sobre a mãe e o bebê, se lembra de ele ter dito o nome da mãe várias vezes, em meio a suas orações misteriosas: Rowan, Rowan. Ela se lembra. Lembra de tê-lo ouvido lhe dizer pobre cordeirinha. O pai disse jamais conte isso, e ela se afasta correndo do pai, do cordeiro, inerte e drenado de todo o sangue agora, pouco mais que uma saca de moela e osso, e na floresta ela grita essas coisas para as árvores, as folhas, os galhos, sem ninguém para escutá-la. Aperta na mão os caules cheios de espinhos das amoras silvestres até que lhe furem a pele e grita para o Deus da igreja que frequentam todos os domingos, em fila organizada, levando os bebês nas costas, igreja onde não há fumaça, não há tigelas, onde ninguém fala em língua estranha. Ela o invoca, urra seu nome. Você, diz ela, trate de me ouvir, não quero mais saber de você. Daqui em diante irei à sua igreja porque sou obrigada, mas não vou dizer uma palavra lá porque não existe nada depois da morte. Existe a terra e existe o corpo e tudo vira nada.

Ela repete essas coisas para a viúva do boticário, e tais palavras fazem a mulher erguer os olhos. O tear fica mais vagaroso, quase para, enquanto a mulher encara a menina. Não conte o que viu a ninguém, diz ela a Agnes, com sua voz rascante. Jamais. Você vai arrumar uma chuva de problemas se contar.

Ela cresce observando a mãe que usa sapato abraçar e mimar seus filhos louros e gorduchos. Observa-a botar no prato deles o pão mais fresco, o melhor pedaço de carne. Agnes precisa viver com a sensação de ser de segunda classe, deficiente de alguma forma, indesejada. É ela quem tem de varrer, trocar as fraldas dos bebês, niná-los para dormir, limpar a grelha e espevitar o fogo para que não se apague. Ela vê, reconhece, que qualquer acidente ou desastre — um prato derrubado, uma jarra quebrada, fios de lã emaranhados, o pão que não cresceu — de alguma forma será creditado a ela. Cresce sabendo que precisa proteger e defender Bartholomew de todos os golpes da vida, porque ninguém mais fará isso. Ele é sangue do seu sangue, total e completamente, de um jeito que ninguém mais é. Ela cresce com uma chama oculta, particular, nas entranhas: essa chama a lambe, a aquece, a alerta. Você precisa ir embora, diz a chama. Precisa.

Agnes raramente — ou nunca — será tocada. Há de crescer desejando com fervor precisamente isso: a mão de alguém na sua, em seu cabelo, em seu ombro, o carinho de dedos em seu braço. Um carimbo humano de bondade, de sentimento fraternal. A madrasta nunca se aproxima dela. Os irmãos a empurram e beliscam, mas isso não conta.

Ela cresce fascinada pelas mãos dos outros, inclinada a tocá-las, a senti-las entre as suas. O músculo entre o polegar e o indicador para ela é irresistível. Pode ser fechado e aberto como o bico de um pássaro e toda a força da pegada é encontrada ali, todo o poder do domínio. A capacidade de alguém, seu alcance, sua essência podem ser vislumbrados. Tudo que um dia esse ser humano teve, possuiu, e tudo que almeja conseguir está ali naquele lugar. É possível, Agnes percebe, descobrir tudo que é preciso saber sobre alguém apenas pressionando esse músculo.

Aos sete ou oito anos, não mais do que isso, um visitante permite que Agnes segure sua mão desse jeito, e a menina diz você encontrará a morte ainda este mês. E não é que o visitante acaba falecendo de febre já na semana seguinte? Ela diz que o pastorzinho vai cair e machucar a perna, que o pai vai enfrentar uma tempestade, que o bebê vai levar um tombo no segundo aniversário, que o homem que deseja comprar a lã do pai é um mentiroso, que o mascate que bate na porta dos fundos tem segundas intenções quanto à cozinheira.

Joan e o pai dela se preocupam. Não é cristão esse talento. Imploram com ela para que pare, para não tocar na mão das pessoas, para esconder esse dom estranho. Nada de bom há de sair daí, diz o pai, de pé a seu lado enquanto ela está ajoelhada junto ao braseiro. Nadinha de bom. Quando ela estende o braço para pegar-lhe a mão, ele a recolhe, sobressaltado.

Ela cresce se sentindo errada, inadequada, morena demais, alta demais, demasiado indomável, demasiado obstinada, calada demais, esquisita demais. Cresce com a consciência de ser meramente tolerada, irritante, inútil, de não merecer amor, de precisar mudar de forma drástica, subjugar sua natureza, a fim de conseguir se casar. Cresce também com a lembrança do que significa ser amada de verdade, pelo que se é e não pelo que se deveria ser.

Existe apenas o suficiente dessa lembrança, ela espera, para capacitá-la a reconhecer a sensação, caso volte a encontrá-la. E, se isso acontecer, ela não hesitará. Há de agarrá-la com ambas as mãos, como meio de escapar, como meio de sobrevivência. Não ouvirá os argumentos em contrário dos outros, as objeções, as conclusões. Essa será a sua oportunidade, a forma de atravessar o buraco estreito no coração da pedra, e nada se porá em seu caminho.

Hamnet sobe a escada, bufando depois da corrida pela cidade. Parece que o exercício exaure sua força, o ato de pôr uma perna diante da outra, erguer cada pé a cada degrau. Ele usa o corrimão para se alçar e prosseguir.

Tem certeza, certeza absoluta, de que quando chegar ao andar de cima encontrará a mãe. Há de vê-la junto à cama em que Judith está deitada, o corpo encurvado como um arco. Judith estará aninhada em lençóis limpos; o rosto, embora pálido, estará acordado, alerta, confiante. Agnes terá nas mãos um remédio, que a menina vai tomar, com uma careta por causa do gosto amargo. As poções da mãe podem curar qualquer coisa — todos sabem disso. Vem gente de toda a cidade, desde Warwickshire e de lugares mais distantes ainda, para falar com a mãe pela janela da casinha modesta, para descrever sintomas, lhe dizer do que padecem, quanto sofrem. Algumas dessas pessoas são convidadas a entrar.

São mulheres, quase sempre, que a mãe manda se sentarem junto ao braseiro, na cadeira boa, enquanto lhes segura as mãos entre as suas, enquanto mói algumas raízes, algumas folhas de plantas, um punhado de pétalas. Elas partem com um embrulho de pano ou um vidrinho, tapado com papel e cera de abelha, o rosto mais descontraído, relaxado.

A mãe há de estar lá. Trará de volta a saúde de Judith. Ela é capaz de afastar qualquer doença, qualquer mazela. Saberá, decerto, o que fazer.

Hamnet entra no quarto de cima. Vê apenas a irmã, sozinha, na cama.

Ela ficou, Hamnet percebe ao se aproximar, mais pálida, mais fraca, durante o tempo que ele levou para ir até o médico. A pele em torno dos olhos é cinza-azulada, como se fosse um hematoma. A respiração é curta e rápida, os olhos, sob as pálpebras, vagueiam de um lado para outro, como se vissem algo que ele não consegue ver.

As pernas de Hamnet cedem sob seu peso. Ele se senta num dos lados do catre. Ouve a irmã inspirar e expirar, o que lhe dá certo consolo. Entrelaça seu mindinho no mindinho de Judith. Uma lágrima solitária lhe escorre do olho e cai no lençol, resvalando depois para o junco abaixo.

Outra lágrima cai. Hamnet fracassou. Vê claramente isso. Tinha que ter chamado alguém: pai, mãe, avô ou avó, um adulto, um médico. Ele fracassou em todas as instâncias. Fecha os olhos para impedir que as lágrimas rolem e deixa a cabeça se assentar sobre os joelhos.

—

Cerca de meia hora depois, Susanna entra pela porta dos fundos. Larga a cesta numa cadeira e desaba no banco junto à mesa. Olha para um lado, desconsolada, e depois olha para o outro.

O fogo apagou; não há ninguém ali. A mãe prometeu que estaria de volta e não voltou. A mãe nunca está onde diz que estará.

Susanna tira a touca e a atira no banco a seu lado. A touca escorrega e vai parar no chão. Ela pensa em se inclinar para pegá-la, mas não o faz. Em vez disso, encontra-a com o dedo do pé e a chuta para mais longe. Suspira. Tem quase catorze anos. Tudo — a visão das panelas na mesa, as ervas e flores amarradas às vigas, a boneca de milho da irmã numa almofada, o jarro perto da lareira — lhe causa uma profunda e inexplicável irritação.

Ela se levanta. Abre uma janela para deixar entrar um pouco de ar, mas a rua cheira a cavalo, a estrume, a algo rançoso e podre. Fecha a janela com estrondo. Por um segundo acha que ouviu um movimento no andar de cima. Será que tem alguém lá? Fica em pé e aguça o ouvido. Não, nada. Não ouve mais som algum.

Senta-se na cadeira boa, a que as visitas da mãe usam, as pessoas que entram sorrateiramente, em geral tarde da noite, para sussurrar sobre mazelas, sangramentos, falta de sangramento, sonhos, presságios, dores, dificuldades, amores inconvenientes, amores importunos, augúrios, ciclos da lua, uma lebre em seu caminho, um pássaro dentro de casa, a perda de sensibilidade num membro, excesso de sensibilidade noutro local, erupções de pele, tosse, feridas, uma dor aqui ou acolá ou no ouvido, na perna, nos pulmões ou no coração. A mãe se inclina para ouvir, assentindo, com um estalar de língua solidário. Então pega-lhes a mão e, quando faz isso, deixa o olhar flutuar em direção ao teto, os olhos desfocados, semifechados.

Já perguntaram a Susanna como a mãe faz isso. Já a puxaram de lado no mercado ou na rua, querendo saber como Agnes adivinha o que um corpo demanda ou do que ele carece ou tem em excesso, como ela é capaz de dizer se uma alma está relaxada ou ansiosa, como ela sabe o que uma pessoa ou um coração esconde.

Isso faz com que Susanna queira bufar ou atirar alguma coisa. Ela agora já pressente se alguém está prestes a indagar sobre os talentos raros da mãe e tenta se esquivar, se desculpar e ir em frente ou começar a lhes fazer perguntas sobre a família do curioso, sobre o tempo, sobre a colheita. Existe, ela descobriu, certa hesitação, uma expressão facial específica — em parte de curiosidade, em parte de desconfiança — que prefacia essas conversas. Como as pessoas não percebem que não existe assunto de que Susanna mais odeie falar? Não está óbvio que isso nada tem a ver com ela — as ervas, os frascos e vidrinhos de pós e raízes e pétalas que fazem o cômodo feder como um monte de esterco, as visitas que murmuram, que soluçam, o segurar de mãos? Quando era menor, Susanna costumava responder com sinceridade que não sabia, que era como mágica, que se tratava de um dom. Ultimamente, porém, ela é rude: não faço ideia do que você está falando, diz, de cabeça erguida e nariz em pé, como se farejasse o ar.

E por onde andará a mãe agora? Susanna cruza e descruza os tornozelos um sobre o outro. Perambulando pelas pradarias, provavelmente, entrando em lagos, colhendo ervas, subindo em cercas para alcançar esta ou aquela planta, rasgando a roupa, enlameando o sapato. Outras mães da cidade hão de estar passando manteiga no pão ou servindo cozido aos filhos. Mas a de Susanna? Deve estar se expondo ao ridículo, como sempre, parando para examinar as nuvens, para cochichar algo no ouvido de uma mula, para colher dentes-de-leão e embrulhá-los na saia.

Susanna se assusta com uma batida na janela. Permanece sentada, congelada na cadeira. Lá vem a batida de novo. Ela se põe de pé com esforço e vai até a janela. Através da treliça e do vidro embaçado, dá para identificar o arco pálido de uma coifa, um corpete vermelho-escuro: alguém abastado, sem dúvida. A mulher torna a bater, ao ver Susanna, com um gesto imperativo, exigente.

Susanna não faz menção de abrir a janela.

— Ela saiu — grita, empertigando-se. — A senhora terá de voltar mais tarde.

Gira nos calcanhares e se afasta, retornando à cadeira. A mulher bate duas vezes mais na vidraça e depois Susanna ouve seus passos se afastando.

Gente, gente, sempre gente, indo e vindo, chegando e partindo. Susanna, os gêmeos e a mãe podem ter acabado de se sentar para tomar um caldo e, antes mesmo de levarem a primeira colherada à boca, ouve-se uma batida e lá vai a mãe, botando de lado o caldo, como se Susanna não tivesse se esfalfado para prepará-lo, desde lavar várias vezes os ossos de galinha e as cenouras até descascá-las, sem falar nas horas passadas a mexer a panela, no calor escaldante da cozinha. Às vezes, Susanna tem a impressão de que Agnes não é apenas sua mãe — e dos gêmeos, claro —, mas, sim, mãe de toda a cidade, de todo o condado. Será que isso um dia vai parar? Será que a procissão de gente em sua casa terá fim? Será que um dia deixarão sua família em paz? Susanna ouviu a avó dizer que não sabe por que Agnes faz esse trabalho, já que não precisa de dinheiro no momento. Não, acrescentou a avó, que isso algum dia tenha rendido muito. A mãe nada disse, nem sequer ergueu a cabeça da costura.

Susanna encurva os dedos em volta dos arremates entalhados dos braços da cadeira, que já estão quase lisos depois do contato com centenas de palmas de mão. Movimenta o corpo para trás até que a coluna encontre as costas da cadeira. Essa é a cadeira em que o pai gosta de se sentar quando volta para casa. Duas, três, quatro ou cinco vezes por ano. Às vezes fica uma semana, em outras, mais do que isso. Durante o dia, ele leva a cadeira para o andar de cima, onde se debruça sobre uma mesa para trabalhar; chegada a noite, ele a traz de volta para baixo, a fim de sentar-se junto ao fogo. Venho sempre que posso, disse-lhe na última vez que esteve em casa, levando as pontas dos dedos ao rosto dela. Você sabe que isso é verdade, havia dito. Estava fazendo as malas para partir de novo — maços de papel, cheios de palavras escritas, uma camisa para trocar, um livro que encadernara com categute e uma capa de pele de porco. A mãe saíra, sumira para onde quer que fosse, pois odiava vê-lo ir embora.

O pai lhes escreve cartas, que a mãe lê com dificuldade, o dedo passando de palavra para palavra, os lábios formando os sons. A mãe sabe ler um pouco, mas só consegue escrever de forma rudimentar. A tia Eliza costumava escrever as respostas deles — a caligrafia dela é linda —, mas, ultimamente, Hamnet tem se encarregado disso. Ele frequenta a escola seis dias por semana, do alvorecer ao crepúsculo; consegue escrever com a rapidez de quem está falando, e lê latim e grego, e faz colunas de números. O ruído da pena lembra o som de pés de galinha na terra. O avô diz, com orgulho, que Hamnet será o herdeiro do comércio de luvas, quando ele se for, que o menino tem uma ótima cabeça em cima dos ombros, que é um erudito, um comerciante nato, o único deles com algum juízo. Hamnet se debruça sobre os livros escolares, não dá sinais de ter ouvido, o topo da cabeça voltado para eles, que estão perto do fogo, a linha que reparte o cabelo serpeando qual um regato no couro cabeludo.

As cartas do pai falam de contratos, de dias longos, de multidões que jogam coisas podres quando não gostam do que ouvem, do grande rio em Londres, de um proprietário de teatro rival que abriu um saco com ratos no clímax da nova peça deles, de decorar textos, textos e mais textos, da perda das fantasias, de um incêndio, de ensaiar uma cena em que os atores eram baixados ao palco com cordas, da dificuldade de encontrar comida nas viagens pela estrada, de cenários desabados, de figurinos mal guardados ou roubados, de carroças que perdem as rodas e jogam todos na lama, de hospedarias que lhes recusam acomodação, do dinheiro economizado, do que ele precisa que a esposa faça, com quem ela deve falar na cidade sobre um pedaço de terra que ele quer comprar, de uma casa que ele ouviu dizer estar à venda, de um campo que eles deviam comprar para depois alugar, de como é grande a saudade, mas que lhes manda seu amor, de como gostaria de beijar seus rostos, um por um, que não vê a hora de voltar novamente para casa.

Se a peste chegar a Londres, ele poderá passar vários meses com eles. Os teatros estão todos fechados por ordem da rainha e a ninguém é permitido se reunir em público. É errado desejar a peste, dissera a mãe, mas Susanna já fez isso baixinho várias vezes à noite, depois de rezar. Ela sempre se benze em seguida. Mas continua a desejar. O pai em casa durante meses com eles. Às vezes se pergunta se a mãe, secretamente, não deseja o mesmo.

A tranca da porta dos fundos é aberta com um ruído e adentra a avó, Mary. Está corada, sem fôlego e debaixo dos braços ostenta meias-luas escuras de suor.

— O que você está fazendo sentada aí? — pergunta Mary. Não existe para ela afronta maior que uma pessoa ociosa.

Susanna dá de ombros. Esfrega os dedos nas juntas desgastadas da cadeira.

Mary passa os olhos no aposento.

— Onde estão os gêmeos?

Susanna ergue um ombro, baixando-o em seguida.

— Você não viu os dois? — insiste Mary, enxugando a testa com um lenço.

— Não.

— Mandei que cortassem lenha e acendessem o fogo na cozinha — resmunga Mary, inclinando-se para pegar do chão a touca que a neta deixou cair e colocando-a na mesa. — Por acaso eles obedeceram? Não, não obedeceram. Os dois vão levar uma sova quando chegarem.

Ela se vira para ficar de frente para Susanna e põe as mãos na cintura.

— E a sua mãe, onde está?

— Não sei.

Mary suspira. Quase abre a boca para dizer alguma coisa, mas desiste. Susanna percebe, sente as palavras não ditas ondulando como flâmulas no ar entre ambas.

— Bom, vamos lá, então — diz Mary, abanando o avental para Susanna —, o jantar não vai ficar pronto sozinho. Venha ajudar, garota, em vez de ficar aí sentada como uma galinha chocadeira.

Mary pega a neta pelo braço e a põe de pé. As duas saem pela porta dos fundos, que se fecha ruidosamente depois que passam.

No andar de cima, Hamnet acorda sobressaltado.

De repente, nada parece tão excelente quanto ensinar latim. Nos dias em que deve ir a Hewlands, o tutor desperta ao primeiro sinal, dobra as roupas de cama e se lava com vigor com a água da jarra. Penteia o cabelo e a barba com esmero. Enche o prato do café da manhã, mas sai da mesa antes de terminá-lo. Ajuda os irmãos a achar os livros e os leva até a porta, despedindo-se quando vão para a escola. Foi visto cantarolando e até assentindo para o pai. A irmã o observa com o canto do olho, quando ele assovia baixinho, amarrando o justilho de um jeito, depois de outro, conferindo seu reflexo na vidraça da janela antes de sair, prendendo e soltando o cabelo atrás das orelhas e batendo a porta ao passar.

Nos dias em que não vai a Hewlands, fica deitado na cama até o pai ameaçar lhe dar uma coça. Uma vez de pé, ele vaga pela casa, suspirando, sem responder quando lhe falam, roendo, distraído, uma casca de pão, pegando coisas das mesas e tornando a pô-las no lugar. É visto na oficina, debruçado na bancada, virando do avesso par após par de luvas femininas, como se em busca de algum significado em suas costuras, em seus dedos inertes. Então suspira de novo e empurra tudo sem cuidado de volta para a caixa. Fica parado ao lado de Ned, observando enquanto o aprendiz costura um cinto de falcoeiro, tão próximo do rapaz que o infeliz se distrai do trabalho, fazendo com que John rosne que entre ele e a rua existe apenas a porta.

— E você — grita John, virando-se para o filho —, trate de sair daqui. Vá procurar uma ocupação útil. Se puder — acrescenta, balançando a cabeça e voltando a atenção para o corte de uma pele de esquilo em tiras estreitas. — Toda essa instrução — resmunga para si mesmo, para os metros escorregadios de peliça — e nem um pingo de juízo.

—

A irmã dele, Eliza, é mais tarde enviada pela mãe para encontrá-lo. Depois de procurar no andar térreo e no quintal, ela sobe a escada e vai do quarto dos meninos ao dela, ao dos pais e depois retorna; chama pelo irmão.

A resposta leva um tempo para chegar e, quando chega, é monocórdia, irritada, desgostosa.

— Onde você se meteu? — indaga ela, confusa, virando a cabeça para um lado e para outro.

Mais uma vez, a pausa longa, relutante, e depois:

— Aqui em cima.

— Onde? — insiste ela, confusa.

— Aqui.

Eliza se afasta do quarto dos pais para se postar ao pé da escada que leva ao sótão. Torna a chamar o irmão.

Um suspiro. Um ruído misterioso.

— O que você quer?

Por um instante, Eliza acha que talvez ele esteja fazendo o que os meninos — os rapazes — às vezes fazem. Ela tem irmãos o suficiente para saber que existe algo que acontece privadamente e que eles ficam de mau humor quando são interrompidos. Hesita ao pé da escada, uma das mãos num degrau.

— Posso... Posso subir?

Silêncio.

— Você está doente?

Mais um suspiro.

— Não.

— A mamãe quer saber se você pode ir até o curtume e depois ao...

Ouve-se, vindo de cima, um grito estrangulado, inarticulado, o som de algo pesado sendo atirado contra a parede, uma bota, talvez, ou uma broa de pão, um movimento, depois um baque, não muito diferente do barulho que faz uma pessoa que se levanta e bate a cabeça numa viga.

— Ai! — exclama ele, deixando escapar um chorrilho de palavrões, alguns de fazer corar, outros que Eliza jamais escutou, mas cujo significado perguntará ao irmão mais tarde, quando seu humor melhorar.

— Estou subindo — avisa ela, começando a galgar os degraus.

Ela entra em um espaço quente e empoeirado, iluminado apenas por duas velas num fardo. O irmão está sentado, desabado, no chão, segurando a cabeça entre as mãos.

— Me deixe ver — pede Eliza.

Ele resmunga algo inaudível, possivelmente herético, mas o significado é claro: ele quer que ela vá embora e o deixe em paz.

Ela pousa a mão na dele, lhe acaricia os dedos. Com a mão livre, ergue a vela e examina o local que dói. Vê um galo, avermelhado e arranhado, logo abaixo da linha do cabelo. Pressiona as extremidades, provocando uma careta de dor no rapaz.

— Hum... Você já sofreu coisa pior.

Ele ergue os olhos e ambos se encaram durante um momento. Ele dá um meio-sorriso.

— Verdade — concorda o rapaz.

Ela deixa que a mão escorregue da dele e, ainda segurando a vela, se senta num dos fardos de lã que enchem o vão entre o chão e o telhado. Há anos eles estão ali. Uma vez, no inverno anterior, no quintal, enquanto envolviam luvas em panos de linho, arrumando dedos contra punhos em cestas, e as colocavam numa carroça, o irmão questionou o porquê de o sótão estar cheio de fardos de lã e o que pretendiam fazer com eles. O pai se inclinara por sobre a carroça, puxando o filho pelo justilho. Não há fardos de lã em casa, dissera, dando uma sacudidela no rapaz a cada palavra. Você entendeu?, insistira. O irmão de Eliza encarara o pai sem pestanejar. Entendi perfeitamente, acabou por responder. O pai continuou a segurá-lo, o punho fechado em torno daquele pedaço de roupa, como que decidindo se o rapaz estava ou não sendo insolente, e depois o soltou. Não fale do que não lhe diz respeito, resmungara, enquanto voltava à sua tarefa, e todos no quintal respiraram aliviados.

Eliza se permite balançar para a frente e para trás sobre o fardo de lã, cuja existência lhes cabe para sempre negar. O irmão a observa por um tempo, mas nada diz. Inclina a cabeça para trás e olha as vigas.

Ela se pergunta se o irmão estará se lembrando de que o sótão sempre foi o espaço dos dois — dela e dele, e também de Anne, quando era viva. Os três se retiravam para lá à tarde, quando ele voltava da escola, puxando a escada depois de subir, a despeito dos protestos e súplicas dos irmãos menores. Na época, o lugar era praticamente vazio, exceto por um punhado de coisas estragadas que o pai vinha guardando por algum motivo inespecífico. Ninguém podia alcançá-los ali; eram apenas os dois e Anne, até que a mãe os chamasse para desempenhar alguma tarefa ou assumir os cuidados dos pequenos.

Eliza não se dera conta de que o irmão ainda subia ao sótão; não imaginara que ele ainda buscasse se refugiar ali do restante dos moradores da casa. Ela nunca mais subira a escada desde a morte de Anne. Deixou o olhar passear pelo cômodo: o teto chanfrado, a parte de baixo dos tijolos do telhado, os fardos e mais fardos de lã, que precisam ser guardados ali, longe da vista. Vê tocos de velas velhas, uma faca dobrável, um pote de tinta. No chão, há vários pedaços de papel cobertos de palavras, palavras riscadas, reescritas, novamente riscadas, que depois foram amassados e deixados de lado. O polegar e o indicador do irmão, as bordas das unhas, percebe Eliza, estão manchados de preto. O que ele andará estudando aqui em segredo?

— O que há de errado? — pergunta.

— Nada — responde ele, sem olhar para ela. — Nadinha.

— O que está incomodando você?

— Nada.

— Então o que você faz aqui?

— Nada.

Ela olha para os papéis amassados. Vê as palavras "nunca" e "fogo", algo que pode ser "voar" ou "fiar". Quando ergue os olhos novamente, vê que ele a observa, com o cenho franzido. Sem querer, Eliza esboça um breve sorriso. Ele é a única pessoa na casa — na verdade, na cidade toda — que sabe que ela tem alguma instrução, que sabe ler. E como sabe? Porque foi ele quem ensinou isso a ela e a Anne. Toda tarde nesse lugar, depois de chegar da escola, ele desenhava uma letra no pó, no chão, e dizia veja, Eliza, veja, Anne, este é um "d", este é um "o", e se vocês botarem um "m" no final vira "dom". Estão vendo? Vocês precisam juntar os sons, uns atrás dos outros, até que o significado da palavra brote na cabeça.

— A única coisa que você está disposto a dizer é "nada"? — questiona Eliza.

Ela vê a boca do irmão se crispar e sabe que ele está relembrando todas as aulas de retórica e argumentação para encontrar um jeito de responder a essa pergunta com aquela palavra.

— Você não consegue — diz ela, com satisfação. — Não consegue achar um jeito de responder "nada", consegue, por mais que se esforce? Não consegue. Admita.

— Não admito nada — responde ele, triunfante.

Os dois ficam sentados ali um instante, se encarando. Eliza balança o salto de um dos sapatos sobre o bico do outro.

— Estão dizendo — começa ela com cuidado — que você anda sendo visto com a garota lá de Hewlands.

Ela não acrescenta algumas das coisas mais grosseiras ou difamatórias que ouviu contra o irmão, que não tem tostão nem profissão, sem falar que é um bocado jovem para estar cortejando uma mulher como essa, que é maior de idade e virá com um dote gordo. Que bela saída seria para o garoto, Eliza ouviu uma mulher no mercado cochichar pelas suas costas. Dá para ver por que ele iria querer casar com uma ricaça e fugir daquele pai.

Ela se abstém de mencionar o que falam da moça. Que ela é feroz e selvagem, que roga praga para os outros, que pode curar qualquer coisa, mas também pode causar qualquer coisa. Aqueles quistos na cara da madrasta, ela ouviu alguém dizer outro dia mesmo, foram obra dela quando a madrasta mandou embora o seu falcão. Ela é capaz de azedar o leite apenas tocando-o com os dedos.

Quando ouve tais comentários, feitos na sua presença por gente na rua, por vizinhos, por aqueles a quem ela vende luvas,

Eliza não finge que não os ouviu. Ela se detém. Segura o olhar do mexeriqueiro em questão (seu olhar é perturbador, sabe disso — o irmão já cansou de lhe dizer; tem a ver, diz ele, com a pureza da cor de seus olhos, com a forma como ela consegue esbugalhá-los de maneira que toda a íris seja vista). Eliza tem apenas treze anos, mas é alta para a idade. Prende o olhar do outro tempo suficiente para obrigá-lo a baixar os olhos, para deixá-lo desconfortável com a sua ousadia, com a sua severidade silenciosa. Existe, ela descobriu, um tremendo poder a ser exercido em silêncio. O que é algo que esse irmão dela jamais aprendeu.

— Ouvi dizer — continua — que vocês fazem passeios juntos. Depois das aulas. É verdade?

Ele não a olha quando diz:

— E daí?

— Na floresta?

Ele dá de ombros, não confirma nem nega.

— A mãe dela sabe?

— Sim — responde ele depressa, depressa demais, e depois volta atrás. — Não sei.

— Mas e se...? — Eliza considera a pergunta que lhe vem aos lábios quase incômoda demais para ser feita; ela tem apenas uma vaga noção do seu conteúdo, o processo envolvido, os riscos pertinentes. Tenta de novo: — E se vocês forem pegos? Enquanto estão fazendo um desses passeios?

Ele ergue um ombro, depois o baixa:

— Aí somos pegos, pronto.

— Essa possibilidade não aflige você?

— E por que deveria?

— O irmão... — começa ela. — O criador de ovelhas. Você nunca viu o irmão? Ele é um gigante. E se ele decidir...

O irmão de Eliza faz um gesto de indiferença com a mão.

— Você se preocupa demais. Ele está sempre ausente, cuidando das ovelhas. Nunca encontrei com ele em Hewlands, e já fui muitas vezes lá.

Ela entrelaça as mãos, dá uma nova olhada nos papéis amassados, mas não consegue extrair qualquer significado do que está escrito neles.

— Não sei se você sabe — diz, timidamente — o que dizem dela, mas...

— Eu sei o que dizem dela — retruca ele.

— Muita gente garante que ela é...

Ele se apruma, de repente corado.

— Nada disso é verdade. Nada. Me admira que você dê ouvidos a esses mexericos.

— Desculpe! — exclama Eliza. — Só estou...

— São mentiras — prossegue o irmão, como se ela não tivesse falado — espalhadas pela madrasta. Ela tem tanta inveja da enteada que isso lhe vira a cabeça...

— ...com medo por você!

Ele a fita, desconcertado:

— Por mim? Por quê?

— Porque... — Eliza tenta organizar as ideias, peneirar o que ouviu. — Porque nosso pai jamais há de concordar com isso. Você deve saber. Temos dívidas com aquela família. Papai jamais dirá o nome deles. E por causa do que falam dela. Eu não acredito — acrescenta, apressada —, claro que não. Mas, mesmo assim, é complicado. Dizem por aí que nada de bom pode resultar dessa ligação entre vocês.

Ele desaba de costas nos fardos de lã, vencido, cerrando os olhos. Todo o corpo treme, de raiva ou alguma outra coisa. Eliza não sabe. Faz-se um longo silêncio. Eliza dobra o tecido da bata em pequeninas pregas bem-feitas. Então, lembra de mais uma coisa que quer perguntar ao irmão e se inclina para a frente.

— Ela tem mesmo um falcão? — sussurra, num novo tom.

Ele abre os olhos, levanta a cabeça. Irmão e irmã se olham um momento.

— Tem.

— Sério? Eu tinha ouvido, mas não sabia se era...

— É um francelho, não um falcão. Ela mesma o treinou. Um padre lhe ensinou. Ela usa uma luva, e o pássaro alça voo, como uma flecha, e sobe por entre as árvores. Você nunca viu nada parecido. Ele é tão diferente quando voa, quase como se fossem duas criaturas, uma na terra e outra no ar. Quando ela chama, ele volta, revoando em grandes círculos no céu, e pousa com tamanha força na luva, tamanha determinação...

— Ela já deixou você fazer isso? Usar a luva e aparar o falcão?

— Francelho — corrige ele, depois assente, e o orgulho que sente faz seu rosto quase cintilar. — Já.

— Eu ia adorar — diz Eliza, com um suspiro — ver isso.

Ele a encara, esfrega o queixo com os dedos manchados.

— Quem sabe — emenda ele, quase para si mesmo — eu levo você comigo um dia desses.

Eliza larga o vestido, desmanchando as pregas do tecido. Está ao mesmo tempo empolgada e aterrorizada.

— Leva mesmo?

— Claro.

— E você acha que ela vai deixar que eu segure o falcão? O francelho?

— Não vejo por que não. — Ele observa a irmã um instante. — Você vai gostar dela, acho. Você e ela não são diferentes, sob certos aspectos.

Eliza se choca com tal revelação. Ela não é diferente da mulher sobre a qual falam coisas tão horríveis? Outro dia mesmo, na igreja, ela teve a chance de observar a pele da dona de Hewlands

— aquelas bolhas, manchas e verrugas —, e a ideia de que uma pessoa possa fazer isso com outra lhe é profundamente perturbadora. Mas ela não diz isso ao irmão, e, na verdade, uma parte dela anseia para ver a moça de perto, olhar em seus olhos. Por isso Eliza nada diz. O irmão não gosta de ser pressionado. É alguém que precisa ser abordado pelas beiradas, com cautela, como um cavalo indócil. Ela deve sondar com delicadeza, e assim, provavelmente, descobrirá mais coisas.

— Que tipo de pessoa ela é, então? — indaga.

O irmão pensa antes de responder.

— Ela é diferente de todo mundo que você conhece. Não se importa com o que pensam dela. Segue os próprios instintos. — Ele se senta inclinado para a frente, pousando os cotovelos nos joelhos, abaixando a voz para um sussurro. — Ela olha para você e vê a sua alma. Não tem um pingo de rudeza. Aceita as pessoas como elas são, não pelo que não são ou deveriam ser. — Ele olha para Eliza. — Essas qualidades são raras, não?

Eliza sente a cabeça assentir várias vezes. Está surpresa com os detalhes do discurso dele, honrada por ser a ouvinte.

— Parece que ela é... — Procura a palavra certa, lembrando-se de uma que ele lhe ensinou algumas semanas antes. — Inigualável.

Ele sorri e Eliza sabe que lhe veio à lembrança tê-la ensinado.

— É exatamente o que ela é, Eliza. Inigualável.

— Parece também — começa ela com cuidado, um cuidado imenso, de forma a não alarmá-lo, a não fazê-lo voltar ao silêncio. Quase não acredita que ele já tenha dito tanta coisa. — Parece também que você está... Está decidido. Que está fixado. Nela.

Ele não diz nada, apenas se estica para tocar com a palma da mão o fardo de lã ao lado. Por um instante, Eliza crê ter ido longe demais, teme que ele se recuse a prosseguir com a conversa, que se levante e vá embora, sem mais confidências.

— Você falou com a família dela? — aventura-se.

Ele balança a cabeça e dá de ombros.

— Vai falar com eles?

— Eu falaria — murmura ele, de cabeça baixa —, mas não tenho dúvidas de que a minha proposta será recusada. Eles não me consideram um bom pretendente para ela.

— Talvez se você... se você esperasse — intervém Eliza, hesitante, pousando a mão na manga do rapaz — um ou dois anos. Aí você já teria a maioridade. E estaria mais estável na profissão. Quem sabe o negócio do papai melhore e ele recupere um pouco do status que tinha na cidade, e talvez ele possa ser convencido a parar esse...

Ele afasta os braços de repente, aprumando a postura.

— E quando foi que você o viu ceder à persuasão, à lógica? — questiona ele. — Quando foi que você o viu mudar de ideia, mesmo estando errado?

Eliza se levanta do fardo.

— Eu só acho...

— Quando — prossegue o irmão — foi que ele se deu ao trabalho de me dar alguma coisa que eu quisesse ou de que precisasse? Quando foi que ele agiu a meu favor? Quando foi que deixou de deliberadamente arrumar um jeito de me frustrar?

Eliza pigarreia.

— Talvez se você esperasse, então...

— O problema é que — diz o irmão, caminhando pelo sótão, pisando as palavras espalhadas no chão, fazendo os papéis amassados voarem e voltejarem à volta — eu não tenho talento para isso. Não suporto esperar.

Ele se vira, põe o pé na escada e some de vista. Ela observa os dois extremos da escada vibrarem a cada passo dele e depois voltarem à imobilidade.

—

As fileiras e mais fileiras de maçãs se mexem, sacodem, balançam nas prateleiras. Cada maçã está no centro de um nicho especial, entalhado nas prateleiras de madeira que revestem as paredes desse pequeno depósito.

Balança, balança, sacode, sacode.

As frutas foram guardadas com cuidado do seguinte modo: o cabinho para baixo e a estrela do cálix para cima. A casca de cada uma não deve tocar a da vizinha. Precisam ficar desse jeito, levemente amparadas pelos nichos na madeira, a um dedo de distância uma da outra, ao longo do inverno, para não se estragarem. Caso se toquem, escurecerem, amolecem, mofam e apodrecem. Precisam ser preservadas em fileiras, dessa forma, em separado, cabinhos para baixo, em isolamento arejado.

As crianças da casa foram incumbidas deste dever: colher as maçãs dos galhos retorcidos das árvores, acomodá-las em cestas e depois levá-las para esse lugar, o depósito de maçãs, e enfileirá-las nas prateleiras, espaçadas uniforme e cuidadosamente, para arejá-las, preservá-las, a fim de chegarem ao inverno e à primavera, até as árvores se encherem de frutas de novo.

Mas alguém está balançando as maçãs. De novo, de novo, vez após vez, com um movimento incessante, insistente.

O francelho, em seu poleiro, está de capuz, mas alerta, sempre alerta. Sua cabeça gira, envolta pelo colarinho de penas salpintadas, para averiguar a fonte desse ruído repetitivo, perturbador. Seus ouvidos, de tal forma aguçados que são capazes, se necessário, de discernir o batimento cardíaco de um rato a cem metros de distância, o caminhar de um furão do outro lado da floresta, o bater das asas de uma cambaxirra acima de um pasto, registraram o seguinte: quatrocentas maçãs sendo empurradas, sacudidas, perturbadas em seus berços. A respiração de mamíferos, cujo tamanho é demasiado grande para lhe despertar o apetite, fica mais rápida. Há o ruído de uma palma aberta pousando de leve em músculo e osso. O deslizar de uma língua de encontro a dentes. Dois tipos de tecido, de texturas diferentes, se movem um sobre o outro na transversal.

As maçãs estão virando de cabeça para baixo; hastes surgem das partes inferiores, cálix rolam para um lado e para outro, depois para cima e, então, para baixo. O ritmo das batidas varia: para; diminui; cresce; torna a diminuir.

Os joelhos de Agnes estão erguidos, abertos como asas de borboleta. Os pés, ainda calçados, descansam na prateleira do outro lado; as mãos espalmam a parede de cal. As costas se retesam e se curvam, aparentemente por conta própria, e gemidos graves escapam da sua garganta. Causa-lhe surpresa o fato de o corpo estar se impondo dessa maneira. Como o corpo sabe o que fazer, como reagir, como ser, onde se pôr, as pernas brancas e dobradas sob a luz mortiça, o traseiro apoiado na beirada da prateleira, os dedos agarrados às pedras da parede.

No estreito espaço entre Agnes e a prateleira do outro lado está o professor de latim, encaixado no V pálido das pernas dela. Seus olhos estão fechados; os dedos, grudados na curva das costas de Agnes. Foi a mão dele que desamarrou os cadarços da gola da roupa dela, que lhe abaixou o corpete, que trouxe à luz aqueles seios — e como lhe pareceram assustados e alvos, expostos ao ar, em pleno dia, diante de outrem; seus olhos castanhos rosados o encararam em choque. Mas foram as mãos dela que levantaram as saias, que a fizeram encostar contra essa prateleira, que puxaram o corpo do professor de latim de encontro ao seu. Você, disseram as mãos a ele, você é o meu escolhido.

E agora isso — esse encaixe. É totalmente diferente de tudo que ela já sentiu na vida. Lembra-lhe a mão que veste uma luva, um filhotinho deslizando úmido do ventre de uma ovelha, um machado abrindo ao meio uma tora, uma chave girando num ferrolho oleado. Como pode, pergunta-se ela olhando o rosto do tutor, uma coisa se encaixar tão bem, tão precisamente, com tamanha sensação de adequação?

As maçãs, se afastando dela para um e para outro lado, giram e sacodem em seus nichos.

O professor de latim abre os olhos um instante, o breu das pupilas dilatado, quase sem enxergar. Sorri, põe as mãos no rosto dela, uma de cada lado, murmura algo, ela não sabe ao certo o quê, mas isso não importa naquele momento específico. As testas se tocam. Estranho, pensa ela, estar tão próximo de outra pessoa: o volume acachapante dos cílios, da pálpebra dobrada, dos pelinhos da testa, tudo encarando o mesmo alvo. Ela não pega a mão dele, nem mesmo por força do hábito: não é preciso.

Quando segurou a mão dele naquele dia, na primeira vez que o viu, ela sentira — o quê? Um tipo de coisa que lhe era desconhecida. Algo que jamais teria imaginado achar na mão de um rapaz letrado e de sapatos limpos da cidade. Era profundo: disso ela sabia. Tinha camadas e estratos, como uma paisagem. Havia espaços e lacunas, trechos densos, cavernas subterrâneas, subidas e descidas. Não houve tempo suficiente para que tivesse a noção integral — era grande demais, demasiado complexo. Basicamente, lhe escapava. Ela sabia que havia mais do que lhe era possível abarcar, que era maior do que os dois. Uma sensação também de que algo o comandava, refreando-o; um laço em algum lugar, uma ligação que precisava ser afrouxada ou rompida, antes que ele pudesse habitar por completo essa paisagem, antes que pudesse assumir o domínio.

Ela observa uma maçã virar sua casca manchada de vermelho em sua direção, depois ao contrário, uma marca de caroço de árvore surgindo e depois um flash da extremidade que se assemelha a um umbigo.

Na última visita dele à fazenda, os dois caminharam depois da aula, foram até o campo mais distante, enquanto caía o crepúsculo, tingindo de preto as árvores, e os sulcos do campo de feno recém-arado pareciam formar vales. Encontraram Joan andando entre os flancos ágeis de seus rebanhos. Joan gostava de checar o trabalho de Bartholomew, ou gostava de fazer Bartholomew saber que estava checando. Uma coisa ou outra. Ela vira os dois se aproximando, Agnes sabia. Flagrara a cabeça de Joan se virar para eles, dar uma boa olhada, enquanto ambos subiam juntos a trilha. Com certeza percebeu por que estavam ali, com certeza notou que estavam de mãos dadas. Agnes sentira a ansiedade do professor: de repente seus dedos ficaram frios e ela os sentiu tremer. Apertou a mão dele uma, duas, três vezes, antes de soltá-la e permitir que ele passasse à sua frente e saísse pelo portão.

Jamais, dissera Joan. Você?, questionou com uma gargalhada, um trinado agudo que assustou as ovelhas em volta, fazendo-as erguer as cabeças rombudas e mexer as patas fendidas. Jamais, repetiu. Quantos anos você tem? Sem esperar pela resposta, forneceu-a a si mesma: é menor de idade. Conheço a sua família, dissera Joan, contorcendo o rosto com desprezo e apontando para o tutor. Todo mundo os conhece. Seu pai e os negócios nebulosos que faz, sua ruína. Foi meirinho, prosseguiu, cuspindo a palavra "foi". Como gostava de mostrar autoridade a todos nós, andando por aí em sua toga vermelha. Mas isso é passado. Você tem ideia de quanto o seu pai deve nesta cidade? De quanto ele deve a nós? Ainda que desse aulas aos meus filhos até a idade adulta, você não chegaria perto de saldar essa dívida. Por isso, não, dissera, olhando à volta, você não pode se casar com ela. Agnes há de se casar com um fazendeiro, muito em breve, alguém com futuro, alguém para prover seu sustento. Ela foi criada para esse tipo de vida. O pai lhe deixou um dote no testamento — com certeza você está a par disso, não está? Ela não há de se casar com um garoto sem responsabilidade, sem ofício, como você.

E ela dera meia-volta para ir embora, como se o assunto estivesse encerrado. Mas eu não quero casar com um fazendeiro, gritou Agnes. Joan rira de novo. É mesmo? Você quer casar com ele? Sim, quero. Quero muito. E Joan rira de novo, balançando a cabeça.

Mas nós estamos prometidos, disse o professor. Eu a pedi e ela aceitou, logo, estamos comprometidos.

Não estão, não, retrucou Joan. Não até que eu diga que sim.

O professor deixara o campo, atravessara a trilha e saíra pela floresta, o rosto sombrio e crispado, e Agnes ficara com a madrasta, que lhe disse para parar de se portar como uma idiota e voltar para casa a fim de cuidar das crianças. Quando o tutor voltou à fazenda, Agnes o chamou. Conheço um jeito, disse ela. Tenho uma solução. Podemos resolver esse assunto sozinhos. Venha. Venha comigo.

Para ela, cada maçã, nesse momento, parece significativamente distinta, única, cada uma delas riscada com variados tons de carmim, ouro e verde. Todas virando seu único olho para ela, depois para longe, e de volta outra vez. É demais, é impressionante quantas existem ali, o ruído que fazem, o som rítmico, pulsante, incessante, mais e mais rápido. Tira-lhe o fôlego, faz seu coração saltitar e se acelerar no peito, ela não pode aguentar muito mais, não pode, não pode. Algumas maçãs balançam em seus nichos, caem no chão; talvez o tutor as tenha pisado porque o ar está impregnado de um aroma doce, acre, e ela o agarra pelos ombros. Agnes sabe, sente, que tudo há de dar certo, que tudo seguirá o rumo que ambos desejam. Ele a abraça e ela sente que ele expira, inspira e expira outra vez.

—

Joan não é uma mulher ociosa. Tem seis filhos (oito, se incluídos a enteada meio doida e o irmão imbecil que ela foi forçada a acolher quando se casou). É viúva desde o ano anterior. O fazendeiro deixou a fazenda para Bartholomew, claro, mas os termos do testamento lhe permitem permanecer morando ali para supervisionar tudo. E supervisionar é o que ela fará. Ela não confia em Bartholomew para cuidar de coisa alguma além do próprio nariz. Já lhe disse que vai continuar administrando a cozinha, o quintal e o pomar, com a ajuda das meninas. Bartholomew cuidará do rebanho e dos campos, com a ajuda dos meninos, e ela correrá o pasto com ele uma vez por semana, para garantir que tudo esteja como deve estar. Por isso Joan tem a seu cargo as galinhas e os porcos, precisa ordenhar as vacas, providenciar comida para os homens, o lavrador e o pastor, dia após dia. Dois meninos menores para educar da melhor maneira que puder — e Deus sabe que eles haverão de precisar de instrução, já que não herdarão a fazenda, infelizmente. Ela tem três filhas (quatro, incluindo a outra, coisa que Joan em geral não faz) para manter sob vigilância. Tem que assar o pão, ordenhar o gado, fazer geleia, fabricar cerveja; tem roupas para remendar, camas para arejar, tapetes para bater, janelas para limpar, mesas para lustrar, cabelos para escovar, chão para varrer, escadas para lavar.

Perdoe-a, então, por ter levado quase três meses para dar falta de um número razoável de paninhos mensais na trouxa de roupa suja.

De início, ela pensa que se enganou. A lavagem é feita uma vez por quinzena, bem cedinho na segunda-feira, de modo a dar tempo para secar e passar. Sempre há uma pequena quantidade de paninhos; ela e as filhas sangram ao mesmo tempo; a outra tem seu próprio tempo, claro, como acontece com tudo o mais. Ela e as filhas conhecem o ritmo: a lavagem quinzenal dos paninhos dela e das filhas, numa grande quantidade, já secos, e a lavagem dos de Agnes, em número menor. Joan costuma jogá-los no caldeirão usando pinças de madeira, prendendo a respiração e cobrindo tudo com sal.

Certa manhã, no final de outubro, Joan está separando as trouxas para lavagem na lavanderia. Uma pilha de vestidos e punhos de manga e toucas, prontos para serem escaldados com água e sal; uma pilha de meias, para uma bacia mais fria; calçolas, sujas de terra e lama, uma saia respingada, um casacão que sofreu os efeitos de uma poça de água suja. A pilha que Joan chama de "imundície" está menor do que de costume.

Joan pega um pedaço de pano sujo, tapando o nariz com a mão, um lençol fedendo a urina (seu caçula, William, ainda não de todo confiável nesse aspecto, a despeito de ameaças e sermões, embora tenha apenas três anos, que Deus o abençoe). Uma blusa manchada do que parece ser estrume está grudada numa touca. Joan franze o cenho e olha à volta. Fica parada um instante, pensando.

Vai até lá fora, onde as filhas, Caterina, Joanie e Margaret estão, juntas, torcendo um lençol. Caterina prendeu uma corda na cintura de William, a ponta da qual enrolou na própria cintura. Ele se contorce e puxa a outra ponta, resmungando baixo, arrancando punhados de grama. Tenta chegar ao chiqueiro, mas Joan já ouviu histórias suficientes sobre porcos pisoteando, comendo ou esmagando crianças. Não há de deixar seus pequenos vagarem à vontade.

— Onde estão os paninhos mensais? — pergunta, parada à porta.

As filhas se viram para olhá-la, separadas, porém ligadas pelo lençol torturado, do qual escorre água para o chão. Dão de ombros, os rostos inexpressivos e inocentes.

Joan volta para a lavanderia. Deve ter se enganado. Os paninhos provavelmente estão em algum lugar. Ergue pilha após pilha do chão. Procura entre vestidos e toucas e meias. Sai então, passa pelas filhas, entra em casa e vai direto até o armário. Ali, ela conta os panos grossos, dobrados e limpos, na última prateleira. Sabe quantos existem na casa e o exato número está diante dela.

Joan atravessa com passos pesados o corredor de entrada, sai e bate a porta às suas costas. Fica um instante parada no degrau, a respiração entrando e saindo ruidosamente de suas narinas. O ar está frio, com a sensação cortante que indica a transição do outono para o inverno. Uma galinha sobe pomposamente os degraus da entrada do galinheiro; o cabrito, no extremo da corda que o prende, rumina um bocado de grama, olhando para ela. A mente de Joan está clara, ocupada com um único pensamento: qual delas, qual delas, qual delas?

Talvez ela já saiba, mas, ainda assim, desce os degraus, atravessa o pátio da fazenda e entra de novo na lavanderia, onde as moças ainda estão torcendo lençóis molhados, rindo juntas de alguma coisa. Pega Caterina, primeiro, pelo braço e pressiona a mão contra a barriga da garota, olhando-a nos olhos, ignorando seus gritos. O lençol cai na terra molhada, cheia de folhas, sendo pisado por ela e pela menina amedrontada. Joan sente: uma barriga chata, a aresta do osso do quadril, uma cápsula vazia. Larga Caterina e se dirige para Joanie, que é jovem, ainda uma criança, pelo amor de Deus, e, se for ela, se alguém lhe fez isso, Joan vai, ora se vai, fazer algo terrível, algo mau e aterrador, uma vingança, e esse homem há de amaldiçoar o dia em que botou os pés em Hewlands, que levou a filha dela sabe-se lá aonde e vai...

Joan deixa a mão pender. A barriga de Joanie está chata, quase oca. Talvez, Joan se pega pensando, devesse alimentar um pouco mais essas meninas, encorajá-las a comer uma porção maior de carne. Estará lhes dando pouca comida? Será? Estará permitindo aos meninos comer mais do que lhes cabe?

Balança a cabeça para se livrar de tal pensamento. Margaret, pensa, observando o rosto macio e ansioso da caçula. Não. Não pode ser. Ela ainda é uma criança.

— Onde está Agnes? — indaga.

Joanie a encara, desconcertada, de olho no lençol enlameado sob os pés; Caterina, nota Joan, desvia o olhar, como se entendesse o que isso tudo significa.

— Não sei — responde Caterina, se abaixando para pegar o lençol. — Ela pode ter...

— Está ordenhando a vaca — desembucha Margaret.

Joan se põe a berrar antes mesmo de chegar ao estábulo. As palavras voam da sua boca como vespas, palavras que sequer sabia conhecer, palavras que agridem, estalam e mutilam, palavras que lhe torcem e deformam a língua.

— Você — grita, ao entrar no calor do estábulo —, cadê você?

A cabeça de Agnes está encostada no flanco macio da vaca enquanto ela a ordenha. Joan ouve o pinga-pinga do leite caindo no balde. Ao som do grito de Joan, a vaca se mexe e Agnes ergue o rosto e se vira para encarar a madrasta, com uma expressão cautelosa. Aí vem, parece estar pensando.

Joan a agarra pelo braço, arranca-a do banquinho de ordenha e a empurra de encontro à divisória da baia. Tarde demais, ela vê o filho James na baia contígua: devia estar ajudando Agnes com a ordenha. Joan precisa remexer sob a saia da enteada, atravessar as amarrações do vestido, enquanto a garota luta, empurrando-lhe os dedos, tentando se soltar, mas Joan consegue penetrar a roupa com a mão, um instante apenas, e sentir... O quê? Um inchaço, uma textura resistente e quente. Um montinho inflado como uma broa.

— Rameira — vitupera Joan, enquanto Agnes a empurra. — Meretriz.

Joan é empurrada para trás, em direção à vaca, que agita a cabeça agora, desconfortável ante essa mudança de clima, ante esse hiato inexplicável na ordenha. Joan cai de encontro ao traseiro da vaca e cambaleia de leve. Agnes escapa, sai correndo pelo estábulo, passa pelas ovelhas que dormitam, pela porta, mas Joan não vai deixá-la escapulir. Ela se apruma, sai atrás da enteada, e sua fúria lhe imprime uma nova velocidade, pois facilmente a alcança.

Estende a mão, que se fecha sobre um cacho do cabelo de Agnes. É tão simples puxá-lo, obrigar a moça a parar, sentir sua cabeça dar um solavanco com o puxão, como se puxada por uma rédea. A facilidade de tudo é espantosa e lhe serve de combustível. Agnes desaba no chão, caindo sem jeito de costas, e Joan pode mantê-la ali enrolando seu cabelo mais e mais no próprio punho.

Desse jeito, com ambas próximas à cerca que leva ao pátio, Joan pode fazer Agnes ouvir tudo o que disser.

— Quem — grita ela para a moça — fez isso? Quem botou essa criança na sua barriga?

Joan está mentalmente listando o número nem tão desprezível assim de candidatos interessados na mão de Agnes desde que os detalhes do dote registrados no testamento do pai se tornaram conhecidos. Poderia ter sido um deles? Havia o fabricante de carroças, o fazendeiro do outro lado de Shottery, o aprendiz de ferreiro. Mas a garota nunca pareceu interessada em nenhum deles. Quem mais? Agnes se contorce, tentando afastar os dedos de Joan do seu cabelo. O rosto — de tez alva, maçãs proeminentes e expressão altiva do qual tanto se orgulha — está desfigurado pela dor, pela raiva, pela frustração. Lágrimas lhe escorrem dos olhos, de onde não param de brotar.

— Me diga — sibila Joan direto em sua cara, cara que é obrigada a ver diariamente a encará-la com indiferença, com insolência, desde o dia em que chegou. Essa cara, que Joan sabe que se parece com a da primeira esposa, a esposa amada, a mulher de quem o marido jamais falava, cujo cabelo ele guardava num lenço no bolso da camisa, junto ao coração, algo que Joan descobriu ao prepará-lo para ser enterrado. Devia ter estado ali o tempo todo, durante todos os anos que ela passou lavando e passando para ele, alimentando-o, parindo seus filhos... E lá estava o cabelo da primeira esposa. Ela, Joan, jamais há de superar a dor e ardência de tal insulto.

— Foi o pastorzinho? — pergunta Joan, que vê que, a despeito de tudo, essa sugestão leva Agnes a esboçar um sorriso.

— Não, não foi o pastorzinho.

— Então quem foi? — insiste Joan, que está prestes a dizer o nome do filho de um fazendeiro vizinho quando Agnes gira e lhe acerta um chute na canela, um chute tão forte que desequilibra Joan, fazendo com que ela abra as mãos.

Agnes está de pé, liberta, recuperando o prumo, arrebanhando as saias e correndo. Joan se levanta, cambaleante, e a segue. Ambas estão no pátio, quando Joan alcança Agnes, agarrando-a pelo pulso, virando-a para si e sapecando um tapa em seu rosto.

— Você vai me dizer quem... — começa, mas não termina a frase, porque um barulho explode no lado esquerdo da sua cabeça: um estrondo ensurdecedor, como o de um trovão. Por um instante, ela não entende o que aconteceu, o que significa aquele ruído. Então sente a dor, a ardência na pele, o impacto mais profundo no osso, e se dá conta de que Agnes a golpeou.

Joan leva a mão ao rosto, perplexa:

— Como você se atreve a me bater? — uiva. — Uma filha levantar a mão para a mãe, alguém que...

O lábio de Agnes está inchado, sangrando, de modo que as palavras saem modorrentas, indistintas, mas Joan consegue, mesmo assim, ouvi-la dizer:

— Você não é minha mãe.

Enfurecida, Joan a esbofeteia de novo. Agnes, inacreditavelmente e sem a menor hesitação, revida com outro tapa. Joan ergue mais uma vez a mão, mas é contida por trás. Alguém a segura pela cintura — aquele brutamontes do Bartholomew a levanta e afasta, obrigando-a a baixar as mãos e prendendo-as com firmeza e sem esforço com os próprios dedos. O filho de Joan, Thomas, está ali também, de pé agora entre ela e Agnes, segurando um cajado de tocar ovelhas, enquanto Bartholomew a manda parar, acalmar-se. Os outros filhos assistem a tudo ao lado do galinheiro, de queixo caído, espantados. Caterina abraça Joanie, que chora. Margaret segura o pequeno William, que esconde o rosto em seu pescoço.

Joan sente que a carregam para o outro lado do pátio e que Bartholomew a imobiliza, indagando o que há de errado, o que provocou tudo aquilo. Ela lhe conta, apontando o dedo para Agnes, que está sendo ajudada por Thomas a se levantar do chão.

A expressão de Bartholomew se anuvia ao ouvir a madrasta. Fecha os olhos, inspira, expira. Passa a mão nos pelos eriçados da barba e examina os pés por um instante.

— O professor de latim — diz ele, olhando para Agnes.

Agnes não responde, porém ergue levemente o queixo.

Joan olha do enteado para a enteada, para os filhos, para as filhas. Todos, exceto a enteada, abaixam o olhar e ela percebe que cada um deles viu o que lhe passou despercebido.

— O professor de latim? — repete. De repente lhe vem à mente a imagem do rapaz, de pé junto ao portão no campo mais afastado, pedindo a mão de Agnes em casamento numa voz titubeante. Ela quase se esquecera. — *Ele?* Aquele... Aquele *meninote?* Aquele vadio? Aquele morto de fome, inútil, imberbe...

Ela solta uma gargalhada, um som áspero, triste, que lhe deixa o peito vazio e quente. Lembra-se de tudo agora, do rapaz parado enquanto ela lhe recusa o pedido; lembra-se de sentir uma breve pontada de pena por ele, o rapazinho, o rosto tão desanimado, e ainda por cima com aquele pai. Mas Joan não mais pensara nisso, assim que ele lhe sumira da vista.

Joan sacode a mão de Bartholomew. Concentra-se, inabalável. Dirige-se para casa com passos firmes, passando por Agnes, pelos filhos, pelas galinhas. Abre a porta ruidosamente e, uma vez lá dentro, é rápida e meticulosa. Anda pelo aposento, recolhendo tudo que pertence à enteada. Um par de vestidos, uma touca, um avental. Um pente de madeira, uma pedra com um buraco, um cinto.

A família permanece reunida no pátio quando Joan sai da casa e atira uma trouxa aos pés de Agnes.

— Você! — grita. — Você está expulsa desta casa para sempre.

Bartholomew alterna o olhar de Agnes para Joan. Cruza os braços e dá um passo à frente.

— Esta casa é minha — diz —, meu pai a deixou para mim no testamento. E eu digo que Agnes fica.

Joan o encara, emudecida, o rosto enrubescendo.

— Mas... — diz ela, em tom de bravata e tentando organizar as ideias. — Mas... O testamento diz que posso ficar na casa até quando...

— Você pode ficar — interrompe Bartholomew —, mas a casa é minha.

— Mas me foi dada a administração da casa! — retruca Joan, agarrando-se a isso, triunfante, desesperada. — E a você a administração da fazenda. Sendo assim, estou no meu direito de expulsá-la, pois esse é um assunto que diz respeito à casa, não à fazenda e...

— A casa é minha — repete Bartholomew calmamente. — E ela fica.

— Ela não pode ficar — vocifera Joan, furiosa, impotente. — Você tem que pensar em... Em seus irmãos, na reputação dessa família, sem falar na sua própria, na nossa posição na...

— Ela fica — repete Bartholomew.

— Ela tem que ir embora, tem que ir — atalha Joan, tentando pensar rápido, buscando algo que o faça mudar de ideia. — Pense no seu pai. O que ele diria? Isso lhe partiria o coração. Ele jamais...

— Ela vai ficar. A menos que...

Agnes pousa a mão na manga da camisa do irmão. Eles se encaram durante um longo tempo, sem dizer coisa alguma. Então, Bartholomew cospe na terra e leva a mão ao ombro da irmã. Agnes lhe dá um sorriso torto, com a boca machucada e sangrando. Bartholomew assente de volta. Ela passa a manga da roupa no rosto, depois desfaz e torna a fazer o nó da trouxa.

Bartholomew observa enquanto ela pendura a trouxa no ombro.

— Eu cuido disso — garante a ela, tocando-lhe a mão. — Não se preocupe.

— Não vou me preocupar — retruca Agnes.

Ela atravessa, apenas um pouco trôpega, o pátio. Entra no depósito de maçãs e, após alguns instantes, sai com o seu pássaro pousado na luva que calçou. O pássaro está encapuzado, com as asas dobradas, mas sua cabeça gira inquieta, como que se adaptando às novas circunstâncias.

Agnes pendura a trouxa no ombro e, sem se despedir, sai do pátio, pegando a trilha que circunda a lateral da casa, e vai embora.

—

Ele está na banca do pai no mercado, encostado ao balcão. Faz frio, aquele frio metálico do início do inverno. Ele observa a respiração deixar seu corpo numa corrente visível, fugidia, enquanto escuta sem muita atenção uma mulher discutir as vantagens das luvas forradas de pele de esquilo em comparação às das forradas de pele de coelho, quando Eliza se materializa a seu lado.

Ela lhe lança um olhar estranho e lhe dá um sorriso tenso.

— Você precisa ir para casa — diz, baixinho, sem permitir que sua expressão firme se abale. Depois se vira para a mulher indecisa e indaga: — Posso ajudar?

Ele se apruma.

— Por que preciso ir para casa? O papai me mandou ficar...

— Trate de ir — insiste ela, por entre os dentes cerrados. — Muito bem — prossegue, dirigindo-se à freguesa num tom mais alto: — Creio que o forro de pele de coelho esquenta mais do que qualquer outro.

Ele atravessa o mercado, driblando as demais bancas, esquivando-se de uma carroça carregada de repolhos, de um garoto carregando um feixe de palha. Não está com pressa: há de ser alguma reclamação do pai acerca da sua conduta ou das tarefas malfeitas ou dos seus esquecimentos ou da preguiça ou da sua incapacidade de se lembrar de coisas importantes ou da relutância em assumir o que o pai tem a audácia de chamar de "um dia de trabalho honesto". Deve ter se esquecido de ir pegar alguma pele no curtume ou deixado de cortar lenha para a mãe. Vai subindo a movimentada Henley Street, parando para trocar amenidades com vários vizinhos, para afagar a cabeça de uma criança, até que, finalmente, abre a porta de casa e entra.

Limpa os sapatos no capacho, deixando que a porta se feche às suas costas, e lança um olhar para a oficina do pai. A cadeira de John está vazia, empurrada para trás, como que num gesto apressado. Os ombros magros do aprendiz estão inclinados sobre algo na bancada. Ao ouvir o barulho do ferrolho se fechando, o rapaz vira a cabeça e fita o filho do patrão com olhos esbugalhados, assustados.

— Oi, Ned — diz o recém-chegado. — Tudo bem?

Ned parece prestes a falar, mas desiste. Faz um gesto com a cabeça que fica a meio caminho entre um assentimento e uma negação, antes de apontar para a sala de estar.

Ele sorri para o aprendiz, depois sai pela porta que dá para o corredor, atravessa o chão de lajotas do vestíbulo, passa pela sala de jantar, pela lareira vazia e entra na sala de estar.

A cena que o recebe é tão imprevista, tão desconcertante, que ele leva um instante para se situar, para determinar o que está acontecendo. Ele para de forma abrupta na entrada da sala, emoldurado pelo arco da porta. O que fica imediatamente claro é que sua vida sofreu uma nova guinada.

Agnes está sentada em uma banqueta baixa, com uma trouxa esfarrapada aos pés; a mãe dele se senta em frente a ela, próximo ao fogo; o pai, postado junto à janela, dá as costas para as duas. O francelho está empoleirado bem no topo de uma cadeira de espaldar alto, as garras curvadas em torno da madeira, seus jesses e sino pendendo inertes. Uma parte do rapaz almeja dar meia-volta e correr. A outra parte tem vontade de soltar uma gargalhada ante a ideia da presença de um francelho e de Agnes na sala de estar da mãe, cercados pelos ornamentos rebuscados e pintados que enfeitam as paredes, dos quais ela tem tanto orgulho.

— Ah — diz ele, tentando recuperar o controle, e os três se viram em sua direção. — Bem...

As palavras murcham em sua boca quando ele vê o rosto de Agnes. O olho esquerdo, inchado, vermelho e machucado, mal consegue ficar aberto; a pele abaixo da testa está ferida e sangrando.

Ele se aproxima dela, reduzindo o espaço que o separa dos demais.

— Santo Deus — diz, pousando a mão em seu ombro, sentindo as espáduas se retesarem, como se ela pretendesse alçar voo, como faz o seu pássaro, caso lhe deem a chance. — O que houve? Quem fez isso com você?

Há marcas vívidas em sua bochecha, um corte no lábio, arranhões, pele em carne viva em seu pulso.

Mary pigarreia:

— A mãe a expulsou de casa.

Agnes balança a cabeça.

— Madrasta — corrige ela.

— Joan — intervém o tutor — é madrasta de Agnes, não...

— Sei disso — retruca Mary. — Usei a palavra meramente como um...

— E ela não me expulsou — corrige Agnes. — A casa não é dela. É de Bartholomew. Eu decidi ir embora.

Mary respira fundo, fechando os olhos um instante, como se invocando os resquícios da própria paciência.

— Agnes — diz ela, abrindo os olhos e fixando-os no filho — está grávida. Diz que o filho é seu.

Ele assente e dá de ombros, tudo ao mesmo tempo, encarando as costas largas do pai, que espreitam por trás da mãe, ainda de frente para a rua. A despeito de si mesmo, a despeito do fato de estar segurando a mão da mulher a quem prometeu casamento, apesar de tudo, ele está pensando em como se esquivar do ataque inevitável, como se defender e proteger Agnes dos golpes que tem certeza que virão a seguir. Uma coisa assim não tem precedentes na família. Pode apenas imaginar o que o pai fará, o que estará fermentando naquela cabeça quase careca, vulgar, dele. E então se dá conta, com uma profunda contracorrente de vergonha, de que Agnes verá como as coisas são entre ele e o pai; verá o tumulto e a luta que ele enfrenta, verá como ele é de verdade, um homem com a perna presa numa armadilha; verá e saberá tudo, em um segundo apenas.

— É? — pergunta a mãe, o rosto pálido, tenso.

— É o quê? — responde ele, sentindo-se inquieto e meio insano, e por isso incapaz de evitar recorrer a um pugilismo verbal.

— Seu.

— O que é meu? — insiste ele, quase exultante.

Mary cerra os lábios.

— Foi você que fez isso?

— Fiz o quê?

A essa altura, ele está ciente de Agnes ter virado a cabeça para olhá-lo — pode imaginar os olhos escuros dela o fitando, avaliando, reunindo informações, como um carretel enrolando linha —, mas, mesmo assim, não consegue parar. Deseja que o que quer que o aguarde venha logo: quer atiçar, empurrar o pai para a ação; quer acabar logo com aquilo, de uma vez por todas. Chega de contornar o assunto. Que a verdade sobre quem é o seu pai venha à luz. Que Agnes a veja.

— O filho — responde Mary num tom lento e alto, como se falasse com alguém imbecil. — Na barriga dela. Você o fez?

Ele sente o rosto se abrir num sorriso. Um filho. Feito por ele e Agnes, entre as maçãs no depósito. Como não vão se casar agora? Nada pode ser feito para impedi-los, em tais circunstâncias. Haveria de ser como ela disse que seria. Eles se casarão. Serão marido e mulher, e a vida dele vai começar e ele poderá deixar tudo isso para trás: a casa, o pai, a mãe, a oficina, as luvas, essa vida como filho deles, o enfado e o tédio de trabalhar nessa atividade. Que ideia, que coisa. Esse filho, na barriga de Agnes, mudará tudo para ele, há de libertá-lo da vida que odeia, do pai, com quem não suporta viver, da casa, em que não aguenta mais viver. Ele e Agnes fugirão para outra casa, em outra cidade, para uma outra vida.

— Sim — responde, sentindo o sorriso amplo lhe tomar o rosto.

Várias coisas acontecem ao mesmo tempo. A mãe se precipita de onde está sentada e investe contra ele, esmurrando-o com os punhos. Ele sente os golpes lhe acertarem o peito e os ombros, como batidas num tambor. Ouve a voz de Agnes dizer Chega, pare, e outra voz, a dele, dizendo que os dois estão comprometidos, que não existe pecado, que vão se casar, precisam se casar. A mãe grita que ele é menor de idade, que será preciso o consentimento dos pais, consentimento que jamais será dado, que ele foi enfeitiçado, que aquilo é uma tragédia, que ela vai mandá-lo para longe, que prefere vê-lo no mar do que casado com essa jovem, que catástrofe! As suas costas, ele está ciente do pássaro, que se remexe com desconforto na cadeira onde se empoleirou, agitando as penas, abrindo e fechando ruidosamente as asas, fazendo tinir o sino. Então, o vulto escuro e avantajado do pai se aproxima, e onde está Agnes em meio a todo esse caos? Atrás dele. Será que se encontra segura, fora do alcance do pai, já que, em nome de Deus, só lhe restará matar o pai, sim, matá-lo, caso ele se atreva a encostar um dedo nela?

O pai estende um dos braços e ele está pronto, os músculos retesados, mas a mão carnuda não o golpeia, não se fecha em punho, não o machuca. Em vez disso, pousa em seu ombro. Ele sente todos os cinco dedos lhe amassarem a pele, através do tecido da camisa; consegue identificar o odor familiar do couro, do alvejamento — acre, pungente, úrico — neles.

Sente, então, a sensação pouco conhecida da mão do pai pressionando-o a se sentar.

— Sente-se — diz o pai, sem alterar a voz. Faz um sinal para Agnes, às costas de ambos, tranquilizando o pássaro. — Sente-se, rapaz.

Passado um instante, ele obedece. Agnes vem se postar a seu lado, acariciando as penas do pescoço do francelho com as costas dos dedos. Ele vê a mãe observá-la com uma expressão de descrença, de espanto indisfarçado, o que o faz rir novamente. O pai então fala, e a atenção do filho se volta para suas palavras:

— Não tenho dúvidas — diz o pai — de que podemos... podemos chegar a um acordo.

A expressão em seu rosto é estranha. O rapaz a observa, perplexo. Os lábios de John lhe desnudam os dentes, os olhos brilham de forma peculiar. O filho leva alguns segundos para se dar conta de que John está, na verdade, sorrindo.

— Mas, John — diz a mãe, levantando a voz —, não há possibilidade de podermos concordar com tal...

— Cale-se, mulher — interrompe John. — O menino disse que os dois estão comprometidos. Você não ouviu? Filho meu não há de descumprir suas promessas, ignorar suas responsabilidades. O rapaz engravidou a moça. Ele tem uma responsabilidade, um...

— Ele tem dezoito anos! Não trabalha! Como você pode pensar...

— Mandei você se calar — intervém o pai com sua habitual fúria grosseira, por um instante apenas, antes de retomar o tom estranho, quase adulador. — Meu filho fez uma promessa, não fez? — indaga, fitando Agnes. — Antes de levar você para o bosque?

Agnes acaricia o pássaro. Encara John sem baixar os olhos.

— Fizemos uma promessa um ao outro.

— E o que a sua mãe, quero dizer, sua madrasta, tem a dizer sobre isso?

— Ela... Ela não foi a favor. Antes. E agora... — acrescenta, indicando com um gesto a barriga. — Não sei dizer.

— Entendo.

O pai faz uma pausa, enquanto a mente trabalha. Para o filho, há algo familiar nesse silêncio e, ao observar John franzindo o cenho para entender o que este pensa, entende. É a expressão que o pai usa ao refletir sobre uma transação comercial vantajosa. A expressão é a mesma de quando um lote barato de peles lhe é oferecido, ou alguns fardos extras de lã, para serem escondidos no sótão, ou um comerciante inexperiente é enviado para negociar com ele. É a expressão adotada quando o pai tenta não deixar que a outra parte se dê conta de que o vencedor será ele.

Essa expressão é ávida. É alegre. É reprimida. Congela o sangue do filho até a raiz dos ossos. Faz com que ele se agarre às bordas da cadeira com ambas as mãos.

Esse casamento, o filho subitamente entende, com uma sufocante sensação de descrença, será benéfico para o pai, para quaisquer que sejam os acordos que ele tenha com a viúva do fazendeiro. O pai está prestes a virar tudo isso — o rosto ensanguentado de Agnes, a vinda dela, o francelho, o bebê em gestação — a seu favor.

Ele não pode crer. Não pode crer que ele e Agnes tenham, involuntariamente, se tornado joguetes nas mãos do pai. Essa ideia o faz querer fugir da sala. Que o que aconteceu entre ambos em Hewlands, na floresta, com o francelho mergulhando como uma agulha por entre o tecido das folhas acima dos dois, possa ser distorcido e transformado numa corda pela qual o pai o puxará para mais perto ainda desta casa, deste lugar. É insuportável. Será que jamais conseguirá ir embora? Jamais ficará livre desse homem, desta casa, desse trabalho?

John recomeça a falar no mesmo tom meloso, dizendo que irá imediatamente a Hewlands conversar com a viúva do fazendeiro e o irmão de Agnes. Tem certeza, afirma, de ser capaz de elaborar um acordo com condições vantajosas para todos. O rapaz quer se casar com a moça, diz ele à esposa, a moça quer se casar com o rapaz — quem são eles para impedir tal união? O bebê deve nascer com os dois casados, não pode ser trazido a este mundo com a pecha de ilegítimo. É neto deles, não? Muitos casamentos acontecem assim. É obra da natureza.

A essa altura, ele se vira para a esposa e dá uma gargalhada, estende a mão e a agarra pelo quadril, obrigando o filho a olhar para o chão, de tanto que sente o estômago revirar.

John se põe de pé num salto, o rosto corado, cheio de entusiasmo e fervor.

— Está decidido. Vou a Hewlands apresentar minhas condições... nossas condições para... para selar essa união muito... repentina, porém, é preciso que se diga, muito abençoada entre as nossas famílias. A moça fica aqui. — Com um gesto, chama o filho e diz: — Uma palavrinha em particular com você, por favor.

No corredor, John deixa de lado o fingimento. Agarra o filho pelo colarinho, os dedos frios de encontro à pele do rapaz, puxando-lhe o rosto para bem perto do seu.

— Agora me diga — diz num tom grave, ameaçador — que não há outras.

— Outras o quê?

— Diga logo. Não existem outras, existem?

O filho sente a parede pressionando-lhe as costas, os ombros. Os dedos agarram o colarinho com tamanha força que impedem que o ar penetre em sua garganta.

— Existem? — sibila o pai. O hálito cheira levemente a peixe, a argila. — Vão surgir outras vadias de Warwickshire aqui à porta para me dizer que você botou um bebê na barriga delas? Vou ter de lidar com outras? Me diga a verdade já. Porque, juro por Deus, se existirem outras e a família dessa aí souber, haverá problemas. Para você e para todos nós. Entendido?

O rapaz resfolega, empurra o pai, mas um cotovelo lhe pressiona o ombro, um braço lhe prende a garganta. Ele tenta dizer não, nunca, só existe ela, que não é nenhuma vadia. Como você ousa falar uma coisa dessas?, mas as palavras não lhe chegam até a boca.

— Porque se você arou e plantou mais uma, uma que seja, eu mato você. E se eu não matar, o irmão dela mata. Está me ouvindo? Juro que vou fazer você se despedir da vida, que Deus seja testemunha. Lembre-se disso.

O pai lhe dá um último safanão na traqueia e depois se afasta, sai pela porta, deixando-a bater após sua passagem.

O filho se dobra, tentando recuperar o fôlego, esfregando o pescoço. Ao se empertigar, percebe que Ned, o aprendiz, o observa. Os dois se encaram por um instante, antes que Ned se vire e volte a atenção para a bancada da oficina, inclinando-se para examinar o trabalho.

—

John vai a pé diretamente até Hewlands. Não para em sua banca no mercado para pressionar Eliza, distribuir críticas e julgamentos ou checar o estoque. Não troca ideias com um membro da guilda que encontra na Rother Street. Toma o rumo de Shottery e se apressa, quase como se a garota fosse ter o bebê a qualquer minuto e de alguma forma essa oportunidade pudesse ser perdida. Seus passos são rápidos e, lhe agrada pensar, ágeis, sobretudo para um homem da sua idade. Sente a expectativa de um bom negócio a aguardá-lo, esse prazer específico correr em suas veias como se fosse o conteúdo de um copo de vinho. John sabe que esse é o momento perfeito, que um acordo deve ser fechado sem demora, sob pena de as coisas mudarem, destruindo a chance de tirar proveito da situação, o que poderia muito bem acontecer. A cartada é dele, sem dúvida. Está de posse da moça, em sua casa; de posse do rapaz, que precisará de uma licença especial para se casar por ser menor de idade, a permissão assinada pelos pais do noivo. Existe a questão da velha dívida entre eles, mas o assunto mais premente será a moça. A família do fazendeiro precisa casá-la, devido ao seu estado, e casamento algum ocorrerá a menos que ele, John, esteja de acordo. É a posição perfeita. Todas as cartas estão em sua mão. Permite-se, enquanto caminha, assoviar bem alto uma antiga música de dança da própria juventude.

John encontra o irmão da grávida em um campo afastado e precisa andar com cuidado por entre a sujeira para alcançá-lo. O rapaz, apoiado em seu cajado, observa sua aproximação sem se mover.

Grupos de ovelhas o cercam, voltando os olhos esbugalhados para observá-lo, desviando-se dele, como se ali estivesse um grande e terrível predador. Luvas, murmura para elas baixinho, sem deixar que seu sorriso se apague, vocês todas hão de virar luvas antes do que imaginam. Serão usadas nas mãos da elite de Warwickshire antes do fim do ano, se depender de mim. É difícil, conforme ele avança pelo campo, impedir que a satisfação fique estampada em seu rosto.

As poças, sob os sapatos para uso urbano, estão congeladas, brancas, solidificadas em sulcos e ranhuras de lama.

John alcança o irmão criador de ovelhas. Estende a mão. O rapaz olha para ele por um instante. É um sujeito alto, com uma expressão no olhar que lembra Agnes, o cabelo preto preso para não lhe cair no rosto. Está vestido com uma capa de pele de carneiro, como a que o pai costumava usar, e tem na mão um bordão entalhado. Outro jovem, de pele mais clara e menor, também segurando um cajado, espreita às suas costas, atento, e por um segundo

John sente uma leve apreensão. E se esses homens — esses irmãos, essa gente — quiserem lhe fazer mal, quiserem se vingar por seu filho perdulário ter roubado a virgindade da irmã? E se tiver interpretado mal a situação e ela não for, afinal, vantajosa para ele e a sua ida até ali se revelar um grave erro? John vê, por um breve instante, a morte chegar para levá-lo, em um campo congelado em Shottery. Vê seu cadáver, a cabeça esmagada por um cajado de tocar ovelhas, os miolos espalhados, fumegando na terra congelada. Sua Mary viúva, os filhos menores, Edmond e Richard, órfãos de pai. Tudo por culpa do seu filho errante.

O fazendeiro muda o bordão para a mão oposta, cospe enfaticamente no chão e aceita a mão estendida de John, dando-lhe um aperto dolorosamente forte. John ouve o próprio suspiro de alívio, quase como o de uma menininha.

— Muito bem — diz, com o estalar de línguas mais másculo de que é capaz —, creio, Bartholomew, que temos assuntos a discutir.

O irmão o fita por um longo momento antes de assentir, olhando por sobre o ombro de John para alguma coisa.

— Tem toda a razão — diz, apontando. — Aí vem Joan. Ela há de querer opinar, garanto.

Joan se aproxima a passos céleres, ladeada pelas filhas, com um menino novinho no colo.

— Você aí — grita, como se ele fosse um dos garotos da fazenda. — Quero falar com você, se não se importa.

John acena com a mão cordialmente, depois se vira para incluir Bartholomew em um sorriso e um inclinar de cabeça. É um assentimento familiar, furtivo, masculino, querendo dizer *Mulheres! Têm sempre que dar a última palavra. Nós, homens, precisamos fazer com que se sintam incluídas.*

Bartholomew sustenta o olhar de John — os olhos que lembram muito os da irmã, mas os seus são inexpressivos, frios. Depois os baixa e, com um gesto imperceptível, instrui o irmão a se afastar e abrir o portão para Joan, assoviando para que os cachorros o acompanhem.

Bartholomew, Joan e John ficam um bom tempo juntos no campo. Os outros filhos observam, sem serem vistos, escondidos atrás de um muro. Passado um instante, começam a se perguntar: Será que está acertado?, Agnes foi à casa deles?, Vai ou não se casar?, Não volta nunca mais? O irmão mais novo se cansa do jogo de ficar em pé ali no muro e começa a chorar querendo descer. Os olhos das irmãs jamais se afastam das três figuras em pé entre as ovelhas. Os cães bocejam, deitando a cabeça sobre as patas, erguendo-as de quando em vez a fim de olhar para Thomas, à espera de suas ordens.

O irmão é visto balançando a cabeça, demonstrando seu desejo de abandonar a conversa. O luveiro parece fazer uma proposta, abrindo primeiro uma e depois a outra mão. Ele conta alguma coisa nos dedos da mão direita. Joan fala com animação durante algum tempo, balançando os braços, apontando para a casa, agarrando o avental. Bartholomew contempla, fixa e longamente, as ovelhas, antes de estender a mão para tocar o lombo de uma delas, virar o rosto para encarar o luveiro, como se decidido a provar alguma coisa relativa ao animal para o outro homem. O luveiro assente vigorosamente, faz um longo discurso, depois sorri, triunfante. Bartholomew bate com o bordão de encontro à bota, um evidente sinal de que está insatisfeito. O luveiro dá um passo e se aproxima, enquanto Joan se mantém firme onde está. O luveiro põe uma das mãos no ombro de Bartholomew, e o fazendeiro a deixa ficar ali.

Depois eles chegam a um acordo. O luveiro e Joan apertam as mãos. Depois, ele aperta a mão de Bartholomew. Oh!, exclama uma das meninas. Os filhos respiram aliviados. Está feito, sussurra Caterina.

Hamnet acorda assustado, o colchão rangendo sob seu corpo. Algo o acordou — um ruído, uma batida, um grito —, mas ele não sabe o quê. Percebe, pelas longas sombras projetadas pela luz do sol no quarto, que deve ser quase noite. O que ele faz ali, adormecido na cama?

Vira a cabeça e então se lembra de tudo. Uma forma jaz inerte junto a ele, com a cabeça virada para um dos lados. O rosto de Judith tem cor de cera e está imóvel, um lustro de suor fazendo-o cintilar como vidro. Seu peito sobe e desce a intervalos irregulares.

Hamnet engole em seco, a garganta está ressecada e fechada. A língua parece peluda, esquisita, grande demais para caber dentro da boca. Ele fica de pé titubeante, o quarto é um borrão à sua volta. Uma dor invade a parte de trás da cabeça e se instala ali, feroz como um rato encurralado.

No andar de baixo, cantarolando sozinha, Agnes entra pela porta da frente. Pousa na mesa os seguintes itens: dois molhos de alecrim, sua sacola de couro, o vidro de mel, um pedaço de junco com cera de abelha envolto numa folha, o chapéu de palha, um amarrado de confrei, que ela pretende separar e secar e depois mergulhar em óleo quente.

Atravessa o cômodo, endireitando a cadeira ao lado do braseiro, tirando a touca de Susanna de cima da mesa e pendurando-a em um gancho atrás da porta. Abre a janela que dá para a rua, para o caso de algum cliente procurá-la. Desamarra a faixa do casaco e o despe com um movimento dos ombros. Abre a porta dos fundos e sai para o corredor que vai dar na cozinha.

O calor pode ser sentido a vários passos de distância. Lá dentro ela encontra Mary, mexendo água numa panela, e, a seu lado, Susanna, sentada em um tamborete, limpando lama de algumas cebolas.

— Até que enfim — diz Mary, virando para a nora o rosto corado de calor. — Você demorou um bocado.

Agnes sorri de forma evasiva.

— As abelhas estavam pelo pomar todo. Tive de botá-las para dentro com cuidado.

— Há... — responde Mary, jogando um punhado de farinha na água. Falta-lhe paciência para abelhas, criaturas traiçoeiras. — E como está tudo em Hewlands?

— Tudo bem — responde Agnes, tocando rapidamente o cabelo da filha como uma espécie de cumprimento, pegando um pedaço do pão que assou pela manhã e botando-o na bancada. — Acho que a perna de Bartholomew ainda está incomodando, embora ele não queira admitir. Eu o vi mancar. Segundo o que diz, ela dói apenas quando o tempo está úmido, mas falei que ele precisa... — Agnes se interrompe, com a faca do pão na mão. — Onde estão os gêmeos?

Nem Mary nem Susanna afastam os olhares do que estão fazendo.

— Hamnet e Judith. Onde estão os dois?

— Não faço ideia — responde Mary, levando aos lábios uma colher e provando —, mas, quando os encontrar, os dois vão se ver comigo. A lenha não foi cortada. A mesa não foi posta. Deus sabe por onde andam. Já está quase na hora do jantar e não há sinal nem de um nem de outro.

Agnes usa a parte serrilhada da faca para cortar uma, duas fatias de pão, que caem uma sobre a outra. Está prestes a fazer mais uma terceira incisão, quando deixa a faca escorregar da mão.

— Eu só vou ver... — começa a dizer e sai da cozinha, atravessando o corredor que leva à casa grande. Olha na oficina, onde John está inclinado sobre a bancada em uma postura de "não me perturbe". Atravessa a sala de jantar e a sala de visitas. Chama os nomes dos filhos do pé da escada. Nada. Sai pela porta da frente para a Henley Street. O calor do dia está amainando, a poeira da rua se assentando, todos se recolhendo aos lares para jantar.

Agnes entra pela porta da frente da própria casa, pela segunda vez naquela tarde.

E vê, ao pé da escada, o filho. Ele está imóvel, com o rosto pálido, os dedos agarrados ao corrimão. Tem um inchaço e um corte na testa, que Agnes tem certeza de que não estavam lá de manhã.

Ela se aproxima dele rapidamente, atravessando o cômodo em poucas passadas.

— O que foi? — indaga, apoiando as mãos nos ombros do filho. — O que foi? O que houve com o seu rosto?

Ele não responde. Balança a cabeça. Aponta para a escada. Agnes sobe, de dois em dois degraus.

Eliza diz a Agnes que fará a coroa nupcial. Se esse for, acrescenta, o desejo de Agnes.

É uma oferta feita timidamente, em um tom hesitante, bem cedinho em uma manhã. Eliza está deitada de costas para as costas da mulher que chegou à casa deles de forma tão inesperada, tão dramática. O dia apenas raiou e já se ouvem as primeiras carroças e os primeiros passos na rua.

Eliza precisa, havia dito Mary, dividir a cama com Agnes até que o casamento seja organizado. A mãe lhe comunicou isso com os lábios cerrados, rígidos, sem encontrar o olhar da filha, acrescentando um cobertor extra à cama. Eliza baixara os olhos para a metade do catre mais próxima da janela, que permanecera vazia desde a morte de Anne, sua irmã. Erguera o olhar para ver se a mãe estaria fazendo o mesmo e quis dizer você pensa nela? Ainda se pega tentando ouvir seus passos, sua voz, o som da sua respiração à noite? Porque eu sim, o tempo todo. Ainda acho que um dia vou acordar e ela estará lá, perto de mim de novo; que haverá alguma ruga ou prega no tempo e voltaremos ao lugar onde estávamos, quando ela estava viva e respirando.

Em vez disso, porém, Eliza acorda sozinha na cama todos os dias.

Mas agora ali está a mulher que vai se casar com seu irmão: uma Agnes em lugar de uma Anne. Foi uma correria e um incômodo dar conta de tudo, já que o irmão precisava de uma licença especial e houve uma discussão acalorada a respeito de dinheiro — Eliza não sabe muito sobre isso. Alguns amigos do irmão de Agnes deram garantias, esse tanto ela sabe. Tem um bebê na barriga dela, ouviu dizer Eliza, mas só por trás das portas. Ninguém lhe contou de modo explícito. Assim como ninguém pensou em lhe avisar que o casamento será no dia seguinte, de manhã: o irmão e Agnes irão a pé até o Templo Grafton, onde um padre concordou em casá-los. Não é o padre da família, nem essa é a igreja que frequentam todos os domingos. Agnes diz que conhece bem esse padre, que ele é um amigo particular da sua família. Na verdade, foi quem lhe deu o francelho, que ele mesmo criou, desde o ovo, tendo ensinado a Agnes como curar decomposição do pulmão em um falcão. Esse padre vai casá-los, disse a futura cunhada com alegria, enquanto fiava no tear de Mary, porque conhece Agnes desde menina e sempre foi bondoso, chegando, certa vez, a trocar com ele algumas jesses por um barril de cerveja. Ele é, explicou Agnes, enquanto enovelava lã na mão livre, um especialista em questões de falcoaria, fabricação de cerveja e criação de abelhas, e partilhou com ela seu profundo conhecimento a respeito dessas três atividades.

Quando Agnes terminou de falar, do lugar que ocupava no tear ao lado do fogareiro na sala de estar, a mãe de Eliza deixou cair as agulhas de tricô, como se não pudesse acreditar no que ouvira, o que levou o irmão de Eliza a rir sem moderação com o copo na boca, o que, por sua vez, irritou o pai de ambos. Eliza, porém, ouvira atentamente cada palavra. Jamais escutara alguém dizer essas coisas, jamais alguém falara dessa forma naquela casa, com uma fluência tão natural, com uma animação tão genuína.

De todo modo, está tudo pronto para o casamento. O padre falcoeiro, produtor de mel e comerciante de cerveja os casará bem cedinho no dia seguinte em uma cerimônia providenciada rápida, furtiva e secretamente.

Quando se casar, Eliza deseja caminhar pela Henley Street usando uma coroa de flores, sob o brilho do sol, para que todos possam vê-la. Não quer uma cerimônia realizada a milhas de distância da cidade, em uma igrejinha com um padre esquisito e com ela e o noivo entrando sorrateiramente em uma capela. Ela manterá a cabeça erguida e se casará na cidade. Tem certeza disso. Seus proclamas serão lidos em voz alta à porta da igreja. Mas o pai e o irmão de Agnes decidiram as coisas entre si e nada mais pôde ser dito.

Ainda assim, ela vai fazer a coroa de flores para Agnes. Quem mais o faria? Não a madrasta de Agnes, Eliza tem certeza disso, ou as irmãs dela, pois estão recolhidas lá em Shottery. Talvez compareçam ao casamento, disse Agnes, dando de ombros, talvez não.

Mas Agnes precisa de uma coroa. Não pode se casar sem uma, grávida ou não. Por isso Eliza a consulta. Pigarreia. Entrelaça os dedos, como se prestes a rezar.

— Será que posso... — começa, falando para o ar gelado do quarto. — Estou pensando se você gostaria que eu... Que eu fizesse sua coroa de flores? Para amanhã?

Sente que Agnes, às suas costas, a escuta. Eliza a ouve inspirar e acha, por um instante, que ela vai recusar, que dirá não, que Eliza foi inconveniente.

O catre range e balança quando Agnes se vira para encará-la.

— Uma coroa? — indaga, e Eliza percebe certa alegria em sua voz. — Eu gostaria muito, com certeza. Obrigada.

Eliza se vira e as duas se encaram em uma repentina conspiração.

— Não sei que flores vamos achar nesta época do ano — diz Eliza. — Talvez alguns frutinhos ou...

— Junípero — interrompe Agnes. — Ou azevinho. Folhinhas de samambaia. Ou pinheiro.

— Pode ser hera.

— Ou flores de aveleira. Você e eu podemos ir até o rio — sugere Agnes, tomando na sua a mão de Eliza — hoje, mais tarde, para ver o que encontramos.

— Vi um punhado de acônitos por lá na semana passada. Quem sabe...

— É venenoso — comenta Agnes, virando de barriga para cima ainda segurando a mão de Eliza, que pousa diretamente sobre a barriga. — Você quer sentir o bebê? Ela costuma se mexer de manhã. Acho que quer tomar café.

— Ela? — pergunta Eliza, espantada ante essa súbita intimidade e o calor da pele esticada e resistente da outra, bem como com a força com que ela segura sua mão.

— Acho que vai ser uma menina — responde Agnes com um bocejo, de forma rápida e segura.

A mão de Eliza está sendo pressionada pelos dedos de Agnes. É a sensação mais estranha do mundo, como se algo estivesse sendo sugado dela, como se fosse uma farpa ou uma ferida infeccionada, ao mesmo tempo que alguma outra coisa é injetada em seu corpo. Eliza não consegue entender se lhe cabe dar ou receber algo. Quer retirar a mão e ao mesmo tempo deixá-la ali.

— Sua irmã — diz Agnes baixinho. — Ela era mais nova que você?

Eliza fita a testa macia, as têmporas alvas e o cabelo preto da futura cunhada. Como ela sabe que Eliza andou pensando em Anne?

— Sim — responde. — Quase dois anos.

— E ela tinha quantos anos quando morreu?

— Oito.

Agnes estala a língua, solidária.

— Lamento a sua perda — murmura.

Eliza não revela que se preocupa com Anne, totalmente sozinha, tão jovem, sem ela, onde quer que esteja agora. Que fica acordada muito tempo à noite, sussurrando seu nome, para o caso de a irmã estar ouvindo, onde quer que se encontre, para o caso de se sentir consolada com o som da sua voz. Dói imaginar que Anne se veja aflita em algum lugar e ela, Eliza, não consiga ouvi-la, não consiga alcançá-la.

Agnes afaga as costas da mão de Eliza e diz num rompante:

— Ela tem a companhia das outras irmãs, lembre-se. As duas que morreram antes de você nascer. Umas cuidam das outras. Ela não quer que você se preocupe. Ela quer que você... — Agnes se interrompe, fita Eliza, que treme de frio ou de choque ou de ambos. — Quero dizer — acrescenta, num tom novo, cauteloso —, suponho que ela não queira que você se preocupe. Há de querer que você durma tranquila.

As duas se calam. O ruído dos cascos de um cavalo que sobe a rua se faz ouvir do lado de fora da janela.

— Como você sabia das outras duas que morreram? — indaga Eliza em um sussurro.

Agnes reflete um instante.

— Seu irmão me contou — responde, sem olhar para Eliza.

— Uma delas se chamava Eliza. A primeira. Sabia disso?

Agnes começa a assentir e depois dá de ombros.

— Gilbert às vezes diz que... — Eliza olha por cima do ombro antes de prosseguir — ... que ela pode vir no meio da noite, ficar de pé junto à minha cama, querendo tomar o meu nome. Que ela vai ficar zangada porque eu o roubei.

— Bobagem — atalha Agnes curtamente. — Gilbert só está brincando. Não dê atenção a ele. Sua irmã está feliz por você ter o nome dela, porque vai levá-lo adiante. Lembre-se disso. Se eu ouvir Gilbert dizer isso a você de novo, ponho urtigas dentro da calça dele.

Eliza solta uma gargalhada.

— Põe nada!

— Ponho, sim, com certeza. Isso vai fazer com que ele aprenda a não sair por aí assustando os outros.

Agnes solta a mão de Eliza e se apruma na cama.

— Muito bem, agora está na hora de começar o dia.

Eliza olha para a própria mão. Há uma depressão na pele, causada pela pressão do polegar de Agnes, uma mancha cor-de-rosa em toda a volta. Ela esfrega a pele com a outra mão, surpresa com o calor que dali emana, como se a tivesse aproximado de uma vela.

—

A coroa que Eliza faz leva samambaia, lariço e margaridas roxas. Ela se senta à mesa de jantar para montá-la. Recebeu o encargo de tomar conta do irmão caçula, Edmond, enquanto trabalha, por isso lhe dá para brincar algumas folhas de lariço e pétalas de margaridas. Ele está sentado no chão, com as pernas estendidas, e deixa cair as folhas, uma por uma, solenemente, dentro de uma tigela de madeira, na qual mistura tudo com uma colher. Eliza ouve os sons que saem da boquinha do menino enquanto ele mexe o conteúdo da tigela: "oia", para folha, "iza", para Eliza, "opa" para sopa. As palavras existem, basta saber escutá-las.

Os dedos dela — fortes, alongados, mais afeitos a costurar couro — entrelaçam os caules, formando um círculo. Edmond se levanta. Caminha, vacilante, até a janela e depois volta e vai até a lareira, repreendendo a si mesmo conforme se aproxima do fogo: "Nã, nã, nã." Eliza sorri e diz:

— Não, Edmond, perto do fogo, não.

Ele vira o rosto para ela, encantado e eufórico por ter sido compreendido. O fogo, o calor, não, não ponha a mão. Ele sabe que não lhe permitem chegar perto, mas a possibilidade lhe desperta um desejo forte e irresistível pelo brilho, pelo movimento, pelo bafo de ar quente em seu rosto, pelo conjunto de implementos fascinantes que servem para atiçar, remexer e pegar as brasas.

Eliza ouve, nos fundos da casa, a mãe batendo panelas e frigideiras na cozinha. A mãe está de péssimo humor e já fez a criada chorar. Mary despeja toda a sua ira e fúria na comida. O pernil não assa. A massa da torta se desmancha. O pão não cresce com a rapidez desejada. Os bolinhos estão com grumos. Eliza tem a impressão de que a cozinha está no olho de um furacão e que é melhor permanecer onde está, longe do cômodo, com Edmond, ambos seguros.

Tuque, tuque, tuque, trabalham seus dedos, trançando pontas de caules partidos. A palma da outra mão gira o círculo da coroa enquanto isso.

Dá para ouvir lá em cima o barulho dos pés dos irmãos. Tem gente se atracando no alto da escada, sugere o ruído. Um urro, uma risada, o pedido choroso de Richard para que o soltem, as falsas promessas de Gilbert, um baque, o ranger de uma tábua do assoalho e depois um sufocado "Ai!".

— Meninos! — rosna uma voz de dentro da luvaria. — Parem já com isso, ou subo aí e dou a vocês um motivo para chorar, com ou sem casamento!

Os três irmãos surgem à porta, se empurrando. O irmão mais velho de Eliza, o noivo, atravessa saltitante o aposento, agarra-a e lhe sapeca um beijo no alto da cabeça, rodopiando depois para erguer Edmond no ar. Edmond continua com a colher de madeira em uma das mãos e um punhado de folhas na outra. O irmão mais velho gira com ele, uma, duas vezes. Edmond franze as sobrancelhas e sorri, o ar levantando-lhe a franja. Tenta enfiar a colher de lado na boca. Depois é posto no chão e os três maiores rapidamente desaparecem porta afora e ganham a rua. Edmond deixa a colher cair e lança um olhar para a porta, abandonado, incapaz de entender essa deserção repentina.

Eliza ri.

— Eles vão voltar, Ed — diz Eliza. — Logo, logo. Quando ele se casar. Você vai ver.

Agnes surge à porta. O cabelo está desembaraçado e escovado. Cai-lhe pelos ombros e pelas costas como água escurecida. Usa um vestido que Eliza nunca viu, amarelo-claro, cuja frente está levemente estufada.

— Oh! — exclama Eliza, batendo palmas. — O amarelo vai realçar o miolo das margaridas.

Ela fica de pé em um salto, estendendo a coroa. Agnes se abaixa para que Eliza a coloque em sua cabeça.

. —

Geou durante a noite. Cada folha, cada lâmina de grama, cada graveto na estrada que leva à igreja está preso no gelo. A terra está fria e dura sob os pés. O noivo e seus padrinhos seguem à frente: o ruído que vem do grupo é de aplausos, gritos, trechos de canções, o trinado de uma gaita de foles, tocada por um amigo que saltita, ora dentro, ora fora da estrada. Bartholomew fecha o cortejo masculino; sua altura obscurecendo os que o precedem, de cabeça baixa.

A noiva caminha em linha reta, sem olhar para a esquerda nem para a direita. Com ela estão Eliza, Edmond em seu colo, Mary, várias amigas de Agnes, a esposa do padeiro. Meio afastadas do grupo estão Joan e as três filhas. Joan puxa pela mão o filho caçula. As irmãs caminham alinhadas, de braços dados, rindo e cochichando entre si. Eliza olha de soslaio para elas, várias vezes, antes de voltar a atenção para a frente.

Agnes percebe, vê a tristeza de Eliza se fechar sobre ela como uma bruma. Agnes vê tudo. As rosas-mosquetas na cerca viva, cujas extremidades começam a ficar escuras; amoras que não foram colhidas por estarem além do alcance das mãos; os movimentos de um melro que pousa e alça voo dos galhos de um carvalho à margem da trilha; o vapor branco que sai da boca da madrasta que leva o filho pequeno nas costas, os fios de cabelo curiosamente descoloridos que lhe escapam do lenço, o balanço exagerado dos seus quadris. Agnes nota que Caterina tem o nariz da mãe, chato e largo, que Joanie herdou a testa estreita e Margaret, o pescoço grosso e os lóbulos compridos das orelhas. Vê que Caterina tem o dom — ou a habilidade — de tornar sua vida feliz e Margaret também, embora em menor grau, enquanto Joanie carece por completo desse talento. Vê o próprio pai no menino caçula, agora andando sozinho e segurando a mão de Caterina: o cabelo louro, a forma quadrada da cabeça, os cantos da boca erguidos. Sente as fitas amarradas às próprias meias, apertando e afrouxando em consonância com os músculos das pernas em ação sob seu peso. Sente o pinicar das ervas e frutos e flores da coroa e o ínfimo fluxo de água nas veias dos caules e das folhas. Sente um movimento correspondente no interior do corpo, em compasso com as plantas, um fluxo ou corrente ou maré, a passagem do sangue dela para o bebê que carrega na barriga. Está deixando uma vida; está começando uma nova. Tudo pode acontecer.

Pressente, também, em algum ponto à sua esquerda, a presença da mãe, que estaria ali com ela caso sua vida houvesse seguido outro rumo. Seria a mãe que lhe seguraria a mão quando Agnes se encaminhasse para o casamento, seus dedos envolvendo os da filha. Seus passos teriam acompanhado os de Agnes, a seu lado, nesse caminho. Teria sido ela a lhe fazer a coroa, colocando-a sobre a cabeça da noiva, escovando-lhe o cabelo de modo a emoldurá-la. Amarraria as fitas azuis em torno de suas meias e trançaria com elas as mechas do cabelo. Tudo isso teria sido feito por ela.

Assim é que, claro, ela estaria aqui agora, fosse na forma que pudesse. Agnes não precisa virar a cabeça, não deseja afugentá-la. Já basta saber que ela está ali, evidente, flutuando, imaterial. Vejo você, pensa Agnes. Sei que está aqui.

Em vez disso, ela olha para a frente, para a estrada, onde o pai também estaria com os homens, e vê o futuro marido. A lã escura e macia da sua touca, o ritmo do seu andar, mais ágil que o dos homens que o cercam — os irmãos, o pai, os amigos, os irmãos dela. Olhe para trás, ela o induz mentalmente enquanto caminha, olhe para mim.

Não se surpreende quando ele faz exatamente isso, a cabeça se virando, o rosto se revelando para ela, enquanto afasta o cabelo para enxergá-la. Prende o olhar dela por um instante, parando brevemente na estrada, e então sorri. Faz um gesto, erguendo uma das mãos e movendo a outra na direção desta. Ela inclina a cabeça, confusa. Ele repete o gesto, ainda sorrindo. Ela acha que ele está imitando o ato de lhe pôr a aliança no dedo — algo assim. Então, um dos irmãos, Gilbert, Agnes não tem certeza, investe contra ele, agarrando-o pelos ombros e empurrando-o. A resposta vem na mesma moeda, quando ele dá uma gravata no mais novo, fazendo-o uivar de indignação.

O padre os aguarda à porta da igreja, sua batina uma forma escura contra a pedra coberta de gelo. Os homens e os rapazes emudecem ao se aproximarem da construção. Amontoam-se junto a ele, nervosos, calados, os rostos corados sob o ar matinal. Quando chega mais perto, o padre lhe sorri e depois toma fôlego.

Fecha os olhos e fala:

— Leio os proclamas de praxe para o casamento entre este homem e esta mulher.

Um silêncio cai sobre todos, as crianças inclusive. No entanto, Agnes faz uma invocação pessoal: Se você estiver aqui, mostre-se agora, deixe-me vê-la, por favor. Estou esperando, estou aqui.

— Se alguém de vocês, aqui presentes, souber de algum motivo ou empecilho para que estas pessoas sejam unidas em sagrado matrimônio, manifeste-se agora. Esta é a primeira vez que o exijo.

As pálpebras se abrem e ele olha os presentes, um a um. Thomas cutuca o pescoço de James com uma folha de azevinho. Com rapidez e eficiência, Bartholomew segura a mão do irmão atrás da cabeça. Richard alterna o peso de um pé para o outro, dando a nítida impressão de que precisa esvaziar a bexiga. Caterina e Margaret observam disfarçadamente os irmãos do noivo, avaliando-os. John está sorrindo, os polegares encaixados nas costuras distendidas do gibão. Mary olha para o chão, o rosto imóvel, quase abatido.

O padre toma fôlego novamente. Repete o que disse antes. Agnes inspira uma, duas vezes, e o bebê se revira em seu útero, como se tivesse ouvido um ruído, um grito, como se tivesse ouvido seu nome pela primeira vez. Me mostre agora, torna a pensar Agnes, formando as palavras mentalmente com uma cautela delicada, deliberada. Joan se inclina para ouvir algo que o filho murmura e o manda calar a boca levando um dedo aos lábios. John alterna o peso para o outro pé, esbarrando acidentalmente na esposa. Mary deixa cair as luvas que segurava e precisa se abaixar para pegá-las, não sem antes lançar um olhar penetrante para o marido.

Os proclamas são lidos pela terceira vez, o padre prendendo o olhar dos convidados como se quisesse abarcar a todos. Antes de concluir as últimas palavras, o noivo dá um passo adiante, se posiciona no portal da igreja, tomando seu lugar ao lado do padre, como se dissesse: Vamos ao que interessa. Há um surto de riso no grupo, um alívio da tensão, e Agnes vê um flash à sua direita, com o canto do olho, uma explosão de cor, como se um cabelo lhe caísse no rosto, como o movimento de uma ave em pleno voo. Ela pega o que pousou em seu ombro, no tecido amarelo do vestido, depois no peito e sobre o pequeno volume do ventre. Pega com cuidado, com a mão em concha, apertando de encontro ao corpo. É um raminho de bagas de sorveira, de um vermelho-fogo, ainda com várias folhas estreitas cor de prata grudadas.

Segura aquilo nos dedos por um instante. Então, o irmão dá um passo à frente. Aperta as bagas que Agnes segura na palma da mão. Ergue os olhos para a árvore acima deles. Irmão e irmã se entreolham, e Agnes estende o braço à procura da mão de Bartholomew.

A mão dele aperta a dela com força, demasiada força, talvez — ele jamais soube, ou se deu conta, da sua força extraordinária. Os dedos estão frios, a pele em volta é calejada e granulosa. Ele a leva até a porta da igreja. O noivo já se inclina para recebê-la, o braço ansiosamente estendido. Bartholomew para, detendo os passos de Agnes. O noivo aguarda, de mão estendida, com um sorriso no rosto. Bartholomew se inclina, ainda freando Agnes com a mão. Estende a outra mão e segura o noivo pelo ombro. Agnes sabe que ele não quer que ela ouça, mas ela ouve — sua audição é aguçada como a de um falcão. Bartholomew sussurra no ouvido do noivo:

— Cuide bem dela, professor de latim, cuide muito bem dela e nada de mau lhe acontecerá.

Quando se apruma e se vira para a irmã, Bartholomew está sorrindo, os dentes à mostra, encarando o grupo. Ele solta a mão de Agnes, que se aproxima do noivo, um pouco empalidecido agora.

O padre mergulha a aliança em água-benta, murmurando uma prece, e a entrega ao noivo. *In nomine Patris*, diz o padre, com uma voz cristalina, audível por todos os presentes, até para os que se encontram lá atrás, e o noivo enfia a aliança no polegar de Agnes, retirando-a em seguida, *in nomine Filii*, e a aliança é posta no indicador, *in nomine Spiritus Sancti*, recita o padre quando a aliança é colocada no dedo médio. Quando ele diz *Amen*, a aliança envolve o dedo anular, em que, segundo lhe explicou o noivo dias atrás, quando os dois estavam escondidos no pomar, corre uma veia que vai direto ao coração. Por um instante, ela sente o contato frio do anel com a pele, a umidade da água-benta que o molhou, mas depois o sangue, fluindo diretamente do seu coração, o aquece, deixando-o na temperatura do corpo.

Ela entra na igreja, consciente das três coisas cuja posse agora é sua: a aliança no dedo, o raminho de bagas de sorveira que segura entre os dedos e a mão do marido. Eles caminham pela nave juntos, com um cortejo a segui-los, as passadas de todos no chão de pedra ecoando na igreja, enquanto cada qual toma seu lugar nos bancos. Agnes se ajoelha no altar, à esquerda do marido, para ouvir a missa. Os dois baixam a cabeça sincronizadamente e o padre estende um pano de linho sobre eles, a fim de protegê-los dos demônios, de Satã, de tudo que é ruim e indesejável no mundo.

Agnes atravessa o aposento do andar superior sob os raios convergentes de claridade, nos quais ciscos de poeira voltejam e pairam no ar. A filha está deitada no catre de junco ainda de vestido, os sapatos jogados a seu lado.

Está respirando, diz Agnes a si mesma, ao seu coração palpitante, ao pulso acelerado, enquanto se aproxima. Isso é bom, não é mesmo? O peito dela sobe e desce e — veja — as bochechas estão coradas, as mãos repousam ao lado do corpo, os dedos semifechados. Não é de todo ruim, com certeza. Ela está aqui, e Hamnet está aqui.

Agnes chega junto à cama e se agacha, as saias inflando ao redor.

— Judith — chama Agnes, pondo a mão na testa da menina, depois sentindo seu pulso e voltando, então, ao rosto.

Ciente de que Hamnet está no quarto, bem às suas costas, Agnes inclina a cabeça enquanto pensa. Febre, diz para si mesma, numa voz silenciosa que soa muito calma, muito serena. Então, se corrige: febre alta, pele úmida e escaldante. Respiração rápida e curta. Pulso fraco, errático e acelerado.

— Há quanto tempo ela está assim? — indaga em tom alto, sem se virar.

— Desde que voltei da escola — responde Hamnet, com uma voz esganiçada. — Estávamos brincando com os filhotes e Jude disse... Quero dizer, a vovó tinha pedido que cortássemos lenha e já íamos começar, mas estávamos fazendo uma brincadeira com os filhotes e umas fitas. A lenha estava lá e eu...

— Esqueça a lenha — pede a mãe, controlada. — Não importa. Me fale de Judith.

— Ela disse que a garganta estava doendo, mas brincamos um pouco mais e então falei que ia cortar lenha e ela respondeu que estava muito cansada. Ela subiu para cá e se deitou na cama. Cortei um pouco da lenha, não toda, e depois subi para ver se ela tinha melhorado, mas ela estava bem mal. Então procurei você e a vovó e todo mundo — a voz começava a se elevar agora —, mas não tinha ninguém aqui. Procurei por todo lado, chamando você. E corri até a casa do médico, mas ele também tinha saído, e fiquei sem saber o que fazer. Eu não sabia como... Não sabia...

Agnes se apruma e se aproxima do filho.

— Pronto, pronto — diz ela, puxando-o para perto. Encosta a cabeça loura do menino em seu ombro, sente o tremor do seu corpo, o frêmito da sua respiração. — Você agiu bem. Muito bem. Nada disso é sua...

Ele se afasta dela com um safanão, o rosto aflito e molhado.

— *Onde* você estava? — grita Hamnet, o medo se transformando em fúria, a voz oscilando, como tem acontecido ultimamente, ficando grave na segunda palavra, depois mais aguda na terceira. — Procurei em todos os lugares!

Ela o encara e volta a olhar para Judith.

— Eu estava lá em Hewlands. Bartholomew mandou me chamar porque as abelhas se juntaram em enxames. Fiquei mais tempo por lá do que pretendia, desculpe — responde ela. — Me desculpe por não estar aqui.

Ela estende novamente o braço para o filho, mas ele se afasta e se aproxima da cama. Juntos, eles se ajoelham ao lado da menina. Agnes pega a mão da filha.

— Ela tem... aquilo — diz Hamnet num sussurro rouco. — Não tem?

Agnes não olha para ele. A mente do menino é tão rápida, tão sintonizada na dos outros, que ela sabe que ele pode ler seus pensamentos como se fossem palavras escritas em um papel. Por isso, precisa guardá-las consigo, de cabeça baixa. Está verificando cada dedo em busca de uma mudança de cor, de uma sugestão de cinza ou de preto. Nada. Cada dedo é cor-de-rosa, cada unha, pálida, com uma meia-lua na base. Agnes examina os pés, cada dedo, os ossos redondos e vulneráveis do tornozelo.

— Ela está com... com a peste — murmura Hamnet. — Não está? Mamãe? Não está? É o que você acha, não é?

Agnes segura firme o punho de Judith — o pulso é irregular, inconstante, acelera, desacelera, quase some e então galopa. Seus olhos encontram o inchaço no pescoço de Judith. Do tamanho de um ovo de galinha, recém-aparecido. Estende a mão e o toca com delicadeza, com a ponta do dedo. Ele é úmido e aquoso, como um terreno pantanoso. Desamarra a faixa do vestido de Judith e o puxa delicadamente para baixo. Há outros ovos, sob as axilas, alguns pequenos, outros enormes, bulbosos, forçando a pele.

Ela já viu isso antes. Muitos na cidade, e até mesmo no condado, também já viram em algum momento da vida. Eles encerram o maior temor dos indivíduos, o que nenhum deles deseja encontrar no próprio corpo ou no das pessoas a quem se ama. Representam um receio tão potente para todo mundo que ela mal acredita que os está vendo, em vez de uma imagem ou um espectro invocado pela sua imaginação.

Mas ali estão eles. Nódulos redondos, surgidos debaixo da pele da filha.

Agnes parece se partir ao meio. Uma parte dela se horroriza ante a visão dos bubões. A outra percebe essa reação, observa: uma reação, certo. Lágrimas brotam nos olhos da primeira Agnes e o coração lhe salta no peito, um animal se atirando de encontro às barras de sua jaula de ossos. A outra Agnes está checando os sinais: bubões, febre, sono profundo. A primeira Agnes beija a filha na testa, nas bochechas, no lugar onde o cabelo encontra a pele na têmpora. A outra reflete — um cataplasma de farelo de pão e cebola assada e leite fervido e gordura de carneiro, um licor de rosa-mosqueta e arruda em pó, borragem e madressilva.

Fica de pé, atravessa o quarto e desce a escada. Sente algo estranhamente familiar, quase reconhecível, nos próprios movimentos. O que sempre temeu está acontecendo. Chegou. O momento que mais a amedrontava, o acontecimento sobre o qual pensou, que ruminou, que virou do avesso e do direito, ensaiou e reensaiou mentalmente, na escuridão de noites insones, em ocasiões ociosas, quando estava sozinha. A peste alcançou sua casa. Fez sua marca junto ao pescoço da filha.

Ela se ouve dizer a Hamnet para ir buscar a avó, a irmã, sim, elas já voltaram, estão na cozinha, vá chamá-las e mande que venham aqui, já. E então se vê diante das próprias prateleiras, e as mãos tateiam em busca de vidros tampados. Ali tem arruda e canela, e isso é bom para extrair o calor. Tem também raiz de trepadeira e tomilho.

Baixa os olhos para as demais prateleiras. Ruibarbo? Segura a haste seca na mão por um instante. Sim, ruibarbo para purgar o estômago, para afugentar a peste.

Ao pensar nessa palavra, ela se pega deixando escapar um som frágil, como o ganido de um cão. Encosta a cabeça no gesso da parede. Pensa: Minha filha. Pensa: Aqueles nódulos. Pensa: Não pode ser, não aceito, não permito.

Pega o pilão na prateleira e o bate de encontro ao almofariz com força, espalhando pós e folhas e raízes na mesa.

Hamnet está lá fora, caminhando em direção ao quintal e à porta da cozinha, onde a avó remexe em um barril de cebolas com a criada postada a seu lado, com o avental aberto e estendido, pronta para receber o que quer que Mary julgue pertinente caber ali. O fogo ruge e estala na grelha, as chamas se erguendo para alcançar e acariciar os fundos de várias panelas. Susanna está de pé junto ao batedor de manteiga, segurando-lhe a alça de modo letárgico.

Ela é a primeira a vê-lo. Hamnet a encara; ela o encara de volta, a boca entreaberta de surpresa ante a visão do irmão. Franze o cenho, como se pretendesse falar, repreendê-lo por alguma coisa. Então, vira a cabeça para a avó, que instrui a criada a descascar as cebolas e picá-las. O calor ali é insuportável para Hamnet, que o sente bafejar sobre ele, como vapores das portas do Inferno. O calor praticamente bloqueia a entrada, preenchendo o espaço, pressionando as paredes com sua massa voraz. Hamnet não sabe como as mulheres aguentam. Passa a mão na testa. O que a sua visão periférica alcança parece tremeluzir e ele vê, ou pensa ver, por um instante fugaz, mil velas no escuro, suas chamas grunhindo ferozes, tufos de luz, velas sobrenaturais. Um piscar de olhos, e a imagem se desfaz; a cena à sua frente é a de antes. A avó, a criada, as cebolas, a irmã, o batedor de manteiga, o faisão sem cabeça sobre a mesa, as patas depenadas cuidadosamente erguidas, como se a intenção do pássaro fosse evitar enlameá-las, a despeito de, na verdade, estar mortinho da silva.

— Vovó? — chama Susanna, hesitante, ainda de olho no irmão. Mais tarde, esse momento lhe voltará à cabeça, repetidamente, sobretudo de manhã cedinho, sempre que acordar. O irmão, de pé na entrada, emoldurado pelo portal. Ela se lembrará de achá-lo pálido, chocado, muito diferente do habitual, com um corte no supercílio. Teria feito diferença mencionar isso tudo para a avó? Se tivesse chamado a atenção da mãe ou da avó para a aparência do menino seria possível mudar alguma coisa? Susanna jamais saberá, pois tudo que diz na ocasião é: — Vovó?

Mary orienta a criada:

— Cuidado para não queimar tudo desta vez, nem mesmo um pouquinho nas bordas. Assim que começar a cozinhar, levante a panela do fogo, entendeu?

Ela se vira, primeiro em direção à neta e depois, seguindo o olhar desta, em direção à porta e a Hamnet.

Leva um susto e põe a mão no coração.

— Você me assustou! O que andou aprontando, menino? Parece um fantasma, parado aí desse jeito.

Mary dirá a si mesma, nos dias e semanas seguintes, que jamais emitiu tais palavras. Não pode ter feito isso. Jamais diria "fantasma" para ele, jamais mencionaria haver algo assustador, algo estranho na sua aparência. Hamnet parecia perfeitamente bem. Ela jamais disse algo assim.

Com as mãos trêmulas, Agnes recolhe as pétalas e as raízes espalhadas para dentro do almofariz e começa a moer, o punho girando, girando, as juntas dos dedos empalidecendo, as unhas prendendo firme o pilão de madeira. A haste de ruibarbo, a arruda e a canela são amassadas juntas, seus aromas se fundindo, o doce, o acre, o amargo.

Enquanto mói, ela relembra o número de pessoas que essa mistura salvou. Teve a esposa do moleiro, que andara delirando e rasgando as vestes. No dia seguinte, depois de beber dois tragos dessa poção, já estava sentada na cama, calma como um cordeirinho, tomando sopa. Teve o sobrinho do proprietário de terras em Snitterfield: Agnes fora até lá no meio da noite, depois de ser chamada pelo tio do rapaz. O doente se recuperou bem com esse remédio e um cataplasma. O ferreiro de Copton, a solteirona de Bishopton. Todos ficaram bons, não é mesmo? Não é impossível.

Está tão concentrada que dá um salto quando alguém lhe toca o cotovelo. O pilão lhe escapa dos dedos e cai sobre a mesa. A sogra, Mary, posta-se a seu lado, as bochechas coradas pelo calor da cozinha, as mangas arregaçadas, uma ruga juntando as sobrancelhas.

— É verdade? — indaga.

Agnes respira fundo, a língua registrando o travo da canela, o amargor do ruibarbo em pó, e, percebendo que corre o risco de chorar, assente com a cabeça.

— Ela tem bubões? Febre? É verdade?

Agnes assente de novo, uma vez. O rosto de Mary se anuvia, os olhos cintilam. Poder-se-ia pensar que está furiosa, mas Agnes sabe que não. As duas mulheres se encaram, e Agnes vê que Mary está pensando na filha, Anne, que morreu de peste, aos oito anos, coberta de nódulos e fervendo de febre, os dedos empretecidos e odorosos apodrecidos nas mãos. Agnes sabe disso porque Eliza lhe contou uma vez, mas, na ocasião, ela já estava ciente. Não mexe a cabeça, não desvia o olhar do de Mary, mas tem consciência de que a pequena Anne está com elas no aposento, perto da porta, o lençol enrolado sobre os ombros, o cabelo desembaraçado, os dedos inflamados e inúteis, o pescoço inchado por onde o ar não passa. Agnes se força a formular o pensamento. Anne, sabemos que está aí, você não foi esquecida. Como é tênue para Agnes o véu entre o mundo em que vivem e o dela. Para Agnes, os mundos são indistintos, roçando-se, permitindo o tráfego entre um e outro. Ela não deixará que Judith faça essa travessia.

Mary murmura entre dentes um rosário de palavras, uma espécie de prece, uma súplica. Puxa, então, Agnes para si. Seu abraço é rude, os dedos apertam o cotovelo de Agnes, o braço pressiona com força o ombro da nora. O rosto de Agnes encontra a touca de Mary, que cheira a sabonete, sabonete que a própria Agnes fez — com cinzas e sebo e minúsculos botões de lavanda. Ela ouve a fricção de cabelo contra tecido, sob a touca. Antes que feche os olhos, entregando-se ao abraço, vê Susanna e Hamnet entrarem pela porta dos fundos.

Então Mary a liberta e ela se vira, o momento entre as duas encerrado, concluído. Ela é pura atividade agora, limpando de migalhas o avental, examinando o conteúdo do almofariz, indo até o braseiro, dizendo que vai acendê-lo, pedindo a Hamnet que pegue lenha, depressa, menino, precisamos de um fogo intenso, pois não existe nada tão eficaz para abaixar a febre do que um fogo intenso. Está abrindo espaço diante do braseiro, e Agnes sabe que Mary trará lá de cima o catre de junco; trará cobertas limpas, fará uma espécie de cama ao lado do fogo, e Judith será trazida para repousar diante das chamas.

Quaisquer que sejam as diferenças entre Agnes e Mary — e não são poucas, é claro, morando num espaço tão limitado, com tanta coisa para fazer, tantas crianças, tantas bocas, refeições a preparar e roupas para lavar e remendar, os homens precisando ser vigiados e avaliados, acalmados e orientados —, elas se desfazem em face das tarefas. As duas podem irritar e provocar e magoar uma à outra; podem discutir e reclamar e revirar os olhos; podem jogar no chiqueiro a comida que a outra preparou por estar salgada demais ou cortada em fatias insuficientemente finas ou demasiado temperada; podem erguer uma sobrancelha para a cerzidura, a costura ou o bordado da outra. Mas, em uma ocasião como essa, agem como se fossem as duas mãos de uma mesma pessoa.

Como agora. Agnes está despejando água em uma panela e aspergindo o pó dentro dela. Mary opera o fole, pegando a lenha que Hamnet trouxe, instruindo Susanna a ir até a arca no cômodo contíguo e pegar lençóis. Acende as velas, cujas chamas produzem um clarão e espalham círculos de claridade que iluminam os cantos escuros do aposento. Agnes entrega a panela a Mary, que a coloca sobre as chamas para aquecê-la. Ambas sobem a escada, sem se falarem, e Agnes sabe que Mary saudará Judith com uma expressão sorridente, dirá palavras despreocupadas e encorajadoras. Juntas, cuidarão da menina, erguerão o catre, lhe darão o remédio. Vão tomar para si a responsabilidade de lidar com a situação.

Já passa da meia-noite na noite de núpcias de Agnes; pode até mesmo estar próxima a aurora. Faz frio bastante para sua respiração ser visível toda vez que ela expira, para que forme gotículas sobre o cobertor em que se enrolou.

A Henley Street, quando ela olha pela janela, está imersa na mais profunda escuridão. Não há ninguém à vista. Uma coruja se faz ouvir intermitentemente, em algum lugar atrás da casa, emitindo seu pio fremente na noite.

Alguns, reflete Agnes defronte à janela e com o cobertor cobrindo-a da cabeça aos pés, poderiam encarar isso como um mau presságio, sendo o pio da coruja um sinal de morte. Mas ela não as teme. Gosta delas, gosta de seus olhos, que lembram o miolo de calêndulas, de suas penas, imbricadas, sarapintadas, das expressões indecifráveis que lhes são típicas. Para ela, as corujas existem em uma espécie de duplo estado, meio espírito, meio pássaro.

Agnes deixa o leito nupcial e vagueia pelos cômodos da sua nova casa. Porque o sono não lhe veio, envolto em suas plumas. Porque os pensamentos em sua cabeça são numerosos demais, se acotovelam, brigando por espaço. Porque há muita coisa a registrar, demasiadas experiências naquele dia para digerir. Porque essa é a primeira vez na vida que lhe deram a chance de dormir em uma cama ou no andar de cima da casa.

Por isso, ela vagueia pelos cômodos, tocando coisas ao passar: o encosto de uma cadeira, uma prateleira vazia, os atiçadores de brasas, a maçaneta da porta, o corrimão da escada. Vai até a frente da casa, depois ao fundo, e novamente até a frente; desce a escada e torna a subir. Acaricia o cortinado em torno da cama que lhe foi dada como presente de casamento pelos sogros. Ela o puxa e contempla o homem deitado na cama, seu marido, profundamente adormecido, esparramado, com os braços abertos, como se boiando na correnteza. Ergue os olhos para o teto, acima do qual existe um sótão sob o telhado chanfrado.

Esse lugar é agora o seu lar, foi construído ao lado do casarão da família. Tem dois andares: o de baixo, onde ficam a lareira e o banco de madeira com braços, a mesa e utensílios usados para comer, e o de cima, onde fica a cama. John costumava usá-lo como depósito — para o quê, exatamente, jamais fora mencionado, mas Agnes, farejando o ar na primeira vez que ali esteve, sentiu o inequívoco cheiro de felpa, de lã em fardos enrolados e ali guardados durante vários anos. Fosse o que fosse, fora removido e transferido para outro local.

Agnes tem a nítida noção de que esse arranjo envolve seu irmão e talvez faça parte das condições para o casamento. Bartholomew estava na casa quando o casal cruzou a porta pela primeira vez. Passara em revista os cômodos modestos, subindo e descendo a escada, andando de parede a parede antes de assentir para John, que permanecera postado à porta.

Bartholomew precisara assentir duas vezes antes que John entregasse a chave ao filho. O momento havia sido estranho e interessante para Agnes. Ela observou o pai, muito lentamente, estender a chave para o filho. A relutância do pai em ceder foi replicada — talvez mesmo superada — pela falta de disposição do filho em aceitá-la. Seus dedos estavam letárgicos, frouxos; ele hesitou, examinando a chave de ferro na mão do pai, como se não soubesse ao certo o que era aquilo. Então a pegou, apenas com o indicador e o polegar, e a segurou bem longe do corpo, como se indeciso sobre se o objeto podia ou não lhe fazer mal.

John tentara reduzir o mal-estar fazendo uma observação sobre lares, felicidade e esposas, estendendo o braço para dar uma palmadinha nas costas do filho. O gesto pretendia ser gentil, de um jeito brusco, paternal. Mas não foi, concluiria Agnes mais tarde. Haveria algum desconforto ali? Algo artificial? A palmadinha foi um tanto forte, decidida demais. O filho não a esperava e cambaleou, perdeu o equilíbrio. Recuperou-o com rapidez, uma rapidez quase exagerada, como um lutador ou um esgrimista pondo-se na ponta dos pés. Os dois se encararam um instante como se fossem começar a trocar golpes, não chaves.

Ela e Bartholomew a tudo assistiram de extremos opostos do aposento. Quando o filho se virou e, em lugar de guardá-la na bolsa em sua cintura, pousou a chave na mesa com um ruído surdo, metálico, ela e o irmão se entreolharam. O rosto do irmão não estampava expressão alguma, salvo uma ínfima flexão em uma das sobrancelhas. Para Agnes, isso disse um bocado. Está vendo agora, indagava o irmão sem palavras, com quem você vai se casar? Está vendo agora por que insisti em moradias separadas?

Agnes se encostou na vidraça, deixando que a respiração a embaçasse. Esses cômodos a faziam recordar a letra inicial do seu nome, uma letra que o pai lhe ensinara a reconhecer, desenhando-a na lama com um graveto afiado: "A". (Ela é capaz de se lembrar disso nitidamente, sentada com os pais no chão, entre as panturrilhas da mãe, a cabeça reclinada sobre o músculo do joelho materno: podia esticar os braços e tocar os pés da mãe. Consegue evocar a sensação do cabelo da mãe em seus ombros quando ela se inclinou para ver os movimentos do graveto do marido, dizendo: "Veja, Agnes!" E a letra, surgindo sob a ponta escura, endurecida na grelha da cozinha para virar grafite: "A". Sua letra, sempre.)

O anexo tem a forma da letra, afunilando para se juntar no topo, com um patamar lhe atravessando o centro. É isso que Agnes encara como o seu sinal — a letra desenhada na terra, a lembrança dos pés fortes da mãe, o roçar do seu cabelo —, não a coruja, não os olhares longos e desgostosos da sogra, não a juventude do marido, não a sensação de exiguidade daquela casa, sua atmosfera de falta de essência e inércia, aquele tapa duro do sogro nas costas, nada disso.

Ela está desamarrando uma trouxa de pano e botando o conteúdo no chão quando uma voz vinda da cama lhe dá um susto.

— Onde você está? — A voz dele, de hábito grave, parece ainda mais grave por causa do sono, por estar abafada pelo cortinado.

— Aqui — responde ela, ainda agachada no chão, segurando uma bolsa, um livro, a coroa, agora murcha e desmanchada, mas que ela há de refazer e secar as flores, de modo a nada perder.

— Volte para cá.

Ela se põe de pé e, ainda segurando suas posses, se dirige para a cama, abre o cortinado e olha para ele.

— Você está acordado.

— E você está longe demais — retruca o marido, estreitando os olhos para vê-la melhor. — O que está fazendo aí longe, quando deveria estar aqui? — indaga, apontando para o espaço a seu lado.

— Não consigo dormir.

— Por quê?

— A casa é um A.

Faz-se uma pausa e ela se pergunta se foi ouvida.

— O quê? — pergunta ele, se apoiando em um dos cotovelos.

— Um A — repete Agnes, passando tudo o que segura de uma das mãos para a outra, de modo a escrever a letra no ar gélido entre os dois. — Isso é um A, não é?

Ele assente solenemente.

— Sim, mas o que tem a ver com a casa?

Ela não acredita que ele não consiga ver como ela.

— A casa se afunila no topo e tem um patamar no meio. Não sei como vou conseguir dormir aqui em cima.

— Em cima onde?

— Aqui — responde ela, indicando com os braços o espaço ao redor. — Neste quarto.

— E por que não?

— Porque o chão está flutuando no ar, como o traço no meio do A. Não tem chão embaixo. Apenas um espaço vazio e mais espaço vazio.

O rosto dele se abre em um sorriso, os olhos a examinam com atenção e ele volta a desabar na cama.

— Você sabia — começa, encarando o cortinado — que essa é a principal razão que me faz amar você?

— Eu não conseguir dormir suspensa no ar?

— Não. Você ver o mundo como ninguém mais vê.

Ele abre os braços.

— Volte para a cama. Já chega disso. Garanto que não vamos ter necessidade alguma de sono durante algum tempo.

— Sério?

— Sim.

Ele fica de pé, ergue-a nos braços e a coloca delicadamente na cama.

— Vou possuir minha Agnes — diz ele, voltando para a cama ao lado dela —, no nosso A. E vou possuí-la de novo e de novo e de novo.

Ele a beija a cada palavra, para enfatizar, e ela ri e seu cabelo se espalha sobre os dois, entre ambos, roçando na boca do rapaz, na barba, nos dedos.

— Não haverá muito sono nesta cama — continua ele —, não durante um bom tempo. Em nome de Deus, por que você está segurando tudo isso? Para que servem essas coisas? Acho que não vamos precisar de nenhuma delas no momento.

Ele pega todas, uma por uma — as luvas, a coroa, a bolsa —, da mão dela e as põe no chão. Tira a Bíblia da mão da esposa e depois outro livro, mas, antes de juntá-lo ao que já está no chão, faz uma pausa e a encara.

— O que é isso? — pergunta, examinando o livro.

— Foi deixado para mim por uma vizinha quando morreu — responde Agnes, levando a ponta do dedo ao frontispício. — Ela costumava tecer para nós e eu levava a lã e depois ia pegar a encomenda quando ficava pronta. Sempre foi carinhosa comigo e escreveu no testamento que o deixaria para mim. Tinha sido do marido dela, que era boticário. Eu a ajudava no jardim quando era criança. Certa vez ela me disse... — Agnes se interrompe brevemente — que minha mãe e ela consultavam o livro juntas.

O marido retirou o braço com que a envolvera para segurar o livro com ambas as mãos e folheá-lo.

— E ele está com você desde que era garota? — indaga, os olhos estudando as palavras impressas. — É escrito em latim — comenta, franzindo o cenho. — Fala de plantas. Como usar. Como reconhecer. Como elas curam determinadas doenças e perturbações de humor.

Agnes olha por cima do ombro. Vê a ilustração de uma planta com pétalas em forma de lágrimas, um comprido emaranhado de raízes e a imagem de um arbusto com frutos graúdos.

— Sei disso — diz ela. — Costumo olhar as figuras, mesmo sem saber ler. Você pode ler para mim?

Ele parece voltar a si. Pousa o livro e olha para ela.

— Com certeza — responde, os dedos ocupados com as fitas da camisola dela. — Mas não agora.

—

Soa estranho para Agnes que, no espaço de um mês, ela tenha trocado o campo pela cidade, uma fazenda por uma casa, uma madrasta por uma sogra, uma família por outra.

Essa casa, está aprendendo, funciona de forma muito distinta da anterior. Em lugar do leque de gerações, todas trabalhando juntas para cuidar dos animais e da terra, a casa da Henley Street tem uma estrutura diferente: lá há os pais, depois os filhos, depois a filha, depois os porcos no chiqueiro e as galinhas no galinheiro, depois o aprendiz e então, bem abaixo, as criadas. Agnes vê ambiguidade na sua posição como a nova nora, situada, mais ou menos, entre o aprendiz e as galinhas.

Agnes observa as pessoas irem e virem. Ela é uma coletora durante essa época: de informações, de confidências, da rotina diária, de personalidades e interações. Como um quadro na parede, os olhos nada deixam passar. Tem sua própria casa, pequena e estreita, mas pode sair pela porta dos fundos para o quintal comunitário: ela e o marido compartilham o jardim de especiarias, a cozinha, os porcos, as galinhas, a lavanderia, o galpão de cerveja. Assim, lhe é possível recolher-se ao próprio lar, mas também se misturar e conviver com os outros. É, ao mesmo tempo, observadora e participante.

As criadas acordam cedo, tão cedo quanto Agnes: os moradores da cidade ficam em suas camas até muito mais tarde que os do campo, e Agnes está habituada a começar o dia antes do raiar do sol. Essas moças trazem para dentro a lenha, acendem o fogo na sala e na cozinha. Soltam as galinhas e espalham sementes e grãos para elas no quintal. Levam a lavagem até o chiqueiro. Trazem cerveja do galpão. Pegam a massa do pão, que fermentou durante a noite na cozinha, e a amassam para tomar forma, deixando-a ao lado do forno enquanto ele esquenta. Passa-se uma hora ou mais antes que alguém da família saia de seus aposentos.

Na cidade não há cercas para consertar; não há lama dos sapatos para limpar. As roupas não adquirem manchas de terra, pelos de animais e esterco. Nenhum dos homens volta ao meio-dia esfomeado e extenuado. Não há cordeirinhos para serem mantidos aquecidos junto ao braseiro, não há animais com cólicas, vermes ou inflamação nas patas. Não há animais para alimentar bem cedo de manhã, bem como não há francelho: o pássaro foi morar com o padre que celebrou o casamento. Agnes pode visitá-lo sempre que quiser, disse o padre. Não há ovelhas para escapar por entre as cercas. Não há corvos, nem pombos ou galinhas-d'angola pousando no telhado e criando ecos na chaminé.

Em vez disso, há carroças indo e vindo o dia todo na rua, pessoas gritando umas com as outras, multidões de transeuntes. Há entregas a serem feitas e recebidas. Há um depósito nos fundos para a oficina de luvas, onde as peles das criaturas da floresta ficam esticadas em ganchos como penitentes. Há criadas que circulam, quase invisíveis, pelos aposentos, o ruído de seus sapatos nas lajotas ressoando pela casa. Elas examinam Agnes da cabeça aos pés, como se estimassem seu valor e o considerassem insatisfatório. Suspiram, ainda que imperceptivelmente, caso ela se encontre no caminho, mas, se Mary aparece, se aprumam, ajeitam as toucas e dizem Sim, senhora, não senhora, não sei, minha senhora.

No campo, todos vivem ocupados demais com o gado e a colheita para fazerem visitas uns aos outros, mas nessa casa há visitantes aparecendo a qualquer hora do dia, na expectativa de encontrar companhia: os parentes de Mary, os comerciantes que fazem negócio com John. Os primeiros são encaminhados à sala de visitas; os últimos são levados primeiramente até a oficina, onde John decide a que cômodo devem ser dirigidos. Mary fica em casa a maior parte do tempo, de olho nas criadas e no aprendiz ou sentada com seu bordado, salvo quando sai para visitas. John raramente é visto. Os meninos mais novos vão para a escola. O marido de Agnes às vezes está presente, em outras, ausente; ele dá aulas, vai a tavernas à noite e vez por outra sai para realizar tarefas a mando do pai. O restante do tempo, passa na casa deles, lendo ou parado à janela.

Os fregueses surgem a qualquer hora na janela da oficina, examinando luvas, fazendo perguntas; às vezes John os deixa entrar para que vejam a oficina por inteiro e eventualmente encomendem um par sob medida.

Agnes observa tudo isso durante três ou quatro dias. No quinto, levanta-se antes das criadas e sai pela porta dos fundos da pequena casa, que leva ao quintal compartilhado. Quando as moças aparecem, ela já acendeu o fogo na cozinha e moldou a massa em broas, acrescentando um punhado de ervas que colheu no jardim de especiarias. As criadas se entreolham, preocupadas.

À mesa do café, a família se serve dos pãezinhos, que parecem mais macios, mais lisos, com uma cobertura lustrosa. A manteiga é apresentada como um arabesco. Quando partido, o pão exala o suave aroma de tomilho, de manjerona. Isso traz a John a lembrança da avó, uma mulher que levava amarrado ao cinto um ramalhete de ervas. Mary pensa no jardim de especiarias quadrado, murado, na entrada da fazenda onde foi criada, na época em que a mãe precisava afugentar os gansos com uma vassoura porque eles haviam arrancado e comido os ramos de tomilho. Sorri ante a lembrança ao recordar as saias da mãe, molhadas de orvalho e lama, as lamúrias dos gansos ofendidos, e pega outro pãozinho enquanto enfia a faca na manteiga.

Agnes observa o rosto do sogro e o da sogra e depois o marido. O olhar dele encontra o dela e com um gesto pouco perceptível de cabeça ele indica o pão, erguendo as sobrancelhas.

Mary leva mais ou menos uma semana para notar que a casa está diferente. Os pavios das velas estão cortados sem que ela precise instruir as criadas. As toalhas de mesa são trocadas, novamente sem que haja necessidade de que ela mande, as cortinas não mostram sinal de pó. A louça e os talheres estão imaculados e brilhando. Percebe esses detalhes individualmente, sem somá-los. Somente quando sente um dia o inconfundível aroma de cera de abelha na sala de estar, enquanto entretém uma vizinha, é que começa a desconfiar.

Quando a vizinha se vai, ela percorre a casa. Vê ramos de azevinho num vaso. Cravos adicionados aos doces na cozinha, uma panela de folhas aromáticas que Mary não reconhece. Vê raízes retorcidas e ainda cheias de terra secando nos beirais do galpão de cerveja e frutinhos silvestres em uma bandeja. Uma pilha de colarinhos engomados e passados aguarda no patamar da escada. Os porcos no chiqueiro parecem estranhamente escovados e róseos, e o bebedouro das galinhas está limpo e cheio de água.

Ao ouvir o som de vozes, Mary atravessa o quintal em direção à lavanderia.

— Isso, desse jeito — ouve ela a voz de Agnes dizer —, como se você estivesse esfregando sal com as palmas das mãos. Delicadamente. Com um movimento muito suave. Assim, os pistilos serão preservados.

Uma outra voz — inaudível para Mary — precede um surto de riso.

Ela empurra a porta: Agnes, Eliza e as duas criadas estão aglomeradas na lavanderia, todas de avental, o ar quente e pungente com o cheiro acre e penetrante de soda cáustica. Edmond foi posto em uma bacia no chão, com um punhado de seixos.

— Mãe! — exclama o menino ao vê-la. — Ma-ma-mãeee!

— Oh! — diz Eliza se virando, o rosto corado por conta do calor e do riso. — Nós estávamos... Bom, estávamos... — começa, voltando a rir e afastando com o braço um fio de cabelo do rosto. — Agnes estava nos mostrando como misturar lavanda no sabão e então ela... nós... — Eliza volta a rir, e uma das criadas também ri de novo, algo totalmente impróprio para a sua posição de serviçal.

— Vocês estão fazendo sabão? — indaga Mary.

Agnes se aproxima. Está composta, impecável, nem um pouco afogueada. Dá a impressão de ter acabado de se levantar de uma poltrona da sala e de forma alguma parece alguém que esteve derretendo e mexendo sabão em uma lavanderia escaldante e úmida. A frente do avental se ergue com o inchaço da barriga. Mary olha e desvia o olhar. Não é a primeira vez que lhe ocorre que jamais voltará a sentir aquilo de novo, que se trata de uma experiência agora inviável para ela, na sua idade, àquela altura da vida. A perda dessa possibilidade às vezes lhe causa uma dor lancinante: é difícil para uma mulher abrir mão disso; mais difícil ainda se outra mulher na mesma casa está vivenciando tal condição. A visão do ventre dessa moça, cada vez que o vê, leva Mary a pensar no vazio, no silêncio do seu.

— Estamos — responde Agnes, revelando os dentes pequenos e afiados ao sorrir. — Com lavanda. Achei que poderia ser uma boa mudança. Espero que a senhora aprove.

— Claro — retruca Mary. Abaixando-se, retira Edmond da bacia. O menino leva tamanho susto que começa a soluçar. — Aprovo, com certeza.

Ela sai, confortando o filho inconsolável e deixando a porta bater às suas costas.

—

Nas primeiras semanas de casada, Agnes reúne impressões como um catador acumula lã: um tufo aqui, um pedacinho ali, uns poucos fios de uma cerca, outro tanto de um galho, até completar uma braçada suficiente para fazer um novelo.

Ela percebe que o filho predileto de John é Gilbert — por ser forte e gostar de criar atritos entre os demais por diversão —, mas que o de Mary é Richard. A cabeça da mãe se ergue quando ele fala; ela manda os outros se calarem a fim de ouvi-lo. Agnes percebe que Mary tem um profundo amor por Edmond, mas se conforma com o fato de que quem mais se ocupa dele é Eliza. Agnes também observa que Edmond fica de olho em seu marido, o irmão mais velho, o tempo todo. Seus olhos o seguem aonde quer que ele vá; o caçula estende o braço para tocá-lo quando ele passa. Edmond crescerá, Agnes se dá conta, animado e feliz; seguirá o irmão mais velho, inevitavelmente, sem ser solicitado, quase sempre despercebido. Não viverá muito, mas viverá bem: as mulheres gostarão dele; terá muitos filhos durante sua vida breve. A última pessoa em quem pensará antes de morrer será Eliza. O marido de Agnes pagará seu enterro e verterá lágrimas ao lado de seu túmulo. Agnes vê tudo isso, mas nada diz.

Também vê que todos os seis filhos se encolhem se John se levanta abruptamente, como animais que percebem a aproximação de um predador. Vê Mary piscar devagar, como se fechasse os olhos para o que possa acontecer.

Em certo jantar, Edmond se mostra cansado, irascível, com fome, mas, por algum motivo, incapaz de comer, incapaz de ver a conexão entre a comida no prato e o desconforto anônimo no estômago. Agnes se senta entre ele e o marido e dá pedacinhos de comida em sua boca. As gengivas do menino estão vermelhas e inflamadas, as pontinhas de novos dentes as rasgando. Ele fica agitado, espreme a torta entre os dedos, derruba o copo, se encosta no ombro de Agnes, agarra o guardanapo da moça e o joga no chão. O marido dela fecha a cara de brincadeira e comenta: Não estamos contentes hoje, hein? O pai de ambos, porém, parece cada vez mais carrancudo, resmungando: O que tem essa criança? Não podem tirá-la da mesa? Quando Edmond, perdendo de todo a paciência, atira para o outro lado da mesa uma casquinha da torta, acertando a manga da camisa de John e deixando ali uma mancha marrom, faz-se um longo momento de silêncio. Mary baixa a cabeça, como se interessada em algo no próprio colo. Os olhos de Eliza se enchem de lágrimas, e John dá um pulo do seu lugar, gritando Deus do céu, esse menino! Eu vou...

O marido de Agnes se põe de pé na mesma hora e já está do outro lado da mesa antes que Agnes se dê conta do que ocorre. Ele se interpõe entre o pai e o menino, que agora uiva, de boca aberta, como se sentisse a mudança de clima. Segue-se uma briga, o marido retendo o pai, alguns impropérios, o roçar de peito contra peito, a mão refreando um braço. Agnes não consegue acompanhar direito, pois está erguendo a criança para tirá-la da mesa, passando os pezinhos por cima do banco, apertando-a contra o peito enquanto corre com o garotinho para longe da sala.

Passado um tempo, o marido vai ao seu encontro. Ela está com Edmond no quintal, o xale dobrado duas vezes em volta do corpinho miúdo. O menino recuperou o bom humor e alimenta as galinhas. Agnes segura a tigela para ele, dizendo só um pouquinho, já chega, enquanto as galinhas ciscam na terra. O marido se aproxima e se posta a seu lado, observando. Então, inclina a cabeça e a encosta na dela, abraçando-a. Ela pensa, enquanto segura a tigela, naquela paisagem de cavernas e vãos que sente dentro dele. Pensa nas costuras de uma luva, acompanhando cada dedo, mantendo unida a pele que não pertence ao seu dono. Pensa em como uma luva cobre e veste e contém a mão. Pensa nas peles no depósito, estendidas e esticadas, quase — mas não totalmente — a ponto de se rasgar ou se romper. Pensa nas ferramentas na oficina, para cortar, moldar, unir e perfurar. Pensa no que precisa ser descartado e roubado do animal a fim de torná-lo útil para um fabricante de luvas: o coração, os ossos, a alma, o espírito, o sangue, as vísceras. Um luveiro sempre há de querer somente a pele, a superfície, a camada externa. Tudo o mais é inútil, uma inconveniência, uma sujeira desnecessária. Pensa na crueldade particular por trás de algo tão belo e perfeito como uma luva. Pensa que, se pegasse a mão dele agora e a pressionasse com os dedos, poderia ver a paisagem que descobriu antes, mas veria também uma presença sombria e ameaçadora, com ferramentas para eviscerar e esfolar e assaltar a essência da criatura. Pensa, enquanto Edmond espalha milho para as galinhas, que eles talvez não morem por muito tempo nessa casinha; logo será necessário que partam, que alcem voo para encontrar um lugar diferente.

Eliza sai para o quintal, sinalizando que o jantar terminou. O rosto está composto, os olhos, úmidos. Pega Edmond no colo e o leva de volta para casa. Agnes e o marido se entreolham e depois caminham até a porta dos fundos do próprio lar.

É evidente para Agnes agora, quando os dois entram na cozinha, enquanto atiça o fogo e atira nele uma tora comprida de lenha, que o marido está partido ao meio. É um homem na própria casa e outro na dos pais. Em casa, ele é a pessoa que ela conhece e reconhece, a pessoa com quem se casou.

Na casa ao lado, a mansão, ele se fecha, contrai o rosto, fica irritável, arisco. É, ao mesmo tempo, pavio e fogo, emitindo faíscas para acender e atiçar. Por quê?, desafia ele a mãe. Para quê?, retruca. Não quero, responde para o pai. Ela jamais entendeu por que era assim, mas a fúria em espiral que testemunhou em John quando ele saiu da mesa lhe disse tudo que precisa saber.

Na casa dos dois, ele a deixa pegar-lhe a mão, deixa que ela o leve da lareira para uma poltrona, se permite perder o foco, permite que ela passe os dedos em seu cabelo, e Agnes pode senti-lo fazer a transição de uma pessoa para outra; pode perceber aquele outro eu — o da mansão — se esvair do marido, como cera escorrendo de uma vela acesa, revelando o homem dentro desse corpo.

Três batidas pesadas na porta: bum, bum, bum.

Hamnet está mais perto e por isso vai atender. Quando a porta se abre, ele se encolhe e uiva: está diante de uma visão pavorosa, uma criatura saída de um pesadelo, do Inferno, uma criatura do demônio. Ela é alta, com uma capa preta e, no lugar de um rosto, tem uma máscara horrível, sem feições, pontiaguda como o bico de um pássaro gigante.

— Não — grita Hamnet —, vá embora.

Tenta fechar a porta, mas a criatura estende a mão e o impede com uma força sobrenatural, horrível.

— Vá embora — grita o menino de novo, chutando.

Então a avó se aproxima deles, empurrando Hamnet para o lado, desculpando-se com o espectro, como se nada houvesse de extraordinário ali, convidando-o a entrar, a examinar a paciente.

O espectro fala sem boca, dizendo que não vai entrar, que não pode, e que eles, os moradores, ficam nesse momento avisados para não sair, não ir às ruas, para ficar em casa até que a peste se vá.

Hamnet dá dois passos atrás. Colide com a mãe, que está se dirigindo à janela e abrindo o postigo que dá para a rua. Ela se inclina para examinar essa pessoa.

Hamnet se põe ao lado dela e, pela primeira vez em anos, pega sua mão. A mãe aperta seus dedos, sem olhar para ele.

— Não tenha medo — sussurra ela. — É só o médico.

— O...?

Hamnet observa o homem, ainda do lado de fora, falando com a avó.

— Mas por que ele está... — indaga, fazendo um gesto para indicar o rosto e o nariz do médico.

— Ele está usando máscara porque acha que ela vai protegê-lo — responde a mãe.

— Da peste?

A mãe assente.

— E vai?

A mãe crispa os lábios e depois balança a cabeça.

— Acho que não. Não entrar na casa, porém, se recusar a ver ou examinar a paciente, talvez ajude.

Hamnet põe a outra mão entre os dedos compridos e fortes da mãe, como se o toque dela pudesse mantê-lo seguro. Vê o médico enfiar a mão na maleta e entregar à avó um embrulho.

— Amarre na barriga da menina com um pano — prescreve, aceitando algumas moedas de Mary na mão pálida — e deixe lá durante três dias. Então, pegue uma cebola e a empape de...

— O que é isso? — interrompe a mãe do menino, se debruçando no parapeito.

O médico se vira para olhá-la, seu terrível bico comprido apontado para eles. Hamnet se encolhe ao lado da mãe. Não quer sobre ele o olhar desse homem. É assaltado pela ideia de que ser visto por aquele olho, ser notado ou registrado por ele, seria um terrível agouro, sinal de que algo abominável se abateria sobre toda a família. Quer correr, arrastar com ele a mãe, cerrar portas e janelas de modo que esse homem não possa entrar, de modo que seu olhar não se fixe neles.

Mas a mãe não está nem um pouco amedrontada. O médico e a mãe de Hamnet se encaram por um instante, através do postigo, do lugar onde a mãe vende suas curas. Hamnet se dá conta, vê nitidamente, com a clareza precisa de uma criança prestes a se tornar um homem, que esse homem não gosta da sua mãe. Ressente-se dela: ela vende curas, cultiva os próprios medicamentos, colhe folhas e pétalas, cascas de troncos e seivas e sabe como ajudar os outros. Esse homem, Hamnet subitamente percebe, deseja que sua mãe adoeça. Ela lhe toma pacientes, rouba-lhe a renda, tira o seu trabalho. Como o mundo adulto parece confuso, complexo e escorregadio para o menino nesse instante. Como lhe será possível lidar com ele? Como haverá de conseguir?

O médico inclina o bico uma vez, depois torna a se virar para a avó de Hamnet, como se a mãe não tivesse falado.

— É um sapo seco? — pergunta Agnes com uma voz cristalina, convicta. — Porque, se for, nós não queremos.

Hamnet aperta mais os braços em volta da cintura da mãe; quer comunicar a ela a urgência, a necessidade de encerrar essa conversa, de se afastar dessa pessoa. Ela não se move, mas leva a mão até o pulso dele, como se dissesse estou aqui, entendi.

— Minha senhora — diz o médico, e novamente seu bico se move na direção dos dois —, acredite que sei muito mais sobre esses assuntos do que a senhora. Um sapo seco, amarrado ao abdome durante vários dias, tem se revelado muito eficaz em casos como este. Se a sua filha está com a peste, lamento dizer que há muito pouco a ser feito que possa...

O resto do discurso é silenciado, cortado, perdido, porque Agnes fechou o postigo com um baque. Hamnet observa seus dedos se ocuparem em aferrolhá-lo. A expressão dela é desesperada, furiosa, o rosto, afogueado. Murmura alguma coisa entre dentes: Hamnet identifica as palavras "homem", "ousa" e "tolo".

Ele liberta a cintura da mãe e a observa atravessar o cômodo, agitadamente alinhando uma cadeira, pegando e tornando a pousar uma tigela e depois se agachando ao lado do catre onde Judith foi acomodada, junto ao fogo.

— Um sapo — murmura a mãe, enquanto umedece a testa de Judith com um pano molhado.

Do outro lado do aposento, a avó fecha a porta da frente, pondo a tranca em seu lugar. Hamnet a vê guardar o embrulho com o sapo em uma prateleira alta.

Ela formula com os lábios algo incompreensível para Hamnet, junto com um gesto de assentimento.

Em uma manhã da primavera de 1583, caso houvessem acordado cedo o bastante, os moradores da Henley Street teriam visto a nova nora de John e Mary sair pela porta da casinha modesta em que os recém-casados moram. Teriam visto quando ela pôs no ombro uma cesta, arrumou o vestido e partiu na direção noroeste.

No andar de cima, o marido se vira na cama. Dorme profundamente, como sempre. Não percebe que o outro lado da cama está vago e esfriando. A cabeça se afunda mais no travesseiro, um dos braços enfiado sob a coberta, e o cabelo lhe cobre a maior parte do rosto. Está mergulhado no tranquilo sono dos jovens; se não for perturbado, pode dormir por horas. A boca se entreabre, inspirando ar, e ele começa suavemente a roncar.

Agnes progride em seu caminho que atravessa o mercado, onde os barraqueiros já começam a chegar. Um homem vende ramos de lavanda, uma mulher puxa uma carroça com cascas de salgueiro. Agnes se detém para falar com a amiga, a esposa do padeiro. As duas trocam comentários sobre o tempo, sobre a ameaça de chuva, sobre o calor dos fornos na padaria, o andamento da gravidez de Agnes e como o bebê já desceu em seu ventre. A esposa do padeiro tenta enfiar um pãozinho na mão de Agnes, que recusa. A amiga insiste, levanta o pano que cobre a cesta e põe o pãozinho lá dentro. Vê de relance panos limpos e impecavelmente dobrados, uma tesoura, um vidro tampado, mas não conclui coisa alguma. Agnes a cumprimenta com a cabeça, sorri e diz que precisa ir embora.

A esposa do padeiro fica um instante parada diante da própria barraca vazia, observando a amiga se afastar. Agnes faz uma pausa breve, no extremo do mercado, apoiando-se à parede com uma das mãos. A esposa do padeiro franze o cenho e já está prestes a chamar a amiga quando Agnes se apruma e segue seu caminho.

Durante a noite, Agnes sonhou com a mãe, como acontece de vez em quando. Viu-se em pé no quintal da fazenda com as saias arrastando na terra. Havia uma sensação pesada à volta, como se a roupa estivesse encharcada. Quando baixou os olhos, havia pássaros sobre a barra do vestido: patos, galinhas, perdizes, pombas, cambaxirras pequeninas. Brigavam uns com os outros e se empurravam, as asas abertas de forma estranha, tentando permanecer eretos sobre a saia. Agnes tentava espantá-los, tentava se libertar, quando percebeu a aproximação de alguém. Virou-se e viu a mãe passar: o cabelo trançado lhe caindo pelas costas, um xale vermelho amarrado sobre uma bata azul. A mãe sorriu, mas não parou, os quadris balançando com o andar.

Agnes sentira uma desarticulação em seu âmago, o surgimento de uma profunda nostalgia, como o zumbido de uma roda. Mãe, disse, espere por mim. Tentou dar um passo, seguir a mãe, mas os pássaros continuavam a lhe prender a saia, o ventre coberto de penas assentado no pano, as garras dos pés firmemente plantadas na roupa impedindo seus movimentos. Espere!, gritou Agnes, para a figura cada vez mais distante da mãe.

A mãe não parou, mas virou a cabeça e disse — ou pareceu dizer —: Os galhos da floresta são tão densos que não dá para sentir a chuva. Continuou, então, a se dirigir para a floresta.

Agnes tornou a chamá-la, cambaleando em frente, tropeçando nos corpos dos pássaros insistentes, que mexiam as asas, e caiu na lama. No momento em que bateu no chão, ela acordou, assustada e sem fôlego, sentando-se na cama, e, de repente, já não estava no quintal da fazenda em Hewlands, chamando a mãe, mas em casa, na própria cama, a camisola lhe escorregando do ombro, o bebê enroscado sob sua pele, o marido deitado a seu lado, estendendo o braço, mesmo adormecido, a fim de puxá-la para si.

Ela ficara deitada, amoldando-se à forma dele; ele aninhara o rosto às costas dela. Agnes acariciou uma mecha de cabelo do marido, virando-a e revirando-a entre os dedos; imaginou os pensamentos na cabeça do companheiro espiralando, fluindo por seu cabelo, chegando-lhe aos dedos, como um bambu absorve água através do seu caule oco.

Podia sentir o marido preocupado com ela, como costuma acontecer com os homens quando as esposas se aproximam do parto. Na mente dele, uma ideia girava em círculos: Será que ela vai sobreviver? Conseguirá sair disso? Sentiu que ele a apertava mais, como se quisesse mantê-la ali, na segurança da cama de casal. Ela desejou poder dizer: Não entre em pânico. Você e eu teremos dois filhos e uma vida longa. Mas permaneceu calada: ninguém gosta de ouvir esse tipo de coisa.

Passado um tempo, levantou-se, abriu o cortinado da cama e saiu. Caminhou até a janela e espalmou a mão contra o vidro.

Os galhos são tão densos, pensou. Os galhos. Não dá para sentir a chuva.

Foi até a mesinha junto à lareira, onde o marido guarda os papéis e a pena. Ergueu a tampa do tinteiro e molhou a pena, cuja ponta afiada segurou a tinta. Ela sabe escrever, de certa forma. As letras saem pequenas e aglutinadas e talvez não muito legíveis para a maioria das pessoas (ao contrário do marido, que frequentou a escola e depois aprendeu oratória e é capaz de produzir um fluxo elegante e contínuo de letras, como as volutas de um bordado, a partir da ponta da pena. Ele fica acordado até tarde, escrevendo em sua escrivaninha. O quê, ela não sabe. Ele escreve tão rápido e com tamanha concentração que Agnes não consegue acompanhar, não consegue identificar). Mas ela sabe escrever o suficiente para poder registrar algo próximo desta frase: Os galhos da floresta são tão densos que não dá para sentir a chuva.

Agnes atiçara o fogo, juntando toras de lenha para revivá-lo, e pusera uma jarra de leite e uma broa de pão na mesa. Pegara a cesta e saíra pela porta da frente. Falara com a amiga, a esposa do padeiro, e agora seguia por uma trilha ao longo de um regato, a cesta lhe pesando no braço.

Maio já chegou à metade. O sol faz brilhar o solo e projeta formas cintilantes, movediças. Agnes percebe isso, apesar de tudo, porque é incapaz de não perceber tais coisas, o que floresce à margem da trilha. Valeriana, silene, rosa-de-cão, azedinha, alho-silvestre. Em outro momento qualquer, estaria agachada, colhendo seus botões. Mas não hoje.

Embora ainda seja cedo, ela contorna a cerca que marca os domínios de Hewlands. Não deseja encontrar alguém ao longo do caminho. Não Joan, nem Bartholomew ou qualquer outro dos irmãos e irmãs. Se a virem, acionarão o alarme, chamarão um terceiro, mandarão alertar o marido, haverão de obrigá-la a entrar em casa, na fazenda, que é o último lugar que ela iria querer estar para isso. Os galhos da floresta, a mãe lhe dissera.

Vislumbra, a distância, enquanto caminha ao longo da trilha, o irmão Thomas, indo da casa para o quintal, e ouve o assovio agudo de Bartholomew chamando os cães. Vê o telhado de colmo da sala, o chiqueiro; vê a parte dos fundos do depósito de maçãs, visão que a faz sorrir.

Entra na floresta a cerca de seiscentos metros de Hewlands. A essa altura, as dores já estão vindo a intervalos regulares. Mal recupera o fôlego entre uma e outra para se preparar, firmar-se para encarar a próxima. Precisa esperar junto a um olmo enorme, apertando a palma da mão contra seu tronco áspero, sulcado, quando a sensação começa na base da coluna, desce por entre as pernas e explode, apertando-a em suas garras, fazendo-a estremecer com sua força.

Quando se sente capaz, volta a pôr no ombro a cesta e segue em frente. Alcançou a parte da floresta que era seu objetivo. Abre caminho com esforço por entre o denso emaranhado de galhos e ramos de junípero. Atravessa o córrego, passa por um aglomerado de azevinhos, que provê a única cor ali durante os meses de inverno. E então vê uma espécie de clareira onde a luz do sol penetra, criando um espesso feltro de grama verdejante, no formato de círculos, e as frondes curvas de samambaias. Ali encontra uma árvore quase horizontal, um imenso abeto, abatido como um gigante em um conto de fadas, as raízes espalhadas, o tronco avermelhado sustentado pelos galhos bifurcados de outras árvores, apoiado nas vizinhas menos imponentes.

Debaixo da sua extremidade, onde no passado ela se fincava na terra, existe uma cavidade — seca, abrigada, grande o bastante para acomodar várias pessoas. Agnes e Bartholomew costumavam ir até ali quando eram crianças toda vez que Joan gritava ou lhes atribuía demasiadas tarefas. Levavam uma sacola de pano contendo pão e queijo, rastejavam para debaixo das raízes da árvore e diziam um ao outro que ali ficariam para todo o sempre, viveriam na floresta como gnomos, que jamais voltariam para casa.

Agnes se agacha na terra, que está seca, debaixo da árvore desenraizada, sobre um tapete de pinhas. Sente que mais uma contração vem chegando, se aproximando dela, cada vez mais perto, como um trovão sobre um vale. Vira-se, agacha-se, resfolega no compasso da dor, como sabe que deve fazer, agarra-se com força a uma raiz. Mesmo no auge da contração, quando se vê refém de suas garras, quando a dor empana todos os seus pensamentos, à exceção do foco exclusivo em quando ela há de passar, Agnes reconhece que a força da contração está aumentando. Essa dor significa ação. Não irá deixá-la em paz. Logo, não permitirá que ela descanse ou se recomponha. Significa que irá obrigá-la a trazer para fora o que está dentro.

Ela já viu mulheres passarem por isso. Lembra quando aconteceu com a mãe: viu tudo parada à porta do quarto; ouviu postada do lado de fora, para onde ela e Bartholomew haviam sido mandados. Assistiu Joan em cada um dos partos, pegando os irmãos nas mãos quando vieram à luz, enxugando secreções e sangue da boca e do nariz deles. Viu vizinhas passarem por isso, ouviu seus lamentos virarem gritos, farejou o odor ferruginoso dos recém-nascidos. Viu a porca, a vaca, a ovelha parirem seus filhotes; era ela que o pai ou Bartholomew chamavam quando os cordeirinhos ficavam entalados. Seus dedos femininos, finos, compridos, podiam penetrar naquele canal estreito, quente e escorregadio para puxar os cascos macios, o focinho pegajoso, as orelhas coladas no crânio. E ela sabe, como sempre acontece, que chegará ao outro lado do parto, que ela e o bebê sobreviverão.

Nada, porém, poderia tê-la preparado para a persistência da dor. É como tentar ficar de pé em uma galé, como tentar nadar contra a corrente de um rio na cheia, como tentar erguer uma árvore derrubada. Jamais se sentiu mais consciente da própria fraqueza, da própria inadequação. Sempre se achara uma pessoa forte, capaz de empurrar uma vaca para a posição de ordenha, capaz de encharcar e torcer uma braçada de roupa suja, de pôr no colo e carregar os irmãos menores, um fardo de pele de animal, um balde de água, um bocado de lenha. Seu corpo é resistente, poderoso: músculo puro sob a pele macia. Mas isso é outra coisa. É diferente. É algo que desdenha das suas tentativas de controle, de domesticação, de superação. Agnes teme que vá acachapá-la. Agarrá-la pelo pescoço e afundá-la, submergi-la.

Ergue a cabeça e vê, do outro lado da clareira, o tronco prateado e as folhas delicadas de uma sorveira, também conhecida como árvore de rowan. Apesar dos pesares, sorri. Repete para si mesma: rowan, rowan, separando as duas sílabas. Frutinhos vermelhos no outono, usados para dor de estômago quando fervidos e para chiado no peito; se plantados junto à porta de casa, impedem a entrada de maus espíritos. Dizem que a primeira mulher foi feita de seus galhos. O nome da mãe vinha daí, Rowan, embora o pai jamais o tivesse pronunciado; o pastor lhe dissera, quando ela perguntou. Os galhos da floresta.

Agnes, de quatro, planta as mãos na terra e, como uma loba, se rende a mais uma contração.

—

Na Henley Street, ele acorda. Passa um tempo encarando o cortinado vermelho-escuro acima. Então se levanta, vai até a janela e olha a rua, distraidamente acariciando a barba. Tem duas aulas de latim nessa tarde, em casas na cidade; está ciente, da mesma forma como ninguém é capaz de ignorar o fedor de uma carcaça próxima, do tédio sufocante que o aguarda. Os alunos cochilando, o chiado das lousas, o folhear das cartilhas, a ladainha dos verbos e conjunções. Esta manhã espera-se que ele ajude o pai com entregas e cobranças. Boceja, encosta a cabeça na moldura de madeira da janela, observa um homem puxar um burro pela rédea, uma mulher arrastar uma criança choramingona pelo casaco, um menino que corre na direção oposta com toras de lenha debaixo do braço.

Será possível, pergunta-se, que permaneçam ali, nessa cidade, para sempre? Será que jamais verá outro lugar, morar alhures? Tudo o que ele deseja é pegar Agnes e o bebê e fugir com ambos, para bem longe. Quando se casou, pensou que uma vida mais ampla, mais livre, fosse ter início, a vida de um homem, tanto, continua onde estava, um muro apenas a separá-lo do lar da infância, da família, do pai e dos caprichos e consequências de seus humores inconstantes. Sabe, é claro, que terão de esperar o bebê nascer, nada poderá ser feito até a chegada segura do filho. Mas esse momento se aproxima e ele não progrediu em seu plano para partir. Como conseguirá ir embora? Será que lhes cabe viver assim, em um anexo acanhado da casa dos pais? Será que não existe saída para eles? Agnes diz que ele precisa...

Ao pensar em Agnes, ele se apruma. Olha para o lado da cama que é dela, onde o colchão de palha tem uma depressão no formato do corpo da esposa. Chama seu nome. Nada. Torna a chamar. Nada de novo. Sua mente é assaltada, por um instante, pela imagem do corpo da esposa na sua atual forma surpreendente, como ele mesmo viu na noite anterior: braços e pernas, costelas, a coluna formando uma comprida depressão ao longo das costas, à semelhança da trilha de uma carroça na neve, e depois a esfera perfeitamente redonda na frente. Como uma mulher que engoliu a lua.

Pega a roupa que está na cadeira ao lado da janela e se enfia nela. Atravessa o quarto calçado apenas de meias, puxando o cabelo para fora do colarinho. A fome faz seu estômago roncar, de forma grave e ameaçadora, como um cão instalado em seu corpo. No andar de baixo há de haver pão e leite, aveia e ovos, se as galinhas os tiverem posto. Quase sorri ao pensar nisso. Quando passa pela escrivaninha, tem a impressão, pelo que vê de relance, de que algo ali está diferente. Algo mudou. Ele para. A pena repousa no tinteiro, com a ponta para baixo, seu arremate eriçado. Franze o cenho. Isso é algo que ele nunca faz: deixar uma pena de um dia para o outro na escuridão úmida de um poço. Que desperdício, que descuido. Provavelmente estragou-a.

Aproxima-se da escrivaninha e ergue a pena, sacudindo-a de leve, para que as gotas não caiam nas páginas enroladas. Percebe, então, que algo foi acrescentado ao que estivera escrevendo na noite anterior.

É um rosário de letras, escritas de um jeito enviesado; as palavras parecem escorregar pela página, como se pesassem mais no final da frase do que no começo. Inclina-se para examinar. Não há pontuação, não há indicação do início ou do fim. Consegue identificar as palavras "galhos" e "chuva" (escrita "chuvia"); nota que há outra palavra começada com D maiúsculo e mais uma com um F ou talvez um S.

Os galhos do algo são algo algo... chuvia. Não dá para entender. Os dedos aplainam a folha. Com a outra mão, aperta a extremidade da pena de encontro à bochecha. Os galhos, os galhos.

A esposa jamais fez isso antes, pegar uma pena e escrever alguma coisa em uma folha sobre a escrivaninha. Será uma mensagem para ele? Será importante que ele entenda? O que significa?

Pousa a pena e se vira. Torna a chamá-la, com uma entonação indagadora. Desce a escada estreita.

Ela não está no cômodo de baixo nem do lado de fora, na rua. Terá ido à casa do padre para levar o francelho para voar, como faz às vezes? Com certeza não iria se dispor a caminhar tanto já tão perto de dar à luz. Sai pela porta dos fundos, para o quintal, onde encontra a mãe ao lado de Eliza, que mergulha e retira um pano de uma tintura vermelha.

— Viram a Agnes?

— Desse jeito não. — A mãe repreende Eliza. — Do jeito como mostrei a você ontem, com delicadeza. Delicadeza, eu falei.

Ergue a cabeça para encarar o filho.

— Agnes? — repete.

———

O bebê está vivo: Agnes não se dá conta, apesar de suas incertezas, de como temia que isso não acontecesse até vê-lo mexer a cabeça e contorcer as feições em um grito de indignação. O rosto da filha está úmido, acinzentado, com uma expressão aborrecida. A menina ergue os punhos, um de cada lado da cabeça, e emite um grito — surpreendentemente agudo e enfático para uma criaturinha tão pequena. Agnes a vira de lado, como o pai sempre fazia com os cordeirinhos, e observa a água — daquele outro lugar onde ela estava ao longo de tantos meses — lhe sair da boca. Os lábios ficam rosados e depois a cor se espalha para as bochechas, o queixo, os olhos, a testa. De repente, ela parece totalmente humana. Não mais aquática, uma bebê-sereia, como ao emergir, mas uma pessoinha, um euzinho completo, com a testa alta e um redemoinho de cabelo a coroando, como o pai, e as maçãs salientes e os olhos grandes de Agnes.

A mãe estende a mão livre e tira da cesta o cobertor e a tesoura. Deita o bebê no cobertor e corta o cordão umbilical com a tesoura. Quem haveria de pensar que o cordão fosse tão grosso, tão forte, ainda pulsando como um longo coração listrado? As cores do parto impressionam Agnes: o vermelho, o azul, o branco.

Ela puxa o vestido, despindo o seio e erguendo o bebê até ele, observando, maravilhada, enquanto a boca da filha se abre e ela abocanha o bico e começa a sugar. Agnes deixa escapar uma risada. Tudo funciona perfeitamente. O bebê sabe o que fazer, sabe melhor que ela.

—

Na casa e, pouco depois, na cidade inteira, segue-se um enorme rebuliço e alarido, pânico e lamentações. Eliza está aos prantos. Mary berra, subindo e descendo às carreiras a escada no pequeno anexo, como se Agnes pudesse estar escondida em um armário. Eu estava com tudo pronto para ela, grita sem parar, o quarto do parto, tudo que era preciso, bem aqui. John rosna, entrando e saindo da oficina, ora dizendo que não consegue trabalhar com tanta gritaria, ora perguntando onde diabos se meteu essa menina.

Ned, o aprendiz, é despachado para Hewlands a fim de saber se há notícias de Agnes por lá. Ninguém consegue encontrar Bartholomew, que saiu cedo de manhã, mas logo todas as irmãs e Joan, vizinhos e aldeões se põem à procura de Agnes. Alguém viu uma mulher, com um barrigão de gravidez, carregando uma cesta? As irmãs andam para cima e para baixo na estrada, perguntando a qualquer um que encontram. Mas ninguém a viu, salvo a mulher do padeiro, que diz que ela foi em direção à trilha de Shottery. Ela esfrega as mãos, aflita, cobre a cabeça com o avental e lamenta. Por que deixei que ela seguisse caminho, sabendo que algo estava errado? Gilbert e Richard vão para as ruas abordar transeuntes em busca de alguma notícia.

E o marido? É ele que encontra Bartholomew.

Quando vislumbra o cunhado na trilha que corre paralela aos limites da propriedade, Bartholomew atira no chão o fardo de palha que está segurando e corre em sua direção. O rapaz — Bartholomew não consegue pensar nele como outra coisa senão um rapaz, com as mãos macias que um garoto de cidade tem, o cabelo penteado para trás, um brinco pendurado na orelha — empalidece ao vê-lo atravessar o campo. Os cães o alcançam primeiro e o cercam, latindo.

— O que foi? — indaga Bartholomew, quando a distância permite que seja ouvido. — Ela está de cama? Passa bem?

— Bom — responde o marido —, a situação no momento, se é que se pode chamar assim, é...

Os dedos de Bartholomew agarram a parte da frente do justilho do cunhado.

— Fale claro — exige. — Já!

— Ela sumiu. Não sabemos onde está. Alguém a viu, hoje cedo, vindo nesta direção. Você a viu? Tem alguma pista de onde ela...

— Você não sabe onde ela está? — indaga Bartholomew. Encara o outro durante um bom tempo, aumentando a força com que agarra o justilho, antes de dizer em um tom baixo e ameaçador: — Acho que fui muito claro quando disse para você cuidar dela, não fui? Falei que era para você tomar conta dela, não falei?

— Eu tomei! Eu tomo!

O marido se debate, mas é muito menos alto e forte que o cunhado, que é um homem colossal, com mãos do tamanho de tigelas e ombros troncudos como um carvalho.

De lugar nenhum e sem aviso, uma abelha se intromete entre os dois, que sentem o movimento em seus rostos. Bartholomew estende, instintivamente, a mão para espantá-la, e o marido aproveita a oportunidade para se libertar.

Pula para o lado, ágil, disposto, na ponta dos pés.

— Veja — diz, a certa distância, erguendo as mãos e alternando o peso de um pé para o outro. — Não quero brigar com você...

Apesar de tudo, Bartholomew tem vontade de rir. A ideia desse intelectual pálido se metendo em um combate físico com ele é absurda.

— Com toda a certeza, não quer mesmo — retruca.

— Temos o mesmo objetivo — diz o marido, andando para a frente e para trás —, você e eu, não é mesmo?

— E que objetivo é esse?

— Ambos queremos achá-la, certo? Ter certeza de que ela está bem. E o bebê.

Ao pensar na segurança de Agnes — e do bebê —, a fúria de Bartholomew retorna, como água fervente.

— Quer saber? — murmura ele. — Nunca entendi por que a minha irmã escolheu você entre tantos outros. "O que você pretende se casando com ele?", perguntei a ela. "Para que ele serve?"

Bartholomew pega o cajado e o finca na terra, entre os pés.

— Sabe o que ela me respondeu?

O marido, ereto qual um bambu, de braços cruzados e com os lábios cerrados, faz que não com a cabeça.

— O que ela disse?

— Que você tem muito mais por dentro do que qualquer pessoa que ela já conheceu.

O marido esbugalha os olhos, como se não acreditasse no que ouvira. O rosto está angustiado, sofrido, atônito.

— Ela disse isso?

Bartholomew assente.

— Bom, não posso fingir que entendo a escolha dela de se casar com você, mas uma coisa sei a respeito da minha irmã. Quer saber o quê?

— Quero.

— Ela raramente se engana. Sobre coisa alguma. É um dom ou uma maldição, depende da opinião de cada um. Por isso, se ela acha isso de você, é possível que seja verdade.

— Não posso imaginar — acrescenta o marido — se é...

Bartholomew prossegue, interrompendo o cunhado:

— Não importa, de todo jeito, no momento. Nossa missão agora é encontrá-la.

O marido nada diz, mas se agacha e põe a cabeça entre as mãos. Quando fala, sua voz sai abafada:

— Ela escreveu uma coisa numa folha antes de sair. Talvez seja algum tipo de mensagem para mim.

— Diz o quê?

— Fala sobre chuva. E galhos. Mas não consegui entender o sentido.

Bartholomew o encara durante um ou dois segundos, remoendo tais palavras mentalmente. Chuva e galhos. Galhos. Chuva. Então, pega o cajado e o enfia no cinto.

— Levanta — comanda.

O marido ainda está falando, mais para si mesmo do que para outra pessoa:

— Ela estava lá de manhã, depois não estava mais. O destino interveio e a arrancou de mim, como uma maré, e não faço ideia de onde encontrá-la nem de onde procurar e...

— Eu, sim.

— Não hei de descansar até encontrá-la, até que a gente... — O marido se interrompe e ergue a cabeça. — Você sabe?

— Sei.

— Como? Como consegue entender a cabeça dela tão rápido e eu, que sou o marido, sequer...

Bartholomew já ouviu o suficiente. Roça a perna do cunhado com a bota.

— Levanta, já falei. Vamos.

O rapaz se põe de pé e encara Bartholomew com uma expressão cautelosa.

— Aonde?

— Para a floresta.

Bartholomew enfia dois dedos na boca e, sem tirar os olhos do rosto do rapaz, assovia para os cães.

—

Agnes cochila, entre acordada e adormecida, com o bebê apertado ao seio, quando Bartholomew a encontra.

Ele caminhou pelos campos, com os cães em seus calcanhares, o cunhado lhe seguindo os passos, ainda choroso e queixoso, e a encontrou aqui, precisamente onde desconfiava que ela pudesse estar.

— Muito bem — diz a ela, se inclinando para pegá-la no colo, sem se importar com os restos e os odores do parto —, você não pode ficar aqui.

Ela protesta de leve, meio zonza, mas depois recosta a cabeça no peito do irmão. O bebê, ele nota, está vivo e suas bochechas inflam e murcham. Está sugando, então. Bartholomew assente para si mesmo.

O marido os alcança, reagindo com imensa comoção diante da cena, gesticulando, passando a mão no cabelo, a voz ainda agitada, atirando palavras e mais palavras sobre a grama. Ele vai carregá-la, está dizendo, e o bebê é menino ou menina, e o que deu nela para fugir assim, quase matando todo mundo de susto, ele não tinha ideia de onde ela pudesse estar. Bartholomew chega a pensar em lhe dar um chute, fazê-lo calar-se, derrubá-lo no solo fecundo coberto de orvalho, mas resiste à tentação. O cunhado tenta tirar Agnes dos seus braços, mas ele o afasta, como faria com uma mosca inconveniente.

— Leva a cesta — diz ele ao rapaz. Depois acrescenta, por sobre o ombro, enquanto se afasta a passos largos: — Se não achar que é pesada demais.

Para que a peste alcance Warwickshire, na Inglaterra, no verão de 1596, dois acontecimentos precisam ocorrer na vida de duas pessoas diferentes e depois essas duas pessoas precisam se encontrar.

A primeira delas é um vidreiro na ilha de Murano, em Veneza; a segunda é um grumete em um navio mercante que zarpa de Alexandria em uma manhã absurdamente quente e ventosa.

Vários meses antes de Judith cair doente, na virada do ano de 1595 para 1596, o mestre vidreiro, que tem a habilidade de dispor em camadas cinco ou seis cores a fim de produzir contas de vidro em forma de estrela ou de flor conhecidas como *millefiori*, se distrai momentaneamente com uma briga que irrompe entre os atiçadores de fogo na oficina. Sua mão escorrega e dois de seus dedos penetram a chama branca feroz que, um instante antes, aquecia o bulbo de vidro para torná-lo maleável e moldável. A dor é tão forte e extrapola qualquer sentido que ele é incapaz, a princípio, de registrá-la. Não consegue imaginar o que houve, por que todos o observam e depois correm em sua direção. Sente-se o cheiro de carne assada, um uivo quase canino em intensidade, uma comoção à volta.

As consequências, mais tarde no mesmo dia, são duas amputações.

Por conseguinte, coube a um dos colegas de trabalho acondicionar em caixas as minúsculas contas vermelhas, amarelas, azuis, verdes e roxas no dia seguinte. Esse homem não sabe que o mestre vidreiro — no momento em casa, cheio de bandagens e levado à semiconsciência por uma dose generosa de xarope de papoula — em geral acolchoa e empacota as contas com serragem e areia para evitar que se quebrem. Em vez disso, ele pega um punhado de trapos no chão da oficina e os enfia entre as contas, que parecem centenas de olhinhos alertas e acusadores a encará-lo.

Em Alexandria, do outro lado do mar Mediterrâneo, exatamente no mesmo instante, o grumete precisa deixar o navio para que Judith contraia a peste e uma tragédia tenha início do outro lado do mundo. Ele recebe ordens de ir a terra e comprar mantimentos para os marinheiros famintos e extenuados, seus companheiros de viagem.

É o que ele faz.

Desce pela prancha, agarrado à bolsa que o guarda-marinha lhe deu, juntamente com um breve e doloroso chute no traseiro, o que explica o andar claudicante, meio manco, do menino.

Seus companheiros estão descarregando do navio engradados de cravos malásios e de índigo indiano, antes de embarcar sacas de grãos de café e tecidos.

O embarcadouro, sob os pés do grumete, é desconcertantemente firme e sólido após semanas passadas no mar. Mesmo assim, ele cambaleia em direção ao que lhe parece ser uma taverna, passando por uma barraquinha que vende nozes condimentadas e por uma mulher que segura uma cobra enrolada no pescoço. O garoto para a fim de observar um homem com um macaco preso a uma corrente dourada. Por quê? Porque ele jamais viu um macaco antes. Porque adora todo tipo de animais. Porque é, afinal, não muito mais velho que Hamnet, que está, nesse exato momento, sentado em uma fria sala de aula, vendo o professor distribuir cartilhas de poesia grega.

O macaco no porto de Alexandria usa uma casaquinha vermelha e um chapéu combinando. Suas costas são curvas e macias, como as de um filhote, mas a cara é expressiva, curiosamente humana, como se examinasse o menino.

O grumete — filho de uma família manesa — encara o macaco, e vice-versa. O animal inclina a cabeça para um lado, os olhos em formato de conta brilhantes, e murmura baixinho, em uma emissão levemente vibrante de som, com uma voz que faz o menino se lembrar de um instrumento semelhante a uma flauta tocada pelo tio em reuniões na ilha de Man, e por um instante ele volta no tempo ao batizado da irmã, ao casamento do primo, à segurança da cozinha de casa, onde a mãe estaria nessa altura estripando um peixe e lhe dizendo para tirar os sapatos, para limpar o peito da camisa e comer tudo que estivesse no prato. Volta ao lugar em que o tio costuma tocar sua flauta e onde todos falam a língua com a qual ele foi criado, e ninguém grita com ele ou lhe dá chutes ou lhe diz o que fazer. Mais tarde haveria dança e cantoria.

Lágrimas marejam os olhos do grumete e o macaco, ainda a observá-lo com um olhar sensibilizado e consciente, estende a pata.

Os dedos da pata do macaco são, ao mesmo tempo, familiares e estranhos. Pretos e brilhantes, como couro de sapato, com unhas que parecem caroços de maçã. A palma, porém, é estriada, como a do garoto, e flui entre os dois ali, debaixo das palmeiras que margeiam o embarcadouro, a empatia passível de ser partilhada entre um ser humano e um animal. O menino sente a corrente dourada, como se ela estivesse no próprio pescoço; o macaco percebe a tristeza do menino, sua saudade de casa, os machucados nas pernas, as bolhas e os calos nos dedos, a pele dos ombros castigada pelo incessante sol escaldante sobre o oceano.

O garoto estende a mão para o macaco, que a aceita. A força com que a agarra é surpreendente: traduz urgência, maus tratos, necessidade, carência de uma companhia gentil. O macaco sobe no braço do garoto, usando as quatro patas, monta em seus ombros e depois na cabeça, onde se senta, com as patas enterradas no cabelo do menino.

Rindo, o grumete ergue uma das mãos para ter certeza do que está acontecendo. Sim, tem um macaco sentado em sua cabeça. Ele se sente invadir por vários impulsos concomitantes: de correr pelo embarcadouro, gritando para os companheiros: Olhem para mim, olhem; de contar à irmã mais nova: Você não acredita no que aconteceu comigo, um macaco sentou na minha cabeça; de ficar com o macaco, de arrancar a corrente da mão do homem e subir prancha acima, desaparecendo dentro do navio; e de aninhar essa criatura no colo para sempre e jamais se separar dela.

O homem está se pondo de pé, gesticulando para o menino. Sua pele é cheia de furos e cicatrizes e a boca, de dentes enegrecidos. Um olho não é igual ao outro, nem em cor nem em foco. Ele esfrega o polegar contra o indicador de uma das mãos, na linguagem universal que significa dinheiro.

O menino balança a cabeça. O macaco se agarra com mais força, enroscando o rabo no pescoço do garoto.

O homem com a pele cheia de furos e cicatrizes se abaixa e pega o braço do garoto. Repete o gesto. Dinheiro, insiste ele, dinheiro. Aponta para o macaco e depois volta a fazer o gesto.

De novo, o menino balança a cabeça, cerra os lábios, põe uma das mãos sobre a bolsa presa ao cinto a fim de protegê-la. Sabe o que há de acontecer se voltar para o navio sem comida e sem cerveja. Levará com ele a lembrança do chicote do guarda-marinha — já aplicado em seu lombo doze vezes em Malaca e sete em Galle, além de outras dez em Mogadíscio — para sempre.

— Não — diz o menino. — Não.

O homem emite um rosário de palavras furiosas na cara do garoto. A língua falada nesse lugar chamado Alexandria é afiada, perfurante como a ponta de uma faca. O homem estende o braço para pegar o macaco, que reclama e depois grita, um grito agudo de desespero, agarrando o cabelo do menino, o colarinho da camisa, as unhazinhas pretas arranhando a pele do pescoço.

O menino, quase soluçando agora, tenta se agarrar ao novo amigo. Por um instante o tem, pela pata dianteira, o pelo morno do ombro lhe enchendo a palma da mão. Depois, porém, o homem puxa a corrente e o macaco cai, gritando, no chão de pedra do embarcadouro, onde se apruma e depois, arrastado, sai cambaleando choroso atrás do homem.

Horrorizado, o menino observa a partida do animal, a corcova de suas costas, os movimentos das patas traseiras, que tentam acompanhar o amo. Enxuga os olhos e passa as mãos pelo rosto, pela cabeça, que parece nua e vazia, desejando poder trazer de volta o momento, desejando ter podido de alguma forma convencer o homem a deixá-lo ficar com o animal. O macaco lhe pertencia: não ficara evidente para todos?

O que o menino não sabe — não pode saber — é que o macaco deixou uma parte sua com ele. Na confusão, ele partilhou três de suas pulgas.

Uma delas cai sem ser vista no chão, e o garoto, inadvertidamente, pisa nela com a sola do pé. A segunda permanece por um tempo em seu cabelo cor de areia, onde abre caminho até a franja. Enquanto o menino compra um garrafão de cerveja caseira na taverna, ela dará um salto — um ágil salto em arco — da sua testa para o ombro do taverneiro.

A terceira pulga do macaco permanecerá onde caiu, nas dobras do lenço vermelho amarrado ao pescoço do garoto, lenço que ele ganhou de presente da namorada.

Mais tarde, depois de voltar ao navio para dormir, tendo jantado algumas nozes picantes e um curioso pastel de pão no formato de uma panqueca, ele pegará seu gato favorito dentre todos os do navio, um animal quase totalmente branco, exceto pelo rabo listrado, e o aconchegará junto ao pescoço. A pulga, alerta à presença de um novo hospedeiro, se transferirá do lenço do garoto para o pelo espesso, branco leitoso, do pescoço do gato.

Esse gato, sentindo-se mal e com a infalível intuição felina com relação aos que não o apreciam, fixará residência no dia seguinte na rede do guarda-marinha. Quando este se deitar em sua rede, não economizará impropérios para o animal, agora morto, que encontra ali, livrando-se dele sem cerimônia, chutando-o para o outro lado do cômodo.

Quatro ou cinco pulgas, uma delas pertencente ao macaco, irão permanecer onde o gato se aninhou. A pulga do macaco é inteligente e está decidida a sobreviver e ter sucesso no mundo. Abre caminho, pulando e saltando, até a fecunda e úmida axila do guarda-marinha adormecido e roncador. Ali se alimentará do sangue rico e temperado de álcool do marujo.

Ao fim de três dias, tendo passado por Damasco e a caminho de Alepo, o intendente entra na cabine do comandante para relatar que o guarda-marinha está doente e confinado ao alojamento. O comandante assente, ainda examinando seus mapas e o sextante, não dando maior importância ao fato.

No dia seguinte, toma conhecimento, enquanto está a postos no convés superior, de que o guarda-marinha está delirante, espumando pela boca, com a cabeça quase pendida para o lado por conta de um tumor no pescoço. O comandante franze o cenho quando o intendente lhe sussurra tais palavras ao ouvido e ordena que o médico de bordo faça uma visita ao doente. O intendente acrescenta, em seguida, que vários gatos do navio aparentemente morreram.

O comandante se vira para encarar o intendente. A expressão em seu rosto é de repulsa, de perplexidade. Você disse gatos? O intendente assente, respeitosamente, de olhos baixos. Que fato peculiar.

O comandante reflete um pouco mais e depois estala os dedos indicando o mar. Jogue-os na água.

Os gatos falecidos, três no total, são pegos por seus rabos listrados e atirados no Mediterrâneo. O grumete observa por uma escotilha no deque, enxugando os olhos com o lenço vermelho.

Pouco tempo depois, eles atracam em Alepo, onde descarregam mais cravos e uma porção de café e várias dezenas de ratos, que partem céleres para terra firme. O médico de bordo bate na porta da cabine do comandante, que está falando com o imediato a respeito do tempo e de manobras.

— Ah — diz o comandante —, como está o homem... o guarda-marinha?

O médico coça a cabeça sob a peruca e reprime um arroto.

— Morto, senhor.

O comandante franze o cenho e fita o médico, registrando a peruca torta e o forte cheiro de rum que dele exala.

— Qual a causa?

O médico, homem mais afeito a entalar ossos e extrair dentes, ergue os olhos, como se a resposta pudesse ser encontrada no teto baixo de madeira da cabine.

— Uma febre, senhor — responde com a determinação de um bêbado.

— Uma febre?

— Decerto uma febre africana — responde o médico num tom arrastado. — É a minha opinião. Ele ficou todo preto em determinados locais, em volta dos membros e também em outros lugares que me abstenho de mencionar aqui neste recinto salutar, o que me faz concluir que deva ter adoecido e...

— Entendi — interrompe o comandante voltando aos seus mapas e dando por encerrado o assunto no que lhe diz respeito.

O segundo oficial pigarreia.

— Devemos, senhor, providenciar um enterro no mar.

O guarda-marinha é enrolado em um lençol e levado ao deque. Os marinheiros próximos cobrem os respectivos nariz e boca com panos: o cadáver fede muito. O comandante faz uma breve leitura da Bíblia. Também ele luta contra o fedor do homem, a despeito dos vinte e cinco anos passados no mar e de uma quantidade maior de enterros desse tipo do que lhe apraz recordar.

— Em nome do Pai, do Filho e do Espírito Santo, entregamos este corpo às ondas — recita o comandante, elevando a voz acima dos sons discretos de ânsias de vômito ao fundo.

— Vocês — chama, fazendo um gesto na direção dos dois marinheiros mais próximos —, peguem o... joguem o... sim... joguem no mar.

Os dois obedecem. Pálidos, erguem o corpo e o atiram ao mar.

A superfície encapelada, plissada, do Mediterrâneo se fecha sobre o corpo do guarda-marinha.

Quando aportam em Constantinopla, com a ordem de embarcar uma encomenda de peles vinda do norte, os gatos estão todos mortos e a população de roedores começa a se tornar um problema.

Os ratos estão penetrando nos engradados e chegando às provisões de carne-seca, informa o imediato ao comandante. Eles são quinze ou dezesseis nos domínios do cozinheiro nessa manhã. Os homens estão abatidos, prossegue o oficial, mantendo os olhos na linha do horizonte, e outros tantos adoeceram desde a véspera.

Mais dois marujos morrem, depois um terceiro e um quarto. Todos com a mesma febre africana que faz inchar o pescoço e deixa a pele vermelha e com bolhas, além de empretecida em alguns locais. O comandante é obrigado a fazer uma parada imprevista em Ragusa para empregar mais marinheiros sem referências ou recomendações, o que é o tipo de medida náutica apressada e descuidada que ele prefere, de hábito, evitar.

Esses novos marinheiros têm olhar astuto e dentes desproporcionais; são discretos e falam muito pouco — e quando o fazem é em uma espécie de dialeto polaco. A tripulação manesa desconfia deles à primeira vista e não promove qualquer interação, bem como não se dispõe a compartilhar aposentos.

Os polacos, porém, têm experiência em extermínio de ratos. Abordam tal atividade como se fosse um esporte, preparando iscas com comida e depois ficando à espera com uma enorme pá. Quando a criatura surge — lustrosa, com um barrigão, saciada pelas rações dos marujos —, os polacos lhe saltam em cima, gritando, cantando, e a matam a pauladas, miolos e entranhas de rato grudando-se às paredes e ao teto. Depois, cortam-lhes os rabos e os amarram aos cintos, passando de mão em mão uma garrafa de líquido transparente da qual todos bebem.

É de revirar o estômago, comenta um dos marinheiros maneses com o grumete, que observa do outro extremo da cabine. Não é? Então dá um tapa no pescoço, depois no ombro. O lugar está infestado de pulgas. Malditos ratos, resmunga para si mesmo e se vira na rede.

Eles não planejam permanecer muito tempo em Veneza — o comandante anseia por levar sua carga de volta à Inglaterra, receber o pagamento e dar por encerrada essa viagem infernal —, mas, enquanto o navio é descarregado e carregado, ele dá ao grumete a ordem de providenciar alguns gatos para o navio. O grumete desce com satisfação para o embarcadouro. Ele está mais que disposto a deixar o navio, suas dependências lotadas, os tetos baixos e o fedor de rato e febre e morte. Hoje mais dois marujos foram confinados com febre, um deles manês, como o próprio grumete; o outro é um dos polacos, cujo cinto enfeitado com rabos de rato foi pendurado a seu lado.

O garoto já esteve em Veneza uma vez, em sua primeira viagem, e ela continua como antes: um lugar estranho, híbrido, meio mar, meio terra, onde os degraus das casas são lambidos por águas verde-jade e as janelas iluminadas pelas chamas de velas, onde não há ruas, mas becos estreitos, cada qual levando a um labirinto estonteante, e pontes arqueadas. Um lugar onde alguém pode facilmente se perder em meio à bruma, às praças angulares, prédios altos e sinos que dobram nas igrejas.

Durante um instante, ele observa a tripulação, que passa entre si engradados e sacas, gritando em uma mistura de manês, polonês e inglês. Um veneziano empurra uma carroça em direção aos marujos, carregada de caixas; também ele começa a gritar em veneziano. Gesticula para os marinheiros, indicando as caixas, sem soltar a carroça. O garoto vê, então, que lhe faltam os dois primeiros dedos da mão e o restante dela tem uma textura estranha, enrugada, como cera de vela derretida. O homem chama os marinheiros, apontando para o navio com a mão boa, indicando suas caixas, e o garoto percebe que a carroça está prestes a virar de lado, que as caixas logo irão se esparramar no chão do porto.

Então dá um pulo, endireita a carroça, sorri para o rosto surpreso do homem de mão defeituosa e depois se afasta rapidamente, pois viu, debaixo de uma banca onde se vendem peixes, as caras triangulares e bigodudas de vários gatos.

Sem o conhecimento de ambos, a pulga que saiu do macaco alexandrino — que, ao longo da última semana ou mais, morava em um rato e antes disso no cozinheiro, que morreu próximo a Alepo — pula do garoto para a manga do mestre vidreiro, sobe até a orelha esquerda deste e o morde ali, atrás do lóbulo. O vidreiro nada sente, visto que o ar gelado do canal brumoso tornou insensíveis as suas extremidades. Ele anseia apenas por embarcar as caixas de contas no navio, receber seu pagamento e voltar para Murano, onde tem muitas encomendas para entregar e os atiçadores de fogo se puseram a brigar de novo durante sua breve ausência.

Quando o navio contorna o salto da Sicília, o imediato já adoeceu com a febre africana, seus dedos ficaram roxos e empretecidos, o corpo tão quente que o suor escorre pelos nós da rede para o chão. A tripulação o joga ao mar, junto com dois polacos, na costa de Nápoles.

Os gatos venezianos, quando não estão matando ratos, permanecem fiéis às suas origens, optando por dormir no porão de carga, sobre as caixas de contas de Murano. Existe algo nas suas superfícies de madeira, em seus amarrados, nas palavras escritas a giz em veneziano nas laterais que evidentemente lhes agrada.

Pelo fato de não haver muita gente entrando no porão de carga durante a viagem, quando os gatos morrem — e eles morrem, sucessivamente, um por um —, seus corpos não são descobertos em cima das caixas. As pulgas que haviam pulado dos ratos moribundos para suas pelagens listradas penetram nessas caixas e fixam moradia nos trapos que acolchoam os milhares de minúsculas contas *millefiori* (os mesmos trapos ali colocados pelo colega do mestre vidreiro; o mesmo mestre vidreiro que está agora em Murano, onde a fábrica de vidro parou, pois muitos dos operários estão adoecendo com uma febre misteriosa e virulenta).

Em Barcelona, os polacos remanescentes desembarcam, sumindo na confusão do porto. O comandante finca o pé e diz aos homens que eles continuarão trabalhando, por mais que estejam exauridos. Vão entregar os engradados de cravos, tecidos e café e depois zarparão.

Os homens obedecem. O navio atraca em Cádiz, depois no Porto e em La Rochelle, tendo perdido mais homens no caminho, e segue então para o norte, aportando, finalmente, na Cornualha. Quando zarpam para Londres, a tripulação está reduzida a cinco marujos.

O grumete parte para encontrar um navio que se dirija à ilha de Man, o lenço que já foi um dia vermelho ainda amarrado ao pescoço, levando debaixo do braço a única gata veneziana sobrevivente. Os outros três homens tomam o caminho de uma taverna no extremo da ponte de Londres. O comandante pede um cavalo para levá-lo para casa ao encontro da esposa e da família.

A carga, desembarcada e empilhada na alfândega, aos poucos é distribuída por toda Londres: os cravos e especiarias e tecidos e café a comerciantes, a fim de serem vendidos; as sedas vão para o Palácio; os copos e jarras, para um negociante em Bermondsey; os fardos de tecidos, a costureiras, alfaiates e camiseiros em Aldgate.

As caixas de contas de vidro, criadas pelo vidreiro na ilha de Murano, pouco antes de queimar a mão, ficam na prateleira de um depósito do porto por quase um mês. Então, uma é despachada para uma modista em Shrewsbury, para outra em York e para um joalheiro em Oxford. A última delas, a menor do lote, ainda contendo os trapos pegos no chão da fábrica de vidros veneziana, é enviada por mensageiro para uma estalagem no extremo norte da cidade, onde permanece durante uma semana, finda a qual é levada para fora pelo estalajadeiro e, junto com um pacote de cartas e outro com rendas, entregue a um homem de passagem para Warwickshire a cavalo.

Seu alforje de couro faz um clique-clique-clique rítmico enquanto ele cavalga, as contas batendo umas contra as outras com o movimento do cavalo, fazendo girar suas seis cores, esfregando-se umas nas outras. Ao longo dos dois dias de viagem, a mente ociosa do cavaleiro se indaga o que pode conter a caixa embrulhada: o que poderia emitir um som tão delicado e cristalino.

Duas contas se quebram, esmagadas sob o peso de suas réplicas. Cinco ficam irremediavelmente arranhadas na superfície. As mais pesadas vão descendo gradualmente conforme o trote do cavalo.

As pulgas nos trapos rastejam para fora, famintas e depauperadas pela estada sem hospedeiros no depósito portuário. Logo, porém, estarão recuperadas, rejuvenescidas, pulando do cavalo para o homem e de volta ao cavalo, antes de passarem para as várias pessoas que o cavaleiro encontra no caminho — uma mulher que lhe dá um copo de leite, uma criança que faz festinhas no cavalo, um jovem em uma taverna à beira da estrada.

Quando o viajante chega a Stratford, as pulgas já puseram ovos: nas dobras do casaco, na crina do cavalo, nas costuras da sela, nas filigranas e volutas da renda, nos trapos à volta das contas. Esses ovos são bisnetos da pulga do macaco.

Ele entrega as cartas, o pacote de rendas e a caixa de contas a um estalajadeiro na periferia da cidade. As cartas são entregues, uma a uma, por um menino a seus destinatários, em troca de um *penny* (uma delas por acaso chega à Henley Street, pois o marido em Londres escreveu para a família, contando como torceu o pulso caindo de um degrau, falando de um cão cujo dono é o seu senhorio e da peça que pretendem apresentar em várias cidades, inclusive em Kent). O pacote de rendas é coletado, depois de um ou dois dias, por uma mulher de Evesham.

O viajante vira o cavalo para direcioná-lo de volta a Londres, percebendo que o movimento lhe causa certo desconforto: aparentemente debaixo de sua axila há um ponto dolorido. Mas ele ignora o fato e segue seu caminho.

A caixa de contas é levada, pelo mesmo menino de entregas, a uma costureira na Ely Street. A ela foi encomendado um novo vestido pela esposa de um membro da guilda, que vai usá-lo na feira da colheita. Dizem que, durante sua juventude, a esposa já esteve em Londres e também em Bath, motivo pelo qual suas ideias sobre vestidos são tão refinadas. Ela disse à costureira que precisava ter um corpete decorado com contas venezianas, do contrário o vestido não teria serventia alguma. Zero.

Assim sendo, a costureira encomendou a Londres, que, por sua vez, encomendou a Veneza, e todos esperaram e esperaram, e a esposa do membro da guilda temeu que as contas não fossem entregues a tempo e por isso enviaram uma segunda carta a Londres, para a qual não houve resposta. Agora, porém, ali estavam as contas.

A costureira abre o postigo e pega a caixa das mãos do menino. Está prestes a abri-la quando a filha da vizinha, Judith, que lhe presta ajuda com as costuras e o encaixe de estampas coloridas, bem como com o corte do pano, entra na casa.

A costureira segura a caixa no ar.

— Olhe — diz à menina, que é pequena para a idade, loura como um anjo, com uma natureza que faz jus à sua aparência.

A menina bate palmas.

— As contas de Veneza? Elas chegaram?

A costureira ri.

— Parece que sim.

— Posso ver? Posso ver? Não aguento esperar.

A costureira pousa a caixa na bancada.

— Você pode fazer mais que isso. Pode abrir a caixa. Vai precisar cortar todos esses trapos velhos horríveis. Pegue a tesoura ali.

Entrega à menina a caixa das contas *millefiori*, e Judith a aceita com as mãos ansiosas e rápidas e o rosto iluminado por um sorriso.

Certa tarde no verão do primeiro aniversário de Susanna, Agnes percebe um novo odor na casa.

Está dando aveia na boca ansiosa da filha, dizendo: Esta colher é para você, mais uma, a colher entrando carregada de aveia e saindo limpinha. Susanna está sentada a um dos cantos da mesa na cadeira onde se empilham várias almofadas. Agnes a prendeu nesse trono com um xale que amarrou nas costas da cadeira. A criança está absorta, as mãozinhas fechadas, como conchas de mexilhões, os olhos fixos na colher que viaja da boca à tigela em ida e volta.

— Dá — grita Susanna, a boca mostrando quatro dentinhos alvos em fileira na gengiva inferior.

Agnes repete o som para a filha. Com frequência se vê incapaz de tirar os olhos da menina, de desviar o olhar do rosto da filha. Por que, afinal, haveria de querer fitar outra coisa, quando lhe é permitido aproveitar a visão das orelhas de Susanna, que lembram as pétalas pálidas de rosas, o arqueado no formato de asas das minúsculas sobrancelhas, o cabelo escuro que se gruda ao crânio como se o tivessem pintado com um pincel? Para ela, não há nada mais fascinante do que a filha: decerto não existe, nem nunca antes existiu, no mundo um ser mais perfeito.

— Di! — exclama Susanna, e, em um impulso decidido e calculado, agarra a colher, derramando aveia na mesa, na parte frontal da própria roupa, no rosto e no vestido de Agnes.

Agnes, com um pano, está limpando a mesa, as cadeiras, o rosto incrédulo de Susanna, tentando acalmar as queixas indignadas, quando ergue a cabeça e fareja o ar.

É um odor úmido, pesado, acre, como o de comida estragada ou roupa de cama mal arejada. Nunca o sentiu antes. Se tivesse uma cor, seria verde-acinzentado.

Ainda segurando o pano, ela se vira para olhar para a filha. Susanna, agarrada à colher, bate com ela ritmadamente na mesa, piscando a cada impacto, os lábios cerrados, como se tal percussão exigisse total concentração.

Agnes cheira o pano. Fareja o ar. Aproxima o nariz da manga do vestido e depois da batinha de Susanna. Atravessa a sala. O que será? Lembra o cheiro de flores mortas, de plantas deixadas tempo demais na água, de um lago de água estagnada, como líquen úmido. Haverá na casa alguma coisa úmida e apodrecida?

Verifica debaixo da mesa, para o caso de um dos cachorros de Gilbert ter trazido algo para dentro. Ajoelha para espiar sob a arca. Leva as mãos aos quadris, parada no meio do cômodo, e respira fundo.

De repente, fica ciente de duas coisas. Não sabe como, mas sabe: simplesmente sabe. Nunca questiona esses momentos de clarividência, o jeito como as informações surgem em sua mente.

Aceita-as como uma pessoa aceitaria um presente inesperado, com um sorriso gracioso e uma sensação de surpresa agradável.

Está grávida, dá-se conta. Haverá outro bebê na casa até o final do inverno. Agnes sempre soube quantos filhos teria. Sempre anteviu que serão dois os filhos postados ao lado da própria cama quando ela morrer. E agora está aí o segundo filho, o primeiro sinal dele, seu comecinho.

Ela também sabe que esse cheiro, esse fedor, não é uma coisa física. Significa alguma coisa. É um sinal — sinal de algo ruim, de algo de errado, fora de esquadro, em sua casa. Pode senti-lo, aumentando de intensidade, germinando, como o bolor preto que vaza do gesso no inverno.

As naturezas conflitantes dessas duas sensações a deixam perplexa. Ela se sente dividida entre duas direções: o bebê, bom; o fedor, ruim.

Volta até a mesa. Seu único e exclusivo pensamento é a filha. Estará esse odor de tristeza, de matéria sombria, vindo dela? Agnes enterra o rosto no pescoço morno da menina e inspira. Será ela? Estará a filha, a sua garotinha, sob a ameaça de alguma força negativa à espreita?

Susanna solta gritinhos, surpresa ante tanta atenção, como se dissesse Mamãe, mamãe, enquanto envolve com os braços o pescoço da mãe. Seus braços, percebe Agnes, não são suficientemente compridos para abarcar o pescoço todo, por isso os dedos decididos lhe agarram os ombros.

Agnes fareja a menina como um cão que persegue uma trilha, com ambas as narinas, como se sugasse a essência da filha. Cheira a sugestão do aroma de pera madura da pele de Susanna, o cabelo macio, o aroma de roupa de cama e aveia. Nada além disso.

Põe no colo o corpinho diminuto e rechonchudo, dizendo que vão pegar uma fatia de pão, um copo de leite e pensando agora no novo bebê, do tamanho de uma noz, enroscado dentro dela, e em como Susanna vai amá-lo, como brincarão juntos, como ele será para ela um Bartholomew, amigo e companheiro e aliado, sempre. Menino ou menina, Agnes se pergunta e, curiosamente, não identifica a resposta.

Com Susanna a seus pés, corta uma fatia de pão e a besunta com mel. Depois senta a filha em seu colo, junto à mesa, porque a quer perto, a quer bem ali, para o caso de esse cheiro, essa escuridão, tentar se aproximar. E Agnes fala para manter a filha entretida, para mantê-la a salvo do mundo. A criança ouve a ladainha que sai dos lábios da mãe, separando as palavras que conhece para gritá-las bem alto: pão, copo, pé, olho.

Estão cantando uma música juntas, sobre pássaros em seus ninhos e abelhas zumbindo, quando o pai de Susanna desce a escada e entra na sala. Agnes percebe que ele pega um copo, enche-o com água da jarra e bebe, e depois mais outro e outro. Passa pelas duas e desaba em uma cadeira diante delas.

Agnes o observa. Sente-se inspirar e expirar, inspirar e expirar, como uma árvore sorvendo o vento. O cheiro azedo e úmido voltou. Está mais forte. Está ali, bem diante delas. Exala dele, como fumaça, se adensando acima da sua cabeça em uma nuvem cinza-esverdeada. Ele carrega consigo esse cheiro, como se estivesse embrulhado em sua bruma. Ao que parece, o cheiro vem da sua pele.

Agnes examina o marido. Nada mudou nele. Não? O rosto, sob a barba, está encovado, pálido como pergaminho. Os olhos estão fundos, sobre olheiras arroxeadas. Ele olha pela janela, mas sem ver nada do lado de fora. Aparentemente não enxerga nada diante dele. A mão pousada na mesa entre eles está cheia de ar vazio. É como o retrato de um homem, fino qual uma tela, sem nada no fundo, como uma pessoa cuja alma lhe foi sugada ou roubada no meio da noite.

Como isso pode ter acontecido bem debaixo dos olhos dela? Como ele chegou a esse estado, sem aviso, sem que ela visse os sinais? Houve sinais? Agnes tenta pensar. Ele anda dormindo mais que de hábito, é verdade, e passando mais tempo fora à noite, em tavernas com os amigos. Faz um bocado de tempo que não lê para ela, à noite, à luz de vela, na cama — Agnes não consegue se lembrar da última vez que isso aconteceu. Eles têm conversado, como faziam, ao lado da lareira à noite? Ela acha que sim, talvez menos que antes. Mas ela está ocupada com a filha e ele com as aulas vespertinas e as tarefas matutinas que executa para o pai. A vida vem levando todos eles, em compasso, pensara Agnes. E agora isso.

Susanna continua a cantar, batendo palmas. As juntas das mãozinhas têm covinhas, todas elas, impressas no osso. A música se repete, as mesmas quatro notas, o mesmo ruído de sons, vez após vez. É evidente que não agrada ao marido, porque ele crispa o rosto e cobre um dos ouvidos com a mão.

Agnes franze o cenho. Pensa no bebê em seu ventre, enroscado dentro d'água, ouvindo tudo o que está acontecendo, respirando esse ar insalubre; pensa no peso cálido de Susanna em seu colo; pensa nessa nuvem cinza de podridão que vem do marido.

Será que o casamento, a filha, a vida que os dois levam juntos estão lhe fazendo mal? Estará sendo drenado de vida assim pelo lar que têm nessa pequena casa? Ela não sabe. A ideia a deixa em pânico. Como contar sobre o novo bebê em seu ventre quando ele se encontra em tal estado? A notícia só vai piorar essa melancolia e ela não há de aguentar vê-la ser recebida com tristeza, com nada menos que euforia.

Ela o chama pelo nome. Nada. Ela volta a chamar. Ele ergue o queixo e a encara. O rosto dele a horroriza: cinzento, inchado, a barba desgrenhada e malcuidada. Como foi que ficou assim?

Como isso aconteceu? Como ela pode não ter pressentido essa mudança? O que foi que ela não viu ou optou por não ver?

— Você está doente? — indaga Agnes.

— Eu? — retruca ele. Parece precisar de bastante tempo para ouvi-la, para elaborar uma resposta. — Não. Por que você pergunta?

— Você não me parece bem.

Ele solta um suspiro. Passa a mão na testa, nos olhos.

— Verdade?

Ela se levanta, pousando a filha no quadril. Toca a testa dele, que está pegajosa e fria como a pele de um sapo. Ele escapa com irritação do toque, afastando a mão dela.

— Está tudo bem — diz, e suas palavras são pesadas, como se cuspisse pedras ao falar. — Não faça estardalhaço.

— O que está afligindo você? — pergunta Agnes.

Susanna chuta as pernas da mãe, tentando chamar sua atenção e dizendo que ela precisa cantar.

— Nada. Estou cansado, só isso. — Fica em pé, arrastando ruidosamente a cadeira. — Vou voltar para a cama.

— Por que não come alguma coisa? — sugere Agnes, tentando calar Susanna balançando-a no colo. — Um pedaço de pão? Mel?

Ele balança a cabeça.

— Não estou com fome.

— Não esqueça que seu pai queria que você acordasse cedo para...

Ele a interrompe com um aceno curto de mão:

— Diga a ele para mandar Gilbert. Não vou a lugar nenhum hoje.

Dirige-se então para a escada, arrastando os pés, levando o cheiro brumoso consigo, como uma trouxa de roupa velha suja.

— Preciso dormir — conclui.

Agnes observa o marido subir a escada, se escorando no corrimão. Vira-se para olhar nos olhos redondos, escuros e sábios da filha.

Canta, mamãe, parece aconselhar Susanna.

—

Na calada da noite, ela sussurra para ele, lhe pergunta o que há de errado, no que ele está pensando, como pode ajudá-lo. Pousa a mão em seu peito, onde sente o coração bater de encontro à palma, vez após vez, vez após vez, como se fizesse a mesma pergunta, sem obter resposta.

— Nada — responde o marido.

— Deve haver alguma coisa — insiste ela. — Você não pode dizer o que é?

Ele suspira, o peito subindo e descendo sob a mão dela. O marido remexe no lençol, rearruma as pernas. Ela sente o queixo barbado contra o dela, o incessante movimento do lençol. O cortinado está fechado à volta de ambos, formando uma caverna em que os dois se deitam juntos, com Susanna adormecida no catre, os braços abertos, a boca fazendo biquinho e o cabelo grudado nas bochechas.

— Por acaso é... — começa ela. — Você está... Preferia que a gente não tivesse se casado? É isso?

Ele se vira para ela, pela primeira vez em vários dias, e seu rosto tem uma expressão triste, horrorizada. Pressiona o dorso da mão da esposa e responde:

— Não. Nunca. Como você pode dizer uma coisa dessas? Eu vivo exclusivamente para você e Susanna. Nada mais importa.

— O que é, então? — indaga ela.

Ele leva os dedos dela, um por um, aos lábios, beijando-lhe as pontas.

— Não sei. Nada. Um peso na alma. Uma melancolia. Não é nada.

Agnes está quase pegando no sono quando ele diz, ou parece dizer:

— Estou perdido. Perdi o rumo.

Aproxima-se dela, então, e a agarra pela cintura, como se temesse perdê-la para ondas enormes, gigantescas.

—

Ao longo dos instantes seguintes, ela o observa com atenção, como um médico vigiando um paciente. Constata agora que ele não dorme à noite, mas não consegue se levantar pela manhã. Que acorda ao meio-dia, zonzo, empalidecido, o humor sombrio e pesado. O cheiro que exala é pior, um odor azedo, rançoso, impregnado na roupa, no cabelo. O pai chega à porta, gritando, belicoso, mandando que o filho se mexa, que dê início ao dia de trabalho. Ela vê que precisa se manter calma, equilibrada, precisa crescer, de certa forma, a fim de manter a casa no rumo certo, de impedir que o lar de ambos seja assaltado pela escuridão que vem do marido, contrabalançar isso tudo, proteger Susanna, calafetar as próprias frestas, não deixar a escuridão entrar.

Ela vê como ele arrasta os pés e suspira quando sai para dar aula. Observa-o olhar pela janela quando o irmão Richard chega da escola. Vê o jeito como ele se senta à mesa com os pais, de cara fechada, brincando com a comida, com o prato. Vê como ele estende a mão para a jarra de cerveja quando o pai elogia a forma como Gilbert lida com determinado empregado do curtume. Vê Edmond entrar e ficar ao lado do irmão e encostar a cabeça em sua manga — o rapaz precisa cutucá-lo com a testa várias vezes antes que ele se dê conta de sua presença. Ela vê a maneira ausente, cansada, com que o marido põe a filha no colo. Vê Edmond encarar com intensidade o rosto do irmão, a mãozinha pressionando a pele barbada das bochechas. Vê que Edmond é a única pessoa que percebe que existe algo errado com ele.

Agnes vê como o marido se assusta se o gato sobe na mesa, se a porta bate empurrada pela brisa, se um prato é posto com força demais na mesa. Vê o jeito como John grita com ele, zomba dele, incita Gilbert a compartilhar esse comportamento. Você é um inútil, ouve John dizer, quando o marido derrama cerveja na toalha. Será que não consegue nem botar cerveja no copo? Viu isso, Gilbert?

Ela vê a nuvem acima dele escurecer e adquirir sua terrível força rançosa. Quer esticar o braço por sobre a mesa e pousar a mão no braço dele. Quer dizer que está ali. Mas e se suas palavras não bastarem? E se ela não for um bálsamo suficiente para essa dor sem nome? Pela primeira vez na vida, Agnes teme não saber como ajudar alguém. Não sabe o que fazer. E, de todo jeito, não pode lhe dar a mão, não ali, não àquela mesa. Há pratos e copos e castiçais entre os dois, e Eliza agora está de pé para tirar os pratos e Mary tenta dar a Susanna pedaços de carne grandes demais para a criança. Existe tanta coisa para fazer em uma família desse tamanho, tanta coisa que exige cuidados, tanta gente precisando de tantas coisas diferentes. Como é fácil, pensa Agnes, enquanto tira os pratos, deixar passar despercebidas a dor e a angústia de uma pessoa, se esta fica calada, se guarda tudo para si, como uma garrafa muito bem tampada, a pressão no interior crescendo e crescendo até... o quê?

Agnes não sabe.

—

Ele bebe demais, até tarde da noite, não na rua com os amigos, mas sentado à escrivaninha no quarto. Corta penas e mais penas que transforma em penas de escrever, mas nenhuma fica a seu contento, afirma ele. Uma é comprida demais, a outra curta demais, uma terceira demasiado fina para seus dedos. Elas riscam ou arranham a folha, ou borram ou mancham. Será que é demais pedir uma pena que funcione? Agnes acorda uma noite ouvindo-o gritar essa pergunta, ouvindo-o atirar tudo contra a parede, junto com o tinteiro, fazendo Susanna chorar. Ela não o reconhece, enquanto aperta a filha no colo: o rosto lívido, o cabelo desgrenhado, a boca que grita, a mancha de tinta, tal qual uma ilha preta, na parede.

De manhã, enquanto ele dorme, ela amarra Susanna às costas e faz o caminho até Hewlands, parando no caminho para colher penas, corolas de papoulas, ramos de urtigas.

Consegue achar Bartholomew ao ir na direção de um ruído de batidas repetidas. Ele está no redil mais próximo, martelando o topo de uma viga da cerca para enfiá-la na terra e montar baias para os novos cordeirinhos. Ela sabe que o irmão poderia ter mandado outra pessoa fazer esse serviço, mas ele é bom com cercas — sua altura, sua força extraordinária, sua dedicação inabalável, incansável, a uma tarefa.

Quando a vê, ele deixa o martelo cair no chão. Espera, enxugando o rosto, observando-a enquanto ela se aproxima.

— Trouxe isto para você — diz Agnes, estendendo um pedaço de pão e um embrulho contendo o queijo que ela mesma faz no depósito da Henley Street, coando leite de ovelha em panos de musselina.

Bartholomew assente, aceita a comida, dá uma mordida e mastiga, tudo sem tirar os olhos do rosto de Agnes. Ele levanta um cantinho da touca de Susanna e acaricia com um dedo a bochecha adormecida. Então, volta sua atenção para Agnes. Ela sorri, e ele continua a mastigar.

— Então? — É a primeira coisa que ele diz.

— Ora — começa Agnes —, não é nada de mais.

Bartholomew arranca a casca do pão com os dentes.

— Me conte.

— É só que... — prossegue Agnes, alternando o peso de Susanna. — Ele não tem dormido. Passa a noite acordado e não consegue se levantar. Está triste e emburrado. Não fala, senão para discutir com o pai. Há um clima pesado em torno dele. Não sei o que fazer.

Bartholomew reflete sobre as palavras da irmã, como ela sabia que ele faria, com a cabeça inclinada para um lado, o olhar concentrado em alguma coisa a distância. Mastiga sem parar, os músculos das bochechas e têmporas retesados. Enfia o que restou do pão e do queijo na boca, ainda sem nada dizer. Depois de engolir, suspira. Inclina-se. Pega o martelo. Agnes fica distante, fora do alcance das marteladas.

Ele golpeia a viga duas vezes, ambas com extrema destreza. A viga parece estremecer e vacilar, antes de se acomodar.

— Um homem — diz, então, antes de dar mais uma martelada — precisa trabalhar.

Ergue o martelo uma vez mais e golpeia a viga novamente.

— Trabalhar de verdade.

Bartholomew testa a viga com a mão e a considera firme. Passa para a seguinte, já meio fincada na terra.

— Ele é só cérebro — comenta, preparando a martelada —, só cérebro com pouco juízo. Precisa de um trabalho que dê equilíbrio, propósito. Não pode continuar assim, um garoto de recados para o pai, dando aulas aqui e acolá. Com um cérebro daqueles, vai enlouquecer.

Ele põe a mão na viga, que não parece satisfazê-lo, já que pega o martelo para continuar o trabalho, uma, duas vezes, até considerá-la bem enterrada.

— Ouvi dizer — murmura Bartholomew — que o pai não faz cerimônia em usar os punhos, principalmente com o seu professor de latim. É verdade?

Agnes solta um suspiro.

— Não vi com meus próprios olhos, mas não duvido.

Bartholomew está prestes a dar outra martelada, mas diz:

— Ele já perdeu as estribeiras com você?

— Nunca.

— E com a menina?

— Também não.

— Se um dia levantar a mão para uma de vocês — começa ele —, se ao menos tentar...

— Eu sei — intervém Agnes com um sorriso. — Não acho que ele ousaria.

— Hã — resmunga Bartholomew. — Assim espero.

Ele dá a última martelada e se dirige até a pilha de vigas, amontoadas em um canto. Escolhe uma, avalia seu peso com as mãos, pousa-a na terra e a examina de alto a baixo, para verificar se está reta.

— Deve ser difícil — prossegue, sem encarar a irmã — para um homem viver à sombra de um brutamontes desses. Mesmo ele estando na casa vizinha. Difícil respirar. Difícil achar um rumo na vida.

Agnes assente, incapaz de falar.

— Eu não tinha percebido a gravidade da situação — sussurra.

— Ele precisa trabalhar — torna a dizer Bartholomew. Pondo a viga sobre o ombro caminha até a irmã. — E talvez ficar a uma boa distância do pai.

Agnes desvia o olhar para a trilha, para o cão, deitado à sombra, com a língua rosada pendurada.

— Tenho pensado — começa Agnes — que talvez interesse a John se estabelecer em outro lugar. Em Londres.

Bartholomew ergue a cabeça e estreita os olhos.

— Londres — repete, saboreando a palavra na língua.

— Estender seu negócio.

O irmão faz uma pausa, esfrega o queixo.

— Entendi. Quer dizer que John poderia querer mandar alguém para a cidade, durante algum tempo. Alguém em quem confie. Um filho, talvez.

Agnes assente.

— Por um tempo, apenas.

— Você iria com ele?

— Claro.

— Deixaria Stratford?

— Não a princípio. Eu esperaria até que ele se instalasse, tivesse casa, e depois iria com Susanna.

Irmão e irmã se encaram. Susanna, às costas de Agnes, se mexe, soluça de leve e depois volta a dormir.

— Londres não fica tão longe — comenta Bartholomew.

— Verdade.

— Muitos vão para lá encontrar emprego.

— Isso mesmo.

— Talvez haja oportunidades por lá.

— Sim.

— Para ele. Para o negócio.

— Acho que sim.

— Talvez ele encontre algo. Longe do pai.

Agnes estende a mão e toca a extremidade da viga que Bartholomew segura, acompanhando com o dedo os nós na madeira.

— Acho que John não daria ouvidos a uma mulher nesse assunto. Se um homem lhe pusesse essa ideia na cabeça, alguém que tivesse participação no negócio, que tivesse como lucrar com isso... De modo a levá-lo a considerar que foi uma ideia dele mesmo...

— A ideia ganharia espaço — conclui Bartholomew por ela, pousando a mão em seu braço. — E quanto a você? — indaga em um tom mais baixo. — Você não se importaria de ele ir antes? Pode levar algum tempo para se instalar.

— Eu me importaria, sim. E muito. Mas o que mais me resta fazer? Ele não pode continuar desse jeito. Se Londres puder resgatá-lo desse sofrimento, é o que eu desejo.

— Você voltaria para cá — diz ele, indicando Hewlands com o polegar. — Enquanto ele estiver fora, você e Susanna, de modo que...

Agnes faz que não com a cabeça.

— Joan jamais aceitaria. E logo seremos mais que duas.

Bartholomew franze o cenho.

— Como assim? Você vai ter outro bebê?

— Sim. Até o final do inverno.

— Já contou a ele?

— Ainda não. Vou ficar calada, até estar tudo acertado.

Bartholomew assente e depois abre um dos seus raros sorrisos amplos para a irmã, pondo um braço potente em volta dos ombros dela.

— Vou falar com John. Sei onde ele bebe. Irei até lá hoje à noite.

Agnes está sentada ao lado do catre, junto a Judith, com um pano na mão. Passou a noite ali: não se levantou, não comeu, não dormiu nem descansou. Tudo que Mary conseguiu foi que bebesse algo. O calor do fogo é tamanho que suas bochechas estão rubras. Fios de cabelo escaparam-lhe da touca e se grudaram como garranchos úmidos no pescoço.

Enquanto Mary observa, Agnes molha o pano na tigela de água e umedece a testa, os braços e o pescoço de Judith. Murmura algumas palavras para a filha, algo suave e tranquilizador.

Mary se pergunta se a menina a escuta. A febre de Judith não cedeu. O bubão em seu pescoço está tão grande, tão duro, que é capaz de estourar. E aí tudo estará perdido. A menina morre. Mary sabe disso. Pode ser esta noite, na hora mais escura, porque esse é o momento mais perigoso para os doentes. Pode ser amanhã, ou mesmo depois de amanhã. Mas há de chegar.

Não há nada mais a fazer. Assim como três de seus filhos foram levados, dois ainda bebês, Judith os deixará. Eles não mais a terão.

Agnes está agarrada aos dedos inertes da filha, constata Mary, como se tentasse obrigá-la a viver. Há de mantê-la aqui, puxá-la de volta, exclusivamente só com sua força de vontade, se puder. Mary conhece esse impulso — sente-o; já o vivenciou. É esse o impulso, agora e para sempre. Já foi a mãe ao lado do catre vezes demais, a mulher tentando manter um filho vivo, tentando impedir sua partida. Tudo em vão. O que é dado pode ser tirado, a qualquer momento. A crueldade e o desespero nos aguardam em cada canto, dentro de arcas, atrás de portas: podem dar o bote a qualquer instante, como um ladrão ou um salteador. O truque é jamais abaixar a guarda. Jamais pensar que se está seguro. Jamais considerar natural que o coração do filho bata, que ele sugue o leite, que respire, que ande e fale e sorria e brigue e brinque. Jamais, sequer por um segundo, esquecer que eles podem partir, podem ser arrancados de nós, em um piscar de olhos, voando para longe como lanugem.

Mary sente as lágrimas brotarem em seus olhos, sente a garganta se apertar. A visão do cabelo de Judith, ainda trançado, a linha do maxilar e o pescoço. Como é possível que ela vá deixar de existir? Que, dali a não muito tempo, ela e Agnes se vejam lavando seu corpo, escovando aquele cabelo, preparando-a para o enterro? Mary se vira abruptamente para pegar uma jarra, um pano, um prato, qualquer coisa, pousá-los na mesa e tornar a movê-los.

Eliza, sentada à mesa com a mão sob o queixo, sussurra:

— Eu devia escrever, não acha, mãe?

Mary olha para o catre, onde Agnes mantém a cabeça baixa, quase como se rezasse. O dia todo, Agnes se recusou a permitir que Eliza escrevesse para o pai de Judith. Tudo vai ficar bem, insistia, enquanto moía ervas com movimentos cada vez mais frenéticos, tentava fazer Judith engolir tinturas e chás, untava o corpo da menina com unguentos. Não vamos assustá-lo. Não é necessário.

Mary se vira para Eliza e assente uma única vez, rapidamente. Observa a filha ir até um armário e dele tirar tinta, papel e pena. O irmão os guarda ali para quando está em casa. Eliza se senta à mesa, mergulha a pena na tinta e, hesitando apenas um instante, escreve.

Querido irmão,
Lamento contar que Judith, sua filha, está muito doente.
Cremos que não resta a ela muitas horas. Favor voltar, se puder.
E depressa.
Deus o guarde, irmão queridíssimo.

Sua irmã amorosa,
Eliza

—

Mary derrete a cera de selagem na chama de uma vela, vê que Agnes a observa derramá-la sobre a página dobrada. Eliza escreve na parte da frente o endereço de onde o irmão está hospedado e então Mary pega a carta e vai até a casa vizinha, que é a sua. Achará uma moeda, abrirá a janela e pedirá a quem quer que esteja na rua para levá-la à estalagem na estrada que sai de Stratford para que o estalajadeiro a envie, o mais rápido possível, a Londres, a seu filho.

—

Não muito depois de Mary sair à procura de uma moeda, Hamnet vem à tona das profundezas do sono. Fica deitado sob o lençol algum tempo, imaginando por que nada parece direito, por que o mundo dá a impressão de ter enviesado de leve, por que sua boca está tão seca, por que o coração lhe pesa tanto, por que a cabeça dói.

Ele olha para um lado do quarto escuro e vê a cama dos pais: vazia. Olha para o outro e vê o catre onde as irmãs dormem. Vê apenas um corpo debaixo das cobertas e então se lembra: Judith está doente. Como pode ter se esquecido?

Põe-se de pé em um salto, arrastando consigo os lençóis, e faz duas descobertas. A cabeça lateja de dor, como uma tigela cheia de água fervendo. É um tipo estranho, inusitado, de dor — uma dor que oblitera todo e qualquer pensamento, toda ideia de ação. Satura-lhe a cabeça, vazando para os músculos e o foco da visão. Ecoa nas raízes dos dentes, nas entranhas dos ouvidos, nas vias nasais e até nos fios de cabelo. Parece opressora, imponente, maior que ele.

Hamnet se afasta da cama, carregando atrás de si os lençóis, mas tudo bem. Precisa achar a mãe: incrível como é forte esse instinto, mesmo agora, em um menino de onze anos. Recorda essa sensação, essa urgência — remotamente —, da época em que era bem menor: a necessidade compulsiva de estar com a mãe, sob seu olhar, a seu lado, suficientemente perto para estender a mão e tocá-la, porque mais ninguém lhe bastaria.

Deve ser quase de manhãzinha, porque a claridade do novo dia começa a entrar nos cômodos, tênue e pálida como leite. Ele desce a escada, que parece ziguezaguear à sua frente, um degrau de cada vez. Precisa se virar para encarar a parede porque tudo em volta está girando.

No piso inferior, encontra a seguinte cena: a tia, Eliza, adormecida à mesa, a cabeça pousada nos braços. As velas se apagaram, afogadas em poças de si mesmas. O fogo foi reduzido a um monte de cinzas inertes. A mãe dorme com a cabeça no catre, segurando com firmeza um pano na mão. E Judith o encara diretamente.

— Jude — diz ele, ou tenta dizer, porque a voz aparentemente não sai. Arranha, pinica, incapaz de sair da garganta seca e em carne viva.

Ele cai de joelhos e rasteja pela palha para alcançar a irmã.

Os olhos dela cintilam com uma luz estranha, prateada. Judith piorou — ele percebe isso. As bochechas encovadas estão pálidas, os lábios, rachados e exangues, os inchaços no pescoço, rubros e lustrosos. Ele se agacha junto à irmã gêmea, atento para não despertar a mãe. Sua mão encontra a dela. Os dedos de ambos se entrelaçam.

Ele vê Judith revirar os olhos uma, duas vezes. Então, ela os abre e o encara, o que parece lhe exigir enorme esforço.

Os lábios se curvam para cima no que poderia ser descrito como um sorriso. Ele percebe uma pressão em seus dedos.

— Não chore — sussurra ela.

Hamnet volta a sentir o que sentiu a vida toda: que ela é a sua outra metade, que os dois se encaixam, ele e ela, como os dois lados de uma noz. Que, sem ela, ele estaria incompleto, perdido. Carregaria uma ferida aberta, no flanco, pelo resto da vida, no lugar de onde ela lhe teria sido arrancada. Como viver sem ela? Impossível. É como pedir ao coração que viva sem os pulmões, como remover a lua do céu e pedir às estrelas que façam seu papel, como esperar que a cevada cresça na ausência de chuva. Lágrimas começam a deslizar pelas bochechas dela, como sementes de prata, como se por um passe de mágica. Hamnet sabe que as lágrimas são dele, caindo dos seus olhos sobre o rosto da irmã, mas podiam muito bem ser dela. Os dois são um mesmo e único ser.

— Você vai ficar bem — murmura ela.

Ele aperta os dedos da gêmea, com raiva.

— Não — retruca ele, passando a língua nos lábios e sentindo o gosto de sal. — Vou com você. Iremos juntos.

Mais uma vez, o lampejo de um sorriso, a pressão nos dedos.

— Não — diz ela, as lágrimas do irmão cintilando em seu rosto. — Você precisa ficar. Eles precisam de você.

Ele sente a presença da Morte, espreitando nas sombras, ao lado da porta, com a cabeça virada, mas vigilante, sempre vigiando. Ela espera, não tem pressa. Vai deslizar à frente com seus pés despelados, com seu bafo de cinzas úmidas, para levá-la, apertá-la em seu abraço gélido, e ele, Hamnet, não será capaz de libertá-la. Deveria insistir para ser levado também? Deveriam partir juntos, do jeito como sempre estiveram?

Então, a ideia lhe ocorre. Ele não sabe por que não pensou nisso antes. Ocorre a Hamnet, agachado ali, junto a Judith, que talvez seja possível passar a perna na Morte, pregar a peça que ele e a irmã pregam em todos desde pequenos: trocar de lugar e de roupa, fazendo com que acreditem que um é o outro. O comentário geral, ouvido ao menos uma vez por dia, é que rostos são iguais. Basta que Hamnet ponha o xale de Judith ou que ela coloque seu chapéu e se sentem assim à mesa, de olhos baixos e sorrisos disfarçados, para que a mãe pouse a mão no ombro de Judith e diga: Hamnet, você pode pegar um pouco de lenha? Ou para que o pai, ao entrar no quarto e ver o que supõe ser o filho envergando um justilho, lhe peça que conjugue um verbo em latim, antes de descobrir que se trata da filha, prendendo o riso, adorando a brincadeira, enquanto empurra a porta para revelar o filho de verdade, escondido atrás dela.

Será que conseguirá usar o truque, a piada de ambos apenas mais uma vez? Ele acha que sim. Acha que vai conseguir. Olha por cima do ombro para o túnel de escuridão ao lado da porta. O breu é sem fundo, macio, absoluto. Vire-se, diz ele à Morte. Feche os olhos. Só um instante.

Passando as mãos por debaixo de Judith, a palma de uma delas sob os ombros, a outra sob os quadris, ele a vira de lado, voltada para a lareira. A irmã é mais leve do que ele esperava. Ela rola e entreabre os olhos para se endireitar. Observa, com a testa franzida, o irmão se deitar no côncavo que seu corpo deixou no colchão, tomando o lugar dela, observa-o pegar o cabelo para cobrir cada lado do rosto e puxar o lençol para cobrir os dois até o queixo.

Os irmãos hão de parecer, Hamnet tem certeza, um só. Ninguém saberá quem é quem. Será fácil para a Morte cometer um erro, levá-lo no lugar de Judith.

Ela está se mexendo a seu lado, tentando se sentar.

— Não — repete. — Hamnet, não.

Ele sabia que a irmã perceberia de imediato sua intenção. Ela sempre percebe. Está balançando a cabeça, mas lhe falta força para se erguer do catre. Hamnet aperta mais o lençol sobre os dois.

Ele inspira. Ele expira. Vira a cabeça e respira nas pregas da orelha da irmã; expira sua força, sua saúde, seu tudo. Você fica, sussurra, e eu vou. Manda para ela estas palavras: Quero que você fique com a minha vida. Ela será sua. Eu a dou a você.

Os dois não podem viver: ele sabe disso e ela também. Não há vida bastante, ar bastante, sangue bastante para ambos. Talvez jamais tenha havido. Se um deles há de viver, que seja ela. Ele determina isso. Agarra o lençol com força nas duas mãos. Ele, Hamnet, decreta. Que assim seja.

Susanna, pouco antes de completar dois anos, está sentada numa cesta no chão da sala de estar da avó, com as pernas cruzadas e as saias ondulando à volta, infladas de ar. Segura em cada mão uma colher de pau e com elas rema o mais rápido possível, descendo o rio. A correnteza é forte e serpenteia. Algas flutuam e se desfiam. Ela precisa remar e remar para não virar — se parar, quem sabe o que pode acontecer? Patos e cisnes passam a seu lado, aparentemente serenos e imperturbáveis, mas Susanna sabe que suas patas em forma de teia fazem seu trabalho sob a água. Ninguém além dela pode ver esses animais. Não a mãe, de pé junto à janela, de costas para o cômodo, espalhando sementes no peitoril. Não a avó, sentada à mesa, com a caixa de costura aberta à frente. Não o pai, que é um par de pernas envoltas em meias escuras, andando de um lado para outro. As solas dos seus sapatos arranham a superfície do rio de Susanna. Ele passa por um pato, atravessa um cisne, cruza um amontoado de bambus. Susanna quer lhe pedir que tenha cuidado, que se assegure de saber nadar. Tem uma visão da cabeça do pai — escura como as meias — sumindo debaixo da água verde-amarronzada. Sente a garganta se fechar e os olhos marejarem só de pensar nisso.

Ergue os olhos para o pai e vê que ele parou de andar. As pernas estão imóveis, retas, um par de troncos de árvores. Está de pé diante da própria mãe, que continua a costurar, a agulha sumindo e reaparecendo do outro lado do tecido. Para Susanna a agulha parece um peixe, um peixe magrinho e prateado, talvez um vairão ou um peixe-sombra, saltando para fora da água e tornando a mergulhar, saltando, mergulhando, e ela pensa novamente em seu rio até se dar conta de que a avó parou a costura, se levantou, começou a gritar com o pai de Susanna, bem na cara dele. Susanna observa a cena, atônita, os remos de colher de pau inertes. Registra essa visão rara e a arquiva mentalmente: a avó, o rosto desfigurado pela raiva, a mão agarrada ao braço do filho; o pai libertando o braço e falando num tom baixo e ameaçador; então a avó gesticula na direção da mãe de Susanna, chamando seu nome — que, dito pela avó, soa *Anis* —, levando-a a se virar. O vestido da mãe está inchado na frente, por causa de outro bebê. Um irmão ou irmã para você, disseram-lhe. A mãe também está segurando um esquilo no braço. Será verdade? Susanna sabe que sim. O rabo do animal reluz vermelho como uma chama sob o sol que entra pela vidraça. O animal sobe pela manga da mãe e se abriga debaixo da sua touca, junto ao cabelo, que às vezes Susanna tem autorização para desembaraçar, escovar, trançar.

O rosto da mãe está sereno. Ela contempla a sala, a avó, o homem, a criança na cesta-barco. Acaricia o rabo do esquilo; Susanna tem o impulso, a vontade de fazer o mesmo, mas o esquilo jamais a deixará se aproximar. A mãe acaricia o rabo do animal e dá de ombros para o que quer que lhe esteja sendo dito. Abre um vago sorriso e se vira, descendo o esquilo do ombro e deixando-o escapar pelo caixilho aberto.

Susanna tudo observa. Os patos e cisnes chegam cada vez mais perto, aglomerando-se à volta.

—

Mary dá pontos e mais pontos, a agulha entrando e saindo da costura. Ela mal sabe o que está fazendo, mas pode ver que, enquanto escuta o que o filho fala, seus pontos vão ficando maiores, malfeitos, e isso a irrita de uma forma específica, pois ela é famosa por ser perita na agulha — ela é e sabe disso. Tenta manter a paciência, permanecer calma, mas o filho está dizendo que tem certeza de que esse plano vai funcionar, que ele há de conseguir expandir o negócio de John em Londres. Mary mal consegue conter a raiva, o desdém. A nora não contribui com coisa alguma nessa discussão, claro, fica parada junto à janela, emitindo ruídos idiotas para o ar.

Tem um esquilo castanho com cara de rato que mora numa árvore junto à casa: Agnes gosta de alimentá-lo e acarinhá-lo, de vez em quando. Mary não consegue entender por que e já falou com a nora que o animal não pode entrar em casa, pois Deus sabe que doenças e pragas pode carregar, mas Agnes não ouve. Agnes nunca ouve. Nem mesmo agora, quando o marido está propondo partir de casa, fugir, se esconder, quando o que realmente deveria fazer é se ajoelhar e pedir perdão para a mãe, que o acolheu e à noiva e o seu barrigão em casa há menos de três anos, ao pai que, Deus é testemunha, tem seus defeitos, mas sempre tenta fazer o melhor para a família. Não ouvir é a atitude habitual de Agnes.

Mary não consegue olhar para o filho; não consegue olhar para a nora, ali parada, a barriga de novo grande, mimando aquele maldito esquilo, como se nada de importante estivesse acontecendo.

John trata Agnes como uma retardada, uma imbecil rural. Assente para ela quando a encontra em casa ou à mesa. Como vamos hoje, Agnes?, diz ele, como se falasse com uma criança. Ele a observa com condescendência quando ela tira do bolso um emaranhado de raízes imundas ou abre as mãos para lhe mostrar um punhado de bolotas lustrosas. John tolera as excentricidades da nora, seu perambular noturno, sua aparência às vezes desmazelada, as predições e previsões absurdas que vez por outra ela verbaliza, os vários animais e outras criaturas que ela leva para casa (uma salamandra, que pôs numa jarra de água, uma pomba sem penas, da qual cuidou até sua recuperação total). Quando Mary se queixa ao marido na cama à noite, ele lhe dá uma palmadinha na mão e diz: Deixe a garota em paz. Ela é do campo, lembre-se, não da cidade. Ao que Mary poderia responder três coisas: Agnes não é uma garota. É uma mulher que enfeitiçou um rapaz muito mais novo, o nosso menino, para casar-se com ele pelo pior dos motivos. E: você é leniente demais e isso se deve apenas ao dote dela. Não pense que não vejo. E: também sou do campo, fui criada numa fazenda, mas por acaso saio por aí à noite e trago para casa animais selvagens? Não. Alguns de nós, diz com desdém ao marido, sabem se portar.

— Vai ser uma ajuda — segue dizendo o filho, alegre e insistentemente — para todos nós expandir os negócios do papai assim. Foi uma ideia inspirada que ele teve. Deus sabe que as coisas nesta cidade se tornaram muito difíceis para ele. Se eu levasse os negócios para Londres, tenho certeza de que poderia conseguir...

Antes de se dar conta de ter perdido a paciência, que sumiu como gelo sob os pés, Mary se levanta e agarra o filho pelo braço, sacudindo-o e lhe dizendo:

— Todo esse esquema não passa de tolice. Não faço ideia de quem pôs isso na cabeça do seu pai. Quando foi que você demonstrou o mais ínfimo interesse pelos negócios dele? Quando foi que você provou ser digno desse tipo de responsabilidade? Londres, faça-me o favor! Lembre-se de que mandamos você buscar aquelas peles de cervo em Charlecote e você perdeu tudo no caminho de volta. E a vez em que você trocou doze pares de luvas por um livro? Está lembrado? Como você e ele podem sequer pensar em levar os negócios para Londres? Por acaso acham que não há luveiros em Londres? Vão comer você vivo, assim que lhe puserem os olhos.

O que ela realmente quer dizer é não vá. O que ela realmente deseja é que ele seja capaz de desfazer o casamento com essa criadinha em cujas veias corre a indisciplina, que ele jamais tivesse visto essa mulher da floresta que todos diziam que era estranha, inadequada como esposa. Por que essa criatura pôs os olhos no filho de Mary, que não tinha emprego, que não tinha propriedades? Tudo o que queria era jamais ter arquitetado o esquema de mandar o filho como professor para aquela fazenda perto da floresta: se pudesse voltar no tempo e desmanchar aquilo, ela o faria. Mary odeia ter essa mulher na própria casa, o jeito como ela surge do nada sem ser ouvida, o jeito como ela olha para e através de você como que para a água e o ar, o jeito como ela sussurra e canta para a filha. O verdadeiro desejo de Mary é que o filho jamais houvesse tomado conhecimento do plano de John de abrir uma filial em Londres. A ideia da cidade, suas multidões, suas doenças, a deixa sem ar.

— Agnes — chama, enquanto o filho, com irritação, livra o próprio braço —, você com certeza concorda comigo. Ele não pode ir. Não pode simplesmente partir desse jeito.

Agnes finalmente se vira. Continua, Mary constata exasperada, a segurar o esquilo nas mãos. O rabo do roedor escorrega entre seus dedos; os olhos, contas douradas estriadas de preto, se fixam em Mary. Belos dedos os de Agnes, nota Mary com desagrado. Afunilados, alvos, compridos. Agnes é, Mary não pode deixar de admitir, uma mulher fascinante. Mas é um tipo de beleza perturbador, errado: o cabelo escuro não combina com os olhos verde-dourados, com a pele mais alva do que leite; os dentes são regulares, mas pontiagudos como os de uma raposa. Mary descobre não ser capaz de encarar a nora durante muito tempo, de sustentar seu olhar. Essa criatura, essa mulher, esse duende, essa feiticeira, esse espírito da floresta — porque ela é isso, todos dizem, e Mary sabe ser verdade — enfeitiçou e seduziu seu filho, atraiu-o para uma união. Isso Mary jamais há de perdoar.

Mary apela para Agnes agora. Decerto, a esse respeito, elas podem se unir. Com certeza a nora ficará do seu lado na tarefa de manter o filho junto a eles, em casa, seguro, onde podem vê-lo.

— Agnes, nós estamos de acordo sobre isso, não estamos? Esses planos são tolos e sem qualquer base racional. Ele precisa ficar aqui conosco. Deve estar aqui quando o bebê nascer. O lugar dele é com você, com os filhos. Precisa conseguir trabalho aqui, em Stratford. Não pode partir desse jeito. Pode? Agnes?

Agnes ergue a cabeça e seu rosto fica visível por um instante sob a touca. Ela sorri seu mais enigmático e enlouquecedor sorriso, e Mary sente um vazio no peito, enxerga o próprio erro, vê que Agnes jamais ficará do seu lado.

— Não vejo motivo — responde Agnes em sua voz suave, musical — para mantê-lo aqui contra a própria vontade.

A fúria sobe à garganta de Mary e lhe dá vontade de atacar a mulher, não importa que ela esteja grávida. Tem vontade de pegar a agulha e enfiar nessa pele branca, pele que seu filho tocou e possuiu e beijou e tudo o mais. A mera ideia a deixa doente, revira seu estômago pensar no seu menino, seu filho, com essa criatura.

Ela emite um ruído inarticulado, meio soluço, meio grito. Atira a costura no chão e se retira da mesa, do filho, passando por cima da menina, sentada numa cesta perto da lareira com duas colheres de cozinha nas mãos.

Não lhe passa despercebido, enquanto ela se afasta, que Agnes e o filho começaram a rir, de início devagar, mas depois com mais intensidade, tentando abafar o barulho, os passos ecoando no piso de pedra quando, sem dúvida, se aproximam um do outro.

—

Semanas depois, Agnes caminha pelas ruas de Stratford, a mão agarrada ao braço do marido. O tamanho da barriga a impede de andar rápido; ela não consegue inspirar ar suficiente porque o bebê ocupa cada vez mais espaço. Sente que o marido tenta reduzir a velocidade por causa dela, sente seus músculos estremecerem com o esforço de represar a necessidade inata de exercício, de movimento, de velocidade. Para ele, é como tentar se impedir de beber quando se está sedento. O marido está pronto para partir: ela vê isso. Já houve muitos preparativos, muitas discussões, muitas providências a serem tomadas, cartas a escrever, malas a arrumar, roupas que Mary precisou lavar e tornar a lavar com as próprias mãos — essa tarefa não é permitida a mais ninguém — e amostras de luvas que John precisou supervisionar e depois empacotar e desempacotar e reempacotar.

E agora chegou a hora. Agnes conjuga: ele está indo, ele terá ido, ele irá. Ela juntou essas circunstâncias; pôs a engrenagem em movimento, como se fosse um mestre bonequeiro, escondido atrás de uma cortina, delicadamente puxando os cordões de suas pessoas de madeira, tranquilizando-as e dirigindo-as no rumo certo. Agnes pediu a Bartholomew que falasse com John e depois esperou que John falasse com o marido. Nada disso teria acontecido se ela não tivesse pedido a Bartholomew para plantar a ideia na cabeça de John. Ela criou esse momento — ninguém mais — e, no entanto, agora que ele chegou, descobre ser totalmente incompatível com seus desejos.

O que ela deseja é que o marido fique a seu lado, que sua mão fique na dela. Deseja que ele esteja em casa quando ela der à luz esse bebê. Deseja que fiquem juntos. O que ela deseja, porém, não importa. Ele está indo. Ela está, secretamente, mandando o marido embora.

A mala está amarrada às suas costas. Mais caixas de mercadorias serão enviadas depois que ele se instalar. Os sapatos estão limpos e engraxados; ela passou gordura nas costuras para ficarem impermeáveis à umidade das ruas londrinas.

Agnes lança um olhar de esguelha para ele. Seu perfil está impassível, a barba, aparada e untada (ela mesma fez isso, também, na noite anterior, passando a navalha no afiador de couro e depois levando a lâmina letal à pele do amado — tanta confiança, tanta submissão). Os olhos estão baixos: ele não quer cumprimentar ninguém nem conversar longamente. A mão dele está sobre a dela, os dedos pressionando com força. Mal pode esperar para seguir em frente. Acabar com isso. Partir.

Ele fala de um primo que visitará em Londres, que o primo arrumou acomodação para ele.

— Fica perto do rio? — Agnes se ouve perguntar, mesmo sabendo a resposta: ele já contou tudo isso antes. Parece importante que continuem conversando sobre coisas sem muita importância. O pessoal de Stratford cerca o casal. Observando, vigiando, ouvindo. É importante, para ele, para ela, para a família, para os negócios, que eles pareçam harmoniosos, em compasso, de comum acordo. Que a atitude deles refute os boatos que circulam: de que não podem viver juntos; de que o negócio de John está falindo; de que ele vai para Londres por causa de algum tipo de desonra.

Agnes ergue o queixo um pouco mais. Não há desonra, diz a linha reta das suas costas. Não há problemas no nosso casamento, diz a orgulhosa curva em destaque do seu ventre. Não há falência do negócio, diz o sapato lustroso do marido.

— Fica, sim — responde ele. — E também não é longe dos curtumes, acho. Por isso devo conseguir dar uma olhada, para o papai, e decidir qual o melhor.

— Entendi — diz ela, embora tenha a nítida sensação de que ele não permanecerá muito tempo no comércio de luvas.

— Dizem que o rio — prossegue o marido — tem correntezas perigosas.

— Verdade? — indaga Agnes, embora o tenha ouvido dizer isso à mãe.

— É crucial, disse o meu primo, escolher um barqueiro experiente toda vez que tiver que atravessá-lo.

— Ele tem razão.

O marido segue falando sobre as diferentes margens do rio, os cais de desembarque, como determinadas horas do dia são mais seguras do que outras. Ela imagina um rio caudaloso e largo, cheio de correntezas letais, salpicado por minúsculas embarcações, como um vestido bordado com contas. Imagina uma dessas embarcações levando o marido arrastada rio abaixo, os negros cabelos dele descobertos, a roupa empapada de água doce, suja de lama, os sapatos cobertos de lodo. Precisa balançar a cabeça, agarrar com força a solidez do braço em que se apoia para livrar-se da imagem. Não é verdade, não será verdade; é apenas sua mente lhe pregando peças.

Ela caminha com ele até a estalagem que despacha e recebe cartas, ouvindo-o falar das acomodações, de como ele estará de volta antes que ela se dê conta, como pensará nela e em Susanna todos os dias. Que vai arrumar moradia para todos lá, em Londres, assim que possível e todos voltarão a morar juntos de novo. Ali, ao lado da placa de pedra com uma seta apontando para "Londres" (ela conhece essa palavra, a confiante linha do L, o "o" redondo, que lembra um olho, a curva do "n"), eles param.

— Você vai escrever? — pergunta ele, o rosto se contraindo.
— Quando chegar a hora? — As duas mãos que estende para ela abarcam a curva inferior da barriga.
— Claro — responde Agnes.
— Meu pai está torcendo para ser um menino — comenta ele, com um sorriso tristonho.
— Eu sei.
— Mas para mim tanto faz. Menino ou menina. Moça ou rapaz. Dá na mesma para mim. Assim que eu tiver notícia, tomo providências para vir pegar vocês. E aí estaremos todos juntos, em Londres.

Ele a abraça o mais apertado que a barriga enorme lhes permite.

— Você não tem intuição? — sussurra no ouvido dela. — Não está prevendo nada dessa vez? Se vai ser menino ou menina?

Ela repousa a cabeça no peito do marido, próximo à abertura da camisa.

— Não — responde, dando-se conta do espanto na própria voz.

Foi uma surpresa não ser capaz de imaginar ou adivinhar o sexo do bebê que carrega. Não saber se é menino ou menina. Não recebeu nenhum sinal decisivo. Deixou cair uma faca da mesa outro dia e a faca caiu apontando para o fogo. Menina, então. Mais tarde no mesmo dia, porém, viu-se pondo na boca a polpa de uma maçã, ácida, agradavelmente crocante, e pensando: menino. Muito confuso. O cabelo anda seco e estala quando o escova, o que quer dizer menina, mas a pele está macia, as unhas, fortes, o que quer dizer menino. Um quero-quero macho cruzou seu caminho voando há poucos dias, mas, então, uma faisoa saiu piando dos arbustos.

— Não sei. E não entendo por quê. É...

— Não se preocupe — diz ele, colocando o rosto dela entre as mãos e erguendo-o de modo a poderem se fitar diretamente nos olhos. — Vai dar tudo certo.

Ela assente, abaixando o olhar.

— Você não disse sempre que teria dois filhos?

— Sim.

— Muito bem, então. Aqui — diz ele pousando uma das mãos em seu ventre — está o segundo. Pronto e aguardando. Vai dar tudo certo. Tenho certeza.

Ele a beija em cheio na boca, depois se afasta para encará-la. Agnes abre um sorriso e se pega torcendo para que alguns moradores estejam observando. Vejam, pensa, levando a mão ao rosto dele e tocando com os dedos o cabelo do marido. Ele a beija de novo, dessa vez mais longamente. Então suspira, com a mão na nuca da esposa e o rosto aninhado no pescoço dela.

— Eu não vou — sussurra o marido, mas ela sente a convicção e a veemência das palavras em sua boca, ao mesmo tempo que percebe como elas parecem incompatíveis com os sentimentos verdadeiros.

— Vai, sim — insiste.

— Não vou.

— Você tem que ir.

Ele suspira de novo, o ar indo ao encontro da touca engomada.

— Talvez eu não deva deixar você sozinha enquanto... Acho que talvez...

— É preciso — diz ela, tocando com os dedos a lona da sacola da qual sabe que o marido retirou algumas amostras de luvas que o pai lhe dera e as substituiu por livros e papéis. Dá um meio-sorriso irônico. Talvez ele se dê conta de que ela sabe disso, talvez não.

— Eu tenho sua mãe e sua irmã — prossegue, pressionando a sacola — e toda a sua família. Sem falar na minha. Você tem que ir. Você vai achar um novo lar para nós em Londres e vamos ficar com você assim que pudermos.

— Não sei — murmura ele. — Odeio deixar você aqui. E se eu fracassar?

— Fracassar?

— Se não arranjar emprego lá? E se não conseguir expandir os negócios? E se...

— Você não vai fracassar. Sei disso.

Ele franze o cenho e a encara com atenção.

— Você sabe? O que você sabe? Me diga. Tem alguma premonição? Você...

— Não importa o que eu sei. Você tem que ir.

Ela o empurra pelo peito, botando ar e espaço entre ambos, sentindo os braços dele escorregarem dos dela, desenredando os dois. O rosto do marido está contraído, tenso, inseguro. Ela sorri, respirando fundo.

— Não vou me despedir — diz Agnes, mantendo a voz inalterada.

— Nem eu.

— Não vou ficar vendo você se afastar.

— Vou andar de costas — retruca ele, retrocedendo — para continuar vendo você.

— Até Londres?

— Se preciso for.

Ela ri.

— Vai cair num buraco. Vai bater numa carroça.

— Paciência...

Ele dá alguns passos rápidos, agarra a esposa e a beija uma vez.

— Este é para você — diz, antes de beijá-la de novo. — Este é para Susanna. — E de novo: — E este é para o bebê.

— Pode deixar que eu entrego — promete Agnes, tentando manter o sorriso no rosto — quando chegar a hora. Agora vá.

— Estou indo — diz ele, afastando-se dela, mas ainda a encarando. — Não parece que estou partindo se eu caminhar assim.

Ela abana as mãos:

— Vá.

— Estou indo, mas estarei de volta num piscar de olhos para buscar vocês todos.

Agnes se vira antes que ele chegue à curva da estrada. Levará quatro dias para chegar a Londres, a menos que consiga uma carona com um fazendeiro disposto a levá-lo em sua carroça. Ela pode tê-lo encorajado a partir, mas não vai observá-lo enquanto vai embora.

Ela faz, mais devagar, o mesmo caminho da vinda. Como é estranho percorrer as mesmas ruas, a rota ao contrário; é como escrever em cima de palavras velhas, suas pernas funcionando como uma pena, voltando sobre o mesmo texto, reescrevendo, apagando. Separações são estranhas. Soa tão simples: um minuto atrás, quatro, cinco, ele estava ali, a seu lado; agora, ele se foi. Ela estava com ele; agora, está só. Sente-se exposta, com frio, despelada como uma cebola.

Lá está a banca por que passaram mais cedo, cheia de pilhas de panelas e serragem de cedro. Lá está a mulher que eles viram, ainda indecisa, segurando duas panelas, comparando-as. Como pode ela ainda estar ali, como pode ainda estar fazendo a mesma coisa, escolhendo uma panela, quando tamanha mudança, tamanha transformação aconteceu na vida de Agnes? Seu mundo foi partido em dois, e ali está o mesmo cão cochilando numa soleira.

Ali está uma jovem amarrando trouxas de roupas, exatamente o que fazia quando o casal passou. Ali está o vizinho deles, um homem de cabelo grisalho e um tom doentio na pele (ele não vai chegar ao fim do ano, pensa Agnes), cumprimentando-a com a cabeça solenemente ao passar. Será que ele não vê que a vida como ela a conhece acabou, que o marido se foi?

O bebê faz um movimento ligeiro, de acomodação, pressionando a mão ou o pé ou um ombro de encontro ao muro de pele. Ela pousa a mão nesse lugar — a mão de fora ao encontro da mão de dentro — como se nada tivesse mudado, como se o mundo continuasse exatamente como era antes.

A carta de Eliza é levada por um rapaz que mora numa das casas vizinhas: ele saiu ao acordar, caminhando pela Henley Street antes do raiar do sol, porque foi mandado pelo pai para ver uma vaca parindo no outro extremo do rio. Mary chamou-o da janela e lhe deu a carta com instruções para levá-la à estalagem, enfiando uma moeda na sua mão.

O garoto enfiou-a na manga, não sem antes examinar a caligrafia angulosa na parte da frente. Jamais aprendera a ler, motivo pelo qual as letras não fazem nenhum sentido para ele, mas, ainda assim, lhe agradam as volutas, as formas, o sombreamento escuro da tinta que lembram as marcas que os galhos deixam quando sacodem de encontro a uma vidraça coberta de gelo.

Ele a leva até a estalagem próxima à ponte, depois continua em seu caminho até a vaca, que ainda não pariu e o encara com olhos arregalados e, ao que parece ao rapaz, amedrontados, as mandíbulas ocupadas ruminando. Mais tarde na mesma manhã, o estalajadeiro a entrega, junto com outras, a um comerciante de grãos que está a caminho de Londres.

A carta de Eliza para o irmão viaja no alforje de couro do comerciante de grãos até Banbury. De lá, é levada de carroça para Stokenchurch, aterrissando à porta das acomodações do destinatário. O senhorio a examina, segurando-a contra a claridade do sol, que penetra enviesada no corredor. Ele enxerga mal. Vê o nome do inquilino, que viajou na véspera para Kent. Os teatros estão fechados por causa da peste, por ordem da corte, motivo pelo qual o inquilino e sua companhia de atores estão excursionando em cidades próximas, locais onde são permitidas aglomerações.

O senhorio precisa esperar a volta do filho, que foi tratar de algum negócio em Cheapside. Quando ele chega — mal-humorado, pois a pessoa que supostamente iria encontrar não apareceu e a chuva forte que caiu deixou-o ensopado —, várias horas se passam antes que providencie pena e tinta e pegue a carta que ficou sobre a lareira para, laboriosamente, com a língua para fora de um dos cantos da boca, escrever o endereço da hospedaria em Kent onde o inquilino os avisou que ficaria.

A carta, então, é passada de mão em mão, até chegar a uma estalagem na periferia da cidade, onde fica à espera de alguém a caminho de Kent — nesse caso, um homem que empurra uma carroça, na qual se encontram uma mulher, um cachorro e uma galinha.

Quando a carta o alcança, ele — inquilino, irmão, marido, pai e, aqui, ator — está de pé no auditório da guilda de uma cidadezinha na periferia de Kent. O auditório cheira a carne curada, a beterraba ensopada; há um amontoado de ferramentas de cultivo e embalagens num canto; nesgas estreitas de claridade penetram o espaço através de janelas altas e manchadas de mofo.

Ele contempla essas pálidas nesgas de claridade, pensando em como elas se encontram ao cruzar o auditório, criando arcos de luz, e como elas dão ao espaço toda uma sensação subaquática, como se ele e o restante da companhia fossem peixes nadando nas profundezas sombrias de um lago esverdeado.

Uma criança pequena — um menino, ele supõe — adentra o local, com a cabeça desnuda, roupa esfarrapada e aparência escrofulosa, e grita algo parecido com o seu nome numa voz assertiva, aguda, acenando com uma carta, como se agitasse uma bandeira.

— Sou eu — afirma ele, num tom cansado, estendendo a mão. Deve ser uma cobrança, uma reclamação, uma exigência de algum financiador. — Atenção — diz para os colegas, que vagam sem rumo no tablado, como se, pensa ele, não tivessem uma apresentação em menos de três horas, como se nada especial estivesse acontecendo ali naquele auditório poeirento. — Vocês precisam contar os passos da esquerda para a direita, assim — demonstra, dirigindo-se à criança descalça —, ou, do contrário, um de vocês cairá do palco em cima da plateia. O tablado é menor do que os outros a que estamos habituados, mas precisamos nos adaptar.

Ele para diante da criança, que tem o cabelo curiosamente descolorido e olhos bem apartados, além de uma ferida no lábio inferior. Tem também sujeira sob as unhas. Deve ter uns sete anos, talvez mais.

Arranca a carta da mão da criança.

— Para mim? — indaga, enfiando os dedos na bolsa e dela extraindo uma moeda. — Para você.

Ele atira a moeda para o ar entre ambos. Na mesma hora a criança se anima, o corpinho esquálido adquirindo vida.

Ele ri, dá meia-volta, rasgando o selo vermelho carimbado de forma meio torta com o sinete da família. Identifica a caligrafia da irmã antes de erguer a cabeça. No palco, o jovem se dirige retesado até o ator mais velho, evitando a beirada do tablado, como se o chão abaixo estivesse cheio de chumbo fervente.

— Santo Deus! — troveja ele, a voz chegando às escoras de madeira, à pele de gesso nas paredes. Ele sabe projetar a voz, sabe expandi-la de tal forma a se tornar o som de um gigante. Os atores congelam, boquiabertos. — Temos poucas horas antes que esse auditório se encha com os bons cidadãos de Kent. Vocês pretendem lhes dar um circo? É nossa intenção fazê-los rir ou encenar uma tragédia? Tomem tento, ou não teremos o que comer amanhã.

Ele estala a folha que segura de encontro ao ar, encara os atores um instante mais, para criar tensão. Parece funcionar. O jovem aparenta estar prestes a chorar, enganchando os dedos no figurino. Ele se vira para disfarçar o sorriso e depois volta a atenção para a carta.

"Querido irmão", lê. E "muito doente", e "sua filha". "Favor voltar" está escrito; "não resta a ela muitas horas".

De repente, sente que é quase impossível respirar. O ar no auditório é quente como uma fornalha, com partículas de joio. Sente o peito se esforçar para inspirar e expirar, mas lhe falta ar. Olha para a folha, lê as palavras uma, duas vezes. A alvura do papel parece pulsar, óbvia e brilhante num instante, para depois sumir por trás dos traços negros das letras. Brevemente vê a filha, o rosto erguido para ele, as mãos entrelaçadas, o olhar fixo no pai. Quer afrouxar a roupa, arrebentar os cordões que a amarram. Precisa sair, deixar esse lugar.

Segurando com força a carta, corre para a porta e joga o peso de encontro a ela. Do lado de fora, as cores lhe assaltam os olhos: o brilho lápis-lazúli do céu, o virulento verde da grama, os botões beges de uma árvore, o vestido cor-de-rosa de uma mulher que puxa um pangaré pela estrada. De cada flanco do animal pendem cestas trançadas. Fica imediatamente claro que uma das cestas é mais pesada do que a outra: as cestas são desiguais, fazendo um lado pender mais do que o outro.

Equilibre esse peso, quer gritar para ela, mais ou menos como gritou para os atores no auditório. Mas não tem fôlego para isso. Os pulmões ainda se esforçam para inspirar e expirar, o coração martela em seu peito, martela e hesita, martela de novo. A visão parece tremeluzir no canto dos olhos, os botões pálidos da árvore ondulando, como se os estivesse vendo através do calor de uma chama.

Muito doente, pensa, não resta a ela muitas horas.

Seu desejo é rasgar o céu, é arrancar cada botão daquela árvore, sua vontade é pegar um galho aceso e tocar a moça de rosa e seu pangaré precipício abaixo, simplesmente livrar-se de todos, tirar tudo do seu caminho. Tantos quilômetros, tanta estrada o separam da filha e restam tão poucas horas.

Tem consciência de que alguém colocou a mão em seu ombro, aproximou o rosto do seu. Outra mão agarra seu braço. Dois colegas estão ali, dizendo o que foi, o que aconteceu? Um deles, Heminge, tenta lhe arrancar da mão a carta, abrindo seus dedos, mas ele não a solta, não soltará. Pois se alguém mais ler essas palavras talvez elas se tornem reais, talvez se concretizem. Tenta se desvencilhar dos homens, de ambos, de todos, porque agora são mais atores, seus atores, a cercá-lo... Não sabe como, mas sente o chão áspero sob os joelhos e ouve a voz do amigo, Heminge, lendo em voz alta as palavras da carta. Mãos afagam seus ombros agora, está sendo ajudado a se levantar. Alguém diz a outro alguém para arranjar correndo um cavalo, qualquer cavalo, que é preciso fazê-lo chegar a Stratford o mais rápido possível. Vá, Heminge ordena ao jovem que nem faz tanto tempo o afligira com a possibilidade de cair do palco, vá buscar um cavalo.

O jovem sai correndo pela estrada, deixando um rastro de poeira, o figurino — uma coisa ridícula de brocado e veludo, criada para dar a ilusão de ser uma mulher no corpo do rapaz — ondulando à sua volta.

Ele observa o rapaz correr, espiando por entre o aglomerado de pernas que o cercam.

Próximo ao final da segunda gravidez de Agnes, Mary está vigilante. Não deixa a nora sozinha durante muito tempo. Vem notando que sua barriga fica cada vez maior, mais redonda do que parece possível. Já viu Agnes botando às escondidas algumas coisas numa sacola debaixo da mesa: panos, tesoura, barbante, amarrados de ervas e cascas secas. Sua aparência causa perplexidade, como se estivesse escondendo duas abóboras sob o vestido. Não sei como ela ainda consegue andar, comentou John certa noite em que os dois estavam deitados sob o cortinado da cama. Como ela consegue ficar em pé?

Mary fica de olho e instrui Eliza e a criada para que façam o mesmo. Não vai permitir que o neto — um menino, como todos esperam — nasça em meio às árvores, como a coitadinha da Susanna. Mas isso, tranquiliza-se quando pensa, foi antes que entendessem por completo as excentricidades e o jeito de Agnes.

— No minuto em que ela pedir a você que olhe a Susanna, no minuto que você perceber que ela está pegando a sacola, me avise — sibila Mary para a criada. — No mesmo instante, entendido?

A moça assente, de olhos esbugalhados.

—

Agnes está aquecendo mel no fogo, mel ao qual pretende misturar extrato de valeriana e tintura de morrião-branco. Mergulha uma colher e o puxa para um lado e depois para o outro, observando-o deslizar por cima e em torno do utensílio de madeira. O mel começa a se render ao fogo, a perder a consistência, a se desmanchar e liquefazer, mudando de um estado para outro. Ela pensa na carta do marido que chegou no início da semana. Pedira a Eliza que a lesse duas vezes e quer pedir que a cunhada a leia de novo hoje, assim que encontrá-la. Na carta, o marido conta a Agnes que fechou um contrato para fazer luvas para atores de um teatro. Agnes precisou pedir a Eliza que voltasse e lesse de novo essas palavras, para ter certeza de que as entendera, para apontá-las no papel de modo que pudesse reconhecê-las novamente mais tarde. Atores. Teatro. Luvas. Dessas luvas eles precisam, leu Eliza tropeçando, de cenho franzido, conforme identificava as palavras desconhecidas. Luvas compridas para lutas, luvas sofisticadas com joias e contas para reis e rainhas e cenas na corte, luvas macias para senhoras, mas de tamanho grande o suficiente para caberem nas mãos de jovens atores do sexo masculino.

Tanta coisa para registrar dessa carta. Agnes precisou de dias para absorver todos os detalhes; ruminou várias vezes as palavras mentalmente, traçou-as com um dedo e agora as conhece de cor. Joias e contas. Cenas na corte. As mãos de jovens atores do sexo masculino. E luvas macias para mulheres. Há algo na forma como ele escreveu tudo isso, tão minucioso quanto aos detalhes, na longa passagem sobre essas luvas para atores, que acendeu um alerta em Agnes. Ela ainda não sabe ao certo a que deve ficar alerta. A algum tipo de mudança nele? Para que tanta informação sobre algo tão trivial como um contrato de luvas? Não passa de um contrato como tantos outros. Por que, então, ela se sente como um animalzinho ouvindo um ruído distante?

Está se inclinando para pegar a tintura de morrião-branco e acrescentá-la ao mel, lentamente, gota a gota, quando sente uma contração estranha, porém familiar, no baixo-ventre. Um repuxar, um retesar: insistente, peculiar. Faz uma pausa. Não pode ser. Cedo demais. Resta ainda, no mínimo, mais uma lua cheia antes do nascimento do bebê. Deve ser alarme falso, um aviso do corpo sobre o que a espera. Ela se apruma, usando a lareira como apoio. A barriga está tão grande — tão maior do que da última vez — que Agnes corre o risco de perder o equilíbrio e cair nas chamas.

Agarra-se ao peitoril da lareira, observando com um distanciamento incomum as juntas dos dedos empalidecerem. O que está havendo? Ela pensara em recorrer a Eliza — hoje ou amanhã — para escrever ao marido lhe pedindo para voltar. Decidira que queria que ele estivesse a seu lado para o parto. Queria voltar a vê-lo de novo, pegar sua mão, antes de dar à luz esse filho. Quer olhar em seu rosto, descobrir o que está acontecendo na vida dele, indagar sobre essas luvas para reis e rainhas e atores. Ela quer, percebe ali, de pé junto à lareira, verificar se ele é o mesmo que sempre foi, se Londres não o terá deixado irreconhecível.

Ela respira fundo: o aroma doce e floral do mel, o odor acre da valeriana, o almiscarado ácido do morrião-branco. A dor, em vez de melhorar, aumenta. Agnes está ciente de que o centro do corpo se contrai, como se um anel de ferro o envolvesse. Essa dor não é alarme falso. Irá apertá-la e apertá-la até o corpo expelir o bebê. Pode levar horas, pode levar dias: ela descobre que não é capaz de prever. Agnes solta o ar, bem devagar, mantendo a mão no peitoril da lareira. Não esperava por isso. Não houve qualquer sinal.

Achara que daria tempo de avisá-lo. Errou. Está cedo demais. Disso ela sabe. No entanto, também sabe que não é possível discutir com uma dor igual a essa, ignorá-la.

Vira-se para examinar o cômodo. Tudo à volta parece de súbito diferente, como se lhe fosse desconhecido, como se ela não limpasse e lustrasse diariamente aquela mesa, aquelas cadeiras, não varresse as lajotas, não sacudisse a poeira do tapete de parede e do tapete do chão. Quem mora ali, nesse cômodo estreito, com janelas chumbadas e compridas prateleiras de panelas e pós? Quem botou aqueles galhos de aveleira num jarro, de modo que seus brotos fechados logo se abrissem dentro das folhas lustrosas e enrugadas?

As certezas a abandonaram. Nada é como ela imaginou que seria. Achou que tivesse mais tempo; achou que o bebê viria muito mais tarde, mas não será assim ao que parece. Ela, que sempre soube, sempre sentiu o que iria acontecer antes que acontecesse, que sempre se moveu com serenidade num mundo totalmente transparente, foi enredada, pega de surpresa. Como é possível?

Agnes toca a barriga, como que tentando se comunicar com a criança ali dentro. Muito bem, ela quer dizer, o que tem de ser será. Você será ouvido. Vou me preparar para você.

Precisa se apressar. Precisa sair dessa casa o mais rápido possível. Não dará à luz o bebê ali, debaixo desse teto. Mary está de olho, ela sabe. Terá de ser rápida, silenciosa, ardilosa. Terá de sair já.

A seu lado, Susanna está agachada no chão, segurando pela perna a boneca, exclamando para si mesma.

— Venha — pede Agnes, afetando um tom animado e estendendo a mão para a filha. — Vamos procurar Eliza?

Susanna, distraída na brincadeira com a boneca de cabeça para baixo, fica atônita ao ver a mão de um adulto alcançá-la lá de cima. Num instante, havia uma boneca e a boneca era uma pessoa capaz de voar, embora suas asas não pudessem ser vistas, e ela, Susanna, também sabia voar e ela e a boneca estavam voando no céu, entre os pássaros, acima das árvores. E agora isso: a mão de alguém.

Ergue o rosto e vê a mãe, inclinada sobre ela, vê o barrigão e o rosto lá em cima, dizendo alguma coisa sobre Eliza, sobre ir atrás dela.

O rosto de Susanna se fecha e ela franze o cenho.

— Não — responde, segurando com as duas mãos a perna da boneca.

— Por favor — pede a mãe, e sua voz não soa como de costume. Está meio aguda e apertada, como um vestido pequeno demais.

— Não — repete Susanna, com raiva agora, porque sua concentração na brincadeira está se esvaindo, sumindo, com toda essa conversa. — Não-não-não!

— Sim — diz Agnes, e Susanna se espanta ao sentir que a levantam, que o capacho da lareira cai no chão embaixo dela, as chamas se afastando enquanto a levam, sem cerimônia, para fora do cômodo, para longe da boneca, que também caiu no chão, que a fazem sair pela porta e passar pelo caminho que dá na lavanderia, onde a criada, de pé, esfrega alguma coisa numa tina.

— Tome — diz Agnes, passando a criança chorosa para o colo da moça. — Você pode levá-la para Eliza? — Inclina-se, então, e beija Susanna no rosto, depois na testa e novamente no rosto. — Desculpe, meu amor. Eu volto. Bem depressa.

Agnes refaz rápido, muito rápido, o caminho, chegando à própria casa precisamente quando vem a contração seguinte.

Agora não resta dúvida do que está acontecendo. Lembra-se de tudo que vivenciou da outra vez, salvo que tem algo diferente. É rápido, é cedo, é insistente. Não está onde precisa estar, na floresta, sozinha, com as árvores sobre a cabeça. Não está sozinha, continua ali, na cidade, na casa. Não há um minuto a perder. Ouve o próprio resfolegar. Agarra as costas de uma cadeira até a dor passar. Depois atravessa o aposento e chega até a mesa, onde deixou sua sacola.

Engancha os dedos na alça e chega à porta da frente em segundos, passando por ela e saindo para a rua. Quando vai fechá-la, aguça o ouvido e assente satisfeita: o choro de Susanna cessou, o que significa que deve estar junto à tia.

Está prestes a atravessar a rua, depois de se deter para deixar um cavalo passar, quando alguém surge a seu lado. É Gilbert, o cunhado, que sorri e indaga, erguendo as sobrancelhas:

— Está indo a algum lugar?

— Não — responde Agnes, o pânico latejando, como um pulso, na têmpora. Precisa chegar à floresta, tem que chegar. Se for obrigada a ficar aqui, ela não sabe o que há de acontecer. Tem um mau presságio. Algo dará errado. Tem absoluta certeza disso, embora seja incapaz de explicar. — Quer dizer, estou. Vou... — Tenta se concentrar em Gilbert, mas o rosto dele, a barba, tudo está borrado, indistinto. Volta mais uma vez a constatar com surpresa quanto ele é diferente do irmão. — Vou... — começa, olhando à volta, em busca de um destino plausível — ao padeiro.

Ele pega o cotovelo da cunhada:

— Vamos.

— Para onde?

— De volta para casa.

— Não — diz ela, libertando o cotovelo. — Não vou. Vou ao padeiro e você... Você precisa me largar. Não pode me deter.

— Posso, sim.

— Não, não pode.

A essa altura, Mary chega correndo, sem fôlego.

— Agnes — diz, pegando-lhe o outro braço —, você vai voltar para casa. Temos tudo pronto. Não se preocupe. — E, com o canto da boca, acrescenta para Gilbert: — Vá buscar a parteira.

— Não! — Agnes está gritando agora. — Me solte.

Como explicar a essas pessoas que ela não pode ficar ali? Que não pode dar à luz o bebê dessa forma? Como fazê-las entender o pavor que traz consigo desde que ouviu as palavras daquela carta?

Agnes é levada, meio carregada, meio arrastada, não para sua casinha estreita, mas para a dos sogros, passando pela porta ampla, pelo corredor e subindo a escada estreita. Uma porta é aberta e por ali ela passa, os tornozelos segurados juntos, como uma criminosa, como uma lunática.

Ouve uma voz dizendo não, não, não; sente uma dor se aproximando, assim como é possível sentir uma nuvem de chuva antes de vê-la. Quer ficar em pé, se agachar, de modo a estar preparada, pronta, capaz de ver acontecer, mas alguém pressiona seus ombros para que ela se deite na cama. Outra pessoa empurra sua testa. A parteira está presente e levanta as saias de Agnes, dizendo que precisa olhar, que os homens precisam sair, que apenas as mulheres podem ficar.

Tudo que Agnes deseja é o verde de uma floresta. Anseia pelo brocado vivo de luz na terra, pela sombra generosa de uma cobertura de folhas, pelo silêncio nem tão silencioso, pela clausura contínua de troncos sumindo na distância. Não dará à luz na floresta. Já não há mais tempo. As portas desta casa são demasiado numerosas, sabe disso.

Se ao menos o marido estivesse ali. Teria sido capaz de mantê-los a distância. Teria ouvido suas súplicas, com aquele jeito dele de se inclinar para alguém, como que sorvendo suas palavras. Teria garantido que ela chegasse à floresta, que não a obrigassem a entrar na casa. O que foi que ela fez? Por que o mandou embora? O que será deles, separados assim, ele negociando e barganhando rendimentos do teatro, fazendo luvas para as mãos de rapazes que se passam por mulheres, ela trancafiada nesse quarto, tão distante, sem ninguém para tomar seu partido? O que foi que ela fez?

Agnes empurra todos para longe e se levanta da cama. Caminha não por uma trilha sinuosa, errática em meio às árvores, mas de uma parede à outra e de volta. É difícil ordenar os pensamentos. Gostaria de ter um momento para si, sem dor, de modo a poder refletir claramente sobre tudo. Retorce as mãos. Pode ouvir a própria voz, ou a de outra pessoa, chorando por que fui fazer isso? Não sabe a que esse "isso" se refere. Esse quarto, ela sabe, foi onde o marido nasceu — e os cunhados e as cunhadas, mesmo as que morreram ainda pequenas. Ele respirou pela primeira vez ali, dentro daquele cortinado, perto daquela janela.

É com ele que ela fala, no interior da cabeça confusa, não é com as árvores, não é com a cruz mágica, não é com os desenhos e as marcas de líquen, nem mesmo com a mãe, que morreu dando à luz um filho. Por favor, pede ao marido, nas profundezas da sua mente, por favor, volte. Preciso de você. Por favor. Eu jamais deveria ter arquitetado a sua partida. Garanta que esta criança chegue em segurança; garanta que viva; garanta que eu sobreviva para cuidar dela. Faça com que nós duas superemos isto. Não me deixe morrer. Não me deixe terminar gelada e dura numa cama ensanguentada.

Tem algo errado, algo fora do lugar. Ela não sabe o quê. É como ouvir um instrumento com uma corda desafinada: a irritante sensação de que não deveria ser assim. Tudo acontece rápido demais, cedo demais. Ela não antecipou nada disso. Está no lugar errado.

Talvez não consiga. Talvez a mãe, nesse exato momento, a esteja chamando para aquele lugar do qual ninguém retorna.

A parteira e Mary a seguram agora, levando-a até um banco, mas esse banco não é adequado. De madeira encerada, enegrecido, ele tem três pernas esparramadas com uma bacia embaixo e sem assento — apenas um grande buraco em seu lugar. Agnes não gosta dele, não lhe agrada aquele assento ausente, aquela vacância, motivo pelo qual recua, tenta se desvencilhar. Não vai se sentar no banco preto.

A carta. O que havia de diferente naquela carta? Não foi a riqueza de detalhes, não foi a lista das luvas encomendadas que lhe chamaram a atenção. Terá sido a menção a luvas compridas para mulheres? Terá ficado incomodada, atiçada pela menção a mulheres? Acha que não. Foi a sensação que exalava do papel. A satisfação que emanava, como vapor, das palavras que ele escrevera. Soa errado os dois estarem tão distantes um do outro, tão separados. Enquanto ele decide o comprimento de luvas, como costurar as contas, que bordado melhor se adequará a um ator-rei, ela está nas garras da agonia e prestes a morrer.

Ela acha que vai morrer. Que outra razão pode haver para não ter tido qualquer sinal de que isso iria acontecer? Que ela vai morrer, fazer a passagem, deixar este mundo. Nunca mais verá o marido, nunca mais verá Susanna.

Agnes para, tomada por esse pressentimento. Nunca mais. Prepara-se, com as mãos espalmadas contra as tábuas do chão, as pernas dobradas de cada lado do corpo, agachada. Se a morte vier, que seja rápida, reza. Que a criança em seu ventre viva. Que o marido volte para perto dos filhos. Que ele sempre se lembre dela com carinho.

A parteira a puxa pela manga da camisa, mas Mary parece ter desistido de atraí-la para o banco. Agnes se recusa a sentar-se nele;

sente que Mary já percebeu a essa altura. Mary se senta no odioso banco e segura um pano de musselina, pronta para aparar o bebê.

O teatro, escreveu ele, fica num lugar chamado Shoreditch; Eliza precisou falar bem devagar a palavra, letra por letra, para captar o sentido. "Shore", dissera, e depois "ditch". "Shore-ditch?", repetiu Agnes. Margem-vala. Imaginou a margem de um rio, lodosa, enrugada, um lugar onde talvez crescessem lírios amarelos e pássaros tecessem seus ninhos, e, depois, uma vala, um buraco traiçoeiro, com água lamacenta no fundo. A primeira parte da palavra passava uma ideia lindamente sonora, a última, a de um lugar horrível. Como pode existir uma vala na margem de um rio? Começara a perguntar a Eliza, mas a cunhada continuara a ler, descrevendo uma peça a que o irmão assistira lá, sobre um duque invejoso e seus filhos desleais, enquanto esperava pelo homem que iria firmar o contrato das luvas.

A parteira bufa, ajoelhando-se no chão, ocupada com as saias e o avental, dizendo que vai cobrar mais, que os joelhos não estão aguentando a tarefa. Praticamente se deita no tapete para espiar entre as pernas de Agnes.

— Já está acabando — dá seu veredicto. — Empurre — instrui, com certa rispidez.

Mary pousa uma das mãos no ombro de Agnes e a outra em seu braço.

— Prontinho — sussurra —, falta pouco.

Agnes ouve a voz das duas a grande distância. Os pensamentos são breves agora, podados, reduzidos à essência. Marido, pensa. Luvas. Atores. Contas. Teatro. Duque invejoso. Morte. Pense com carinho. Consegue chegar à percepção, não em palavras, talvez, mas como uma sensação, de que o marido não está diferente na carta, mas de volta. De volta a si mesmo. Recuperado. Melhor. Regressado.

Observa, com uma fascinação desprendida, o topo de algo surgir entre as pernas. Inclina a cabeça, dobrada sobre si mesma, para ver uma cabeça saindo de dentro dela, um ser escorregadio como uma criatura aquosa, um ombro e depois as costas compridas. A parteira e Mary aparam o bebê, enquanto Mary diz é um menino, um menino, e Agnes vê o queixo do marido, a boca fazendo um biquinho; vê o cabelo louro do próprio pai, mais uma vez, crescendo acima da testa; vê os dedos longos, delicados, da mãe; vê, enfim, o filho.

—

Agnes e o menino estão na cama, o bebê mamando, com os punhos minúsculos possessivamente agarrando o peito da mãe. Ela o amamentará antes de qualquer coisa, antes de se lavar, afirmara. Insistiu para que o cordão umbilical fosse embrulhado num pano amarrado; ergueu a cabeça para observar Mary e a parteira cumprindo a tarefa. Diz que vai enterrar o cordão debaixo de uma árvore depois que a criança fizer um mês. A parteira está recolhendo seus instrumentos, fechando a sacola, dobrando um lençol, esvaziando uma bacia do lado de fora da janela. Mary está sentada na cama, dizendo a Agnes para deixá-la enfaixar o neném, é a coisa certa a fazer, que todos os seus bebês foram enfaixados. Veja, todos eles cresceram e se tornaram rapazes fortes, todos. E Eliza também, enquanto Agnes balança a cabeça. Ele não vai ser enfaixado e pronto, diz, e a parteira sorri para si mesma no canto do cômodo, porque assistiu Mary nos seus três últimos partos e a considerou muito mais arrogante e autoritária do que o necessário.

A parteira, enxugando uma tigela com um pano, precisa baixar a cabeça porque essa nora, uma moça esquisita sob todos os aspectos, é páreo para Mary, dá para ver. Apostaria todas as suas economias (escondidas numa jarra de barro atrás da argamassa da sua casa modesta, que nenhuma alma viva conhece) em que esse bebê não usará faixa alguma.

Algo a faz virar-se, com o pano molhado na mão. Mais tarde, quando contar essa história para umas doze ou mais pessoas da cidade, dirá que não sabe por que se virou: simplesmente fez isso. Faro de parteira, dirá depois, batendo com o dedo no nariz.

Agnes está sentada na cama, apertando com uma das mãos a barriga; com a outra ainda segura o bebê de encontro ao seio.

— O que foi? — pergunta Mary, se levantando.

Agnes balança a cabeça, depois se dobra novamente, com um gemido grave.

— Me dê o menino — diz Mary, estendendo os braços.

Tem uma expressão assustada, mas terna. Quer aquela criança, percebe a parteira, apesar de tudo, a despeito dos seus oito filhos, a despeito da idade. Quer aquele bebê, quer senti-lo de encontro ao corpo, segurar seu calor denso nos braços.

— Não — retruca Agnes, entre os dentes cerrados, o corpo curvado. Está confusa, tensa, amedrontada. — O que está havendo? — sussurra, na voz rouca e assustada de uma criança.

A parteira dá um passo à frente. Leva a mão à barriga da moça e aperta. Sente a pele se retesar, se contrair. Levanta as saias e espia. Lá está: a curva molhada de uma segunda cabeça. É inconfundível.

— Está começando de novo.

— Como assim? — pergunta Mary, com sua expressão levemente imperial.

— Ela está começando de novo — repete a parteira. — Vem mais um aí. Você está tendo gêmeos, minha filha — conclui com uma palmadinha na perna de Agnes.

Agnes recebe em silêncio a notícia. Torna a se deitar na cama, agarrada ao filho, exausta, as pernas sem força, a cabeça curvada.

O único sinal que dá das contrações é a palidez do rosto, uma crispação dos lábios. Permite que lhe tirem o bebê e o ponham no berço junto à lareira.

Mary e a parteira ficam de pé, cada uma de um lado da cama. Agnes as encara, com os olhos esbugalhados e vidrados, o rosto branco como cal. Ergue um dedo e aponta, primeiro para Mary e depois para a parteira.

— Vocês duas — diz Agnes, com a voz estrangulada.

— O que ela disse? — pergunta a parteira a Mary.

Mary balança a cabeça.

— Não entendi direito. — Dirige-se então à nora: — Agnes, venha para o banquinho. Está pronto. Está aqui. Vamos ajudar você. Chegou a hora.

Agnes é assaltada pela dor, o corpo se contorcendo para um lado e depois para o outro. Os dedos agarram o lençol, puxando-o do colchão e apertando o pano contra a boca. O grito que lhe escapa da garganta é rouco e abafado.

— Vocês duas — repete. — Sempre pensei que seriam os meus filhos, de pé junto à cama, mas afinal são vocês.

— O que foi isso? — pergunta a parteira, sumindo de novo sob a barra do vestido de Agnes.

— Não faço ideia — responde Mary, afetando uma animação que não sente.

— Ela está delirando — diz a parteira, dando de ombros. — Não sabe onde está. Acontece com algumas. Bom — prossegue, aprumando o corpo —, este bebê está vindo, precisamos tirá-la da cama.

As duas, cada uma pegando por baixo de um braço, põem Agnes de pé. Ela permite que ambas a levem da cama para o banco, no qual desaba sem sequer um murmúrio. Mary se posiciona às suas costas, sustentando o corpo inerte.

Passado um tempo, Agnes começa a falar, se é que se pode chamar assim os sons e palavras desconexas que emite:

— Eu nunca deveria... — sussurra, e sua voz não passa de um murmúrio sem fôlego — eu nunca deveria... Entendi errado... Ele não está aqui... Não posso...

— Pode — diz a parteira, de onde está, sentada no chão. — E vai.

— Não posso... — repete Agnes, agarrando o braço de Mary, o rosto molhado, os olhos esbugalhados, brilhantes, cegos, querendo fazer a sogra entender. — Minha mãe morreu... e... e eu o mandei embora... Não posso...

— Você... — começa a parteira, mas é interrompida por Mary.

— Cale a boca — intervém. — Faça o seu trabalho — diz, enquanto acaricia o rosto exangue de Agnes, a quem pergunta num sussurro: — O que foi?

Agnes a encara e seu olhar é suplicante, aterrorizado. Mary nunca viu essa expressão em seu rosto antes.

— É que... — murmura Agnes. — Fui eu... Fui eu quem o mandou embora... E depois minha mãe morreu.

— Sei que ela morreu — diz Mary, emocionada. — Mas você não vai morrer, tenho certeza. Você é forte.

— Ela... Ela era forte.

Mary agarra a mão da nora.

— Vai dar tudo certo, você vai ver.

— Mas o problema... — insiste Agnes — o problema... é que eu nunca deveria... Eu nunca deveria...

— O quê? O que você nunca deveria ter feito?

— Eu nunca deveria ter mandado que ele fosse... fosse para Londres. Nunca... Eu devia...

— Não foi você — diz Mary num tom tranquilizador. — Foi John.

A cabeça de Agnes, bambeando sobre o pescoço, se vira de súbito para encarar a sogra.

— Fui eu — murmura por entre os dentes cerrados.

— Foi John — repete Mary.

Agnes balança a cabeça.

— Não vou sobreviver — diz, sem fôlego. Agarra Mary pela mão, os dedos apertando com força a carne. — Você cuida deles? Você e Eliza? Por favor?

— Cuidar de quem?

— Das crianças. Por favor?

— Claro, mas...

— Não deixe a minha madrasta ficar com elas.

— Claro que não. Eu jamais...

— Joan não. Qualquer pessoa, menos Joan. Prometa. — Com expressão insana, exaurida, seus dedos pressionam com firmeza a mão de Mary. — Prometa que você vai cuidar deles.

— Prometo — confirma Mary, franzindo o cenho, fitando diretamente o rosto da nora. O que ela terá visto? O que sabe? Mary está gelada, desconcertada, arrepiada de pavor. Recusa-se, em geral, a acreditar no que dizem sobre Agnes, que ela é capaz de ver o futuro das pessoas, que sabe ler mãos, ou seja lá o que for que ela faz. Agora, porém, pela primeira vez, entende vagamente o significado dos comentários. Agnes é de outro mundo. Com certeza não pertence a este. Contudo, a ideia de Agnes morrer diante de seus olhos a enche de desespero. Não pode deixar que isso aconteça. O que diria ao filho?

— Prometo — repete, fitando a nora diretamente nos olhos. Agnes solta sua mão. Juntas, as duas baixam os olhos para o ventre proeminente, para os ombros da parteira.

O segundo parto é breve, rápido e difícil. As dores vêm agora sem intervalo, uma em cima da outra, e Mary percebe que Agnes, como um nadador se afogando, não consegue recuperar o fôlego entre as contrações. Seus gritos, já no fim, são entrecortados, roucos, desesperados. Mary a segura, o próprio rosto empapado de lágrimas. Começa a ensaiar, mentalmente, as palavras que dirá ao filho. Fizemos o melhor possível. Fizemos tudo que pudemos. No final, não conseguimos salvá-la.

Quando o bebê surge, fica claro para as três que a morte que temiam não era a de Agnes, afinal. O bebê está cinzento, com o cordão enrolado no pescoço.

Ninguém fala nada, enquanto a parteira puxa o bebê com uma das mãos e o ampara com a outra. Uma menina, com a metade do tamanho do irmão, e calada. Os olhos firmemente fechados, os punhos cerrados, os lábios contraídos, como se pedisse desculpas.

A parteira desenrola rápida e habilmente o cordão e vira a bonequinha de cabeça para baixo. Aplica uma palmada no bumbum, uma, duas vezes, mas sem resultado. Não há ruído, não há choro, não há sinal de vida. A parteira ergue a mão uma terceira vez.

— Basta — diz Agnes, estendendo os braços. — Deixe-me pegá-la.

A parteira resmunga que ela não deve ver o bebê. Que traz má sorte. É melhor que você não a veja. Diz que vai levar a menina embora e se assegurar de que tenha um enterro decente.

— Me dê a menina — diz Agnes, começando a se levantar do banco.

Mary se adianta e pega a criança do colo da parteira. O rosto é perfeito, pensa, a imagem do rosto do irmão — a mesma testa, a mesma linha do queixo, as mesmas bochechas. Tem cílios e unhas e está quente.

Mary entrega o corpinho para Agnes, que o aperta de encontro ao peito, sustentando a cabecinha com a palma da mão.

O quarto está em silêncio.

— Você teve um lindo menino — diz a parteira, passado um instante. — Vamos trazê-lo para cá para você amamentá-lo.

— Eu vou pegá-lo — diz Mary se dirigindo até o berço.

— Não, eu vou pegá-lo — diz a parteira, pondo-se na frente de Mary, cortando-lhe o caminho.

Aborrecida, Mary a empurra pelo ombro.

— Saia da minha frente. Eu vou pegar o meu neto.

— Senhora, preciso lhe dizer que... — A parteira não termina a frase, pois às costas de ambas ouve-se um choro agudo, que cresce em espiral.

As duas se viram ao mesmo tempo.

A criança nos braços de Agnes, a menina, está berrando, os bracinhos rígidos de indignação, o corpinho se tingindo de cor-de-rosa conforme ela inspira ar.

—

Dois bebês, então, não um. Agnes diz isso a si mesma, deitada na cama, o cortinado fechado como proteção contra as fortes correntes de ar.

Não se tem certeza, durante aquelas primeiras semanas, se a menina irá sobreviver. Agnes sabe disso. Sabe disso na mente, nos ossos, na pele, no fundo do coração. Sabe pela maneira como a sogra entra na ponta dos pés no quarto e espia as crianças, às vezes pousando rapidamente a mão no peito de ambas. Percebe pela forma como Mary insiste com John para levar as crianças para serem batizadas: ela e John as embrulham em vários cobertores e depois as cobrem de panos e correm ao encontro do padre. Mary irrompe em casa pouco depois, com a cara de uma mulher que fez uma corrida, que escapou de um inimigo, entregando a menorzinha à mãe, dizendo pronto. Foi feito. Aqui está ela.

Agnes não dorme, ao que parece. Não se levanta da cama. Nunca está com as mãos vazias. Um dos bebês, ou ambos, precisa de colo, sempre. Ela amamenta um, depois o outro, depois novamente o primeiro; amamenta os dois ao mesmo tempo, suas cabeças se encontrando no meio do peito, os corpinhos debaixo de cada um dos seus braços. Ela amamenta, amamenta sem parar.

O menino, Hamnet, é forte. Disso ela sabe desde o momento em que lhe pôs os olhos. Ele pega o seio com uma força decidida e confiante, sugando com enorme concentração. A menina, Judith, precisa ser estimulada. Às vezes, quando lhe abrem a boca e o bico do seio é introduzido ali, ela parece confusa, como se não soubesse o que fazer. Agnes precisa lhe acariciar o rosto, bater de leve em seu queixo, passar o dedo ao longo do maxilar para recordá-la de sugar, de engolir, de viver.

Por um bom tempo, o conceito de morte para Agnes toma a forma de um único quarto, iluminado de dentro, talvez no meio de uma charneca. Os vivos habitam o quarto; os mortos vagueiam do lado de fora, pressionando as palmas das mãos, o rosto e as pontas dos dedos de encontro à janela, desesperados para voltar, para alcançar sua gente. Alguns dos que se encontram dentro do quarto podem ouvir e ver os que estão fora; alguns podem falar através das paredes; a maioria não pode.

A ideia de que essa bebezinha possa ter de viver lá fora, na charneca fria e brumosa, sem a mãe, é impensável. Ela não a deixará passar para o outro lado. É sempre o gêmeo menor que é levado. Todo mundo sabe disso. Todo mundo, ela sente, está esperando, prendendo a respiração, que isso aconteça. Ela sabe que, para a filha, a porta de saída do quarto dos vivos está escancarada; sente a corrente de ar frio, fareja o ar gelado. Sabe que só lhe foi dado ter dois filhos, mas se recusa a aceitar isso. Ela diz isso para si mesma tarde da noite. Não deixará que aconteça; não hoje, não amanhã, nunca. Há de encontrar essa porta e fechá-la ruidosamente.

Agnes mantém os gêmeos consigo na cama, um de cada lado; enquanto um respira em seu ouvido, o outro respira no outro. Quando Hamnet ruidosamente acorda para mamar, ela desperta Judith. Mame, minha pequenina, sussurra para a filha, é hora de mamar.

Teme sua habilidade de prever o futuro. Lembra-se com uma nitidez gélida da imagem que teve de duas figuras ao pé da cama em que ela encontrará seu fim. Sabe, agora, que é possível, mais do que possível, que um dos filhos morra, porque isso acontece com as crianças o tempo todo. Mas se recusa a deixar. Não deixará. Instilará vida nessa criança, nessas crianças. Postar-se-á entre elas e a porta que leva ao lado de fora e ficará ali, arreganhando os dentes, bloqueando a passagem. Defenderá seus três bebês contra tudo que espreita além deste mundo. Não descansará, não dormirá, até saber que estão seguros. Há de empurrar para longe, lutar contra, desfazer o presságio que sempre teve quanto a ser mãe de dois filhos. Com certeza. Sabe que pode fazer isso.

Quando chega, por um instante o marido não a reconhece. Esperava encontrar a esposa bonita, de lábios carnudos, de pé diante de suas panelas e seus pilões, mas, em vez disso, ela o recebe prostrada na cama, magrinha, meio fora de si devido à privação de sono e à determinação e ao propósito único. Encontra uma mulher exaurida pela amamentação, com olheiras escuras, com uma expressão desesperada e focada. Encontra dois bebês com o mesmo rosto inescrutável, um deles com o dobro do tamanho do outro.

Ele os pega nas mãos; encara seus olhares firmes; contempla seus olhos idênticos; arruma-os, a cabeça de um alinhada com os pés do outro, nos joelhos; observa um deles botar o polegar do outro na boca e chupá-lo; vê que os dois viveram juntos antes de virem ao mundo. Toca com cada mão a cabeça de cada qual. Você, diz ele, e você.

Agnes percebe, a despeito da exaustão que a deixa zonza, mesmo antes que possa tomar a mão dele na sua, que ele encontrou, que assumiu, que habita agora a vida que nasceu para levar, o trabalho que lhe cabia fazer. É levada a sorrir, ali na cama, ao vê-lo tão imponente, o peito inflado, o rosto despido de preocupação e frustração, o aroma de satisfação que dele exala.

Os dois ainda acreditam, ali sentados juntos no quarto do parto, que ela logo se juntará a ele em Londres, que levará os três filhos para a cidade e todos morarão lá. Acreditam que não falta muito para que isso aconteça. Ela já planeja o que empacotar para a partida. Diz a Susanna que muito em breve morarão numa cidade grande, onde ela verá casas e barcos e ursos e palácios. Os bebês irão conosco?, pergunta Susanna, com um olhar de soslaio para o berço. Sim, responde Agnes, disfarçando o sorriso.

Ele já andou vendo casas; está economizando para comprar uma para a família. Já se imagina carregando Susanna nos ombros para contemplar o rio, levando todos ao teatro. Já imaginou seus novos amigos observando com inveja melancólica os olhos escuros da esposa e seus punhos esbeltos enluvados, o rosto bonito dos filhos. Imagina uma cozinha com dois berços, a esposa inclinada sobre o fogão, um quintal nos fundos onde podem criar galinhas ou coelhos. Serão só os cinco, talvez mais, no devido tempo: ele se permite esse pensamento. Ninguém mais. Nenhum parente na casa vizinha. Nenhum irmão ou pai ou mãe ou cunhado irrompendo porta adentro em horários inconvenientes. Ninguém. Apenas eles, essa cozinha, esses berços. Pode quase inspirar o odor dessa cozinha: a cera de abelha no tampo da mesa, o cheiro de leite azedo dos bebês, a goma da roupa limpa. A esposa cantarolando enquanto trabalha, os bebês gorgolejando e balbuciando. Susanna lá fora, no quintal, falando com os coelhos, examinando seus olhos aquosos, o pelo macio, e ele sentado na própria casa, cercado pela família, não apertado num quarto alugado, escrevendo cartas que levam quatro dias para chegar aos destinatários. Não mais levará essa vida dupla, essa existência dividida. Eles estarão lá com ele: precisará apenas levantar a cabeça para vê-los. Não mais estará sozinho na cidade grande: terá uma raiz mais profunda fincada lá, uma esposa, uma família, um lar. Com Agnes a seu lado, quem sabe o que poderá conquistar?

Nem ele nem a esposa, sentados naquele quarto com os bebezinhos, sabe que esse plano jamais se realizará. Ela jamais levará as crianças para Londres para viverem todos juntos. Ele jamais comprará uma casa na cidade grande.

A menina sobreviverá. Deixará de ser um bebê para ser uma criança, mas seu apego à vida continuará tênue, frágil, indefinido. Sofrerá convulsões, braços e pernas se agitando, febres, congestões no peito. A pele se encherá de brotoejas, os pulmões farão força para inspirar o ar. Quando os dois outros tiverem um resfriado, ela será acometida por um febrão. Quando eles tossirem, ela será devastada por chiados no peito.

Agnes adiará a partida para Londres alguns meses: até estar boa, pede a Eliza que escreva ao marido. Até a primavera. Até o calor do verão passar. Quando o outono ventoso acabar. Quando a neve derreter.

Judith tem dois anos, e a mãe fica acordada com ela a noite inteira, com tigelas fumegantes de pinha e cravo dentro do cortinado, para que ela consiga respirar, para que o arroxeado dos lábios suma e ela possa dormir. Logo fica evidente para todos que a mudança para Londres jamais acontecerá. A saúde da criança é demasiado frágil. Ela jamais sobreviveria na cidade.

O pai os visitará, durante a temporada da peste, quando os teatros estiverem fechados. Desistiu de vender luvas, de vender os produtos do pai, afastando-se por completo do negócio. Agora só trabalha nos teatros. Observa uma noite a esposa andar de um lado para outro com a menina, que está com um problema de estômago.

É uma criança extraordinariamente bonita, mesmo na visão de um observador indiferente, com olhos azul-claros e cachos macios, celestiais. Fixa o olhar, por cima do ombro da mãe, enquanto andam para lá e para cá, no pai. Lágrimas silenciosas deslizam pelas bochechas e ela agarra o vestido da mãe com ambas as mãos. Ele a encara de volta sem pestanejar. Pigarreia. Diz à esposa que resolveu não gastar o dinheiro economizado para comprar uma casa em Londres, mas, sim, para adquirir um pedaço de terra na periferia de Stratford. Renderá um bom aluguel, acrescenta. Fica de pé, como que pronto para assumir tal decisão, como que preparado para encarar esse novo futuro.

No quarto do parto, com os bebezinhos no colo, cada uma das mãos na cabeça de cada qual, ele diz a Agnes que acredita que a sua profecia sobre dois filhos seja falsa. Ou talvez fosse uma percepção da chegada dos gêmeos. Significava, afirma, ainda contemplando o par de filhos, que ela teria gêmeos. Susanna e depois os gêmeos.

A esposa se cala. Quando olha para a cama, ele vê que ela adormeceu, como se estivesse apenas esperando que ele chegasse, pegasse os bebês no colo e apoiasse suas cabecinhas nas palmas das mãos.

Agnes acorda assustada e ergue a cabeça, os lábios e a língua a meio caminho de formar uma palavra que não sabe dizer qual seria. Estava sonhando com o vento, com uma grande força invisível, puxando as roupas que veste, soprando pó e areia em seu rosto.

Baixa os olhos para se observar. Não está na cama, e sim meio sentada, meio jogada na beira de um catre, ainda de camisola. Segura um pano, úmido, amassado, aquecido no berço que a palma da sua mão provê. Por que o segura? Por que adormeceu assim, sentada?

A resposta lhe vem de repente, como se uma rajada de vento do seu sonho cruzasse o aposento. Judith, a febre, a noite.

Agnes se põe rapidamente de pé. Será que dormiu? Como pode ter dormido? Balança a cabeça uma, duas vezes, na tentativa de se livrar da sonolência, do sonho. O cômodo está na mais completa escuridão: é o momento mais profundo da noite, a hora mais letal. O fogo praticamente se apagou, restam apenas algumas brasas rubras; a vela derreteu. Apalpa à volta com desespero, às cegas; sente uma perna sob o lençol, um joelho, um tornozelo. Agnes apalpa mais acima e encontra um pulso e duas mãos entrelaçadas. A carne, sob seus dedos, está quente. O que, diz a si mesma, enquanto se vira e começa a remexer na arca em busca de uma vela, é bom, muito bom, porque significa que Judith ainda está viva.

É bom, está repetindo, é bom, enquanto pega o frio cilindro de cera de uma vela e aproxima seu pavio de uma brasa. Enquanto há vida, há esperança.

O fogo acende o pavio, a chama estremece, quase se apaga, mas depois ganha vida. Um círculo de claridade surge em torno do braço estendido de Agnes e se amplia, afastando a escuridão.

Lá está a lareira, o aparador acima dela. Lá estão o chinelo e o xale de Agnes caídos no chão. Lá está o catre e lá estão os pés de Judith, aparecendo meio fora do lençol; suas pernas, seus joelhos e seu rosto.

Agnes cobre a boca quando vê. A pele está tão pálida que mal tem cor; as pálpebras, semiabertas, deixam ver por baixo os olhos revirados. Os lábios, brancos e rachados, estão abertos e ela sorve minúsculas doses de ar.

Ainda com a mão cobrindo a boca, ela baixa os olhos para a filha. A parte de Agnes que já cuidou de doentes, de convalescentes, de gente fingindo doença, de enlutados, de loucos, pensa: Não vai demorar. A outra parte, a que embalou e vigiou e tomou conta e acariciou, que alimentou, vestiu, abraçou e beijou essa filha, pensa: Não pode ser, não pode acontecer, por favor, não com ela.

Agnes se inclina para tocar-lhe a testa, tomar-lhe o pulso, para tentar prover algum conforto, e, quando o faz, a vela mostra uma imagem tão peculiar, tão inesperada, que ela leva um instante para entender o que vê.

A primeira coisa que registra é que a mão de Judith não está, como achara a princípio, enlaçando a outra mão, mas, sim, entrelaçada à de outra pessoa. Tem alguém no catre com Judith, um outro corpo, uma outra — por mais estranho que pareça — Judith. São duas Judiths, deitadas juntas, defronte ao fogo moribundo.

Agnes pisca, espanta o torpor. Hamnet, é claro. Ele veio durante a noite e se enfiou no catre ao lado da sua gêmea. E ali está, num sono tranquilo e profundo junto a ela, segurando-lhe a mão.

Agnes observa a cena que a vela ilumina. Voltará, mais tarde, a pensar nesse momento e a se perguntar quando percebeu que o que via não era o que imaginara. Quando foi que notou? O que a alertou?

Ali está a filha, realmente muito doente, deitada de costas, o rosto empalidecido pela febre, e ali está o filho, aconchegado à irmã, com o braço à sua volta. No entanto, alguma coisa parece errada nesse braço. Agnes observa fixamente, hipnotizada. É o braço de Hamnet, mas, ao mesmo tempo, não é.

Agnes desvia o olhar para a mão que esse braço segura, a mão de Judith, e percebe que as unhas desta estão manchadas de alguma substância negra. Semelhante a tinta.

Desde quando, se indaga Agnes, Judith usa tinta?

Uma confusão estranha, enlouquecedora, surge dentro dela, como o zumbido de uma centena de abelhas. Avança para ambos e, enfiando a vela numa fenda do piso, põe as mãos sobre os filhos.

O filho, com uma cor saudável, está próximo ao fogo, e a filha, do outro lado do catre. Mas, no pescoço de Hamnet, seus dedos encontram a longa trança que pertence a Judith. E ali estão os pulsos de Hamnet, saindo da bata de Judith, com a cicatriz em formato de meia-lua criada por uma foice quando ele era pequeno. É o cabelo mais curto de Hamnet que está escuro com o suor da febre de Judith; é Judith quem dorme o sono sereno de uma pessoa saudável.

Agnes não consegue entender o que vê. Estará dormindo? Por acaso se trata de alguma aparição noturna? Arranca o lençol que os cobre e examina as duas crianças ali deitadas. Os pés da criança doente ocupam mais espaço no comprimento do colchão. A criança mais alta é a que está doente.

É Hamnet, não Judith.

Nesse momento, talvez sentindo o ar frio, os olhos do menor dos gêmeos se abrem e se fixam na mãe, de pé ao lado do catre com o lençol nas mãos.

— Mamãe? — chama a criança.

— Judith? — sussurra Agnes, porque ainda não acredita no que seus olhos lhe dizem.

— Sim — responde a criança.

—

Hamnet não tem como saber sobre o cavalo que foi alugado para o pai. Jamais saberá que o amigo do pai conseguiu uma égua para ele, um animal genioso, dono de um olhar ardente, um lombo musculoso e uma pelagem que brilha como castanha-da-índia.

Hamnet não faz ideia de que o pai esteja, agorinha mesmo, a caminho de casa na maior velocidade que lhe permite essa égua de maus bofes, parando apenas para beber água e comer o que consegue encontrar nos minutos parcos de que dispõe. De Tunbridge a Weybridge, depois rumo a Thame. Troca de cavalo em Banbury. Só pensa na filha, em como precisa encurtar os quilômetros entre ambos, em como precisa chegar em casa, tomá-la nos braços, olhá-la uma derradeira vez, antes que ela parta para aquele outro reino, antes que ela exale o último suspiro.

O filho, porém, não sabe nada disso. Ninguém sabe. Nem Susanna, que foi mandada para o jardim medicinal da mãe nos fundos da casa a fim de colher raízes de genciana e levístico para um emplastro. Nem Mary, que repreende a criada na cozinha, porque a moça passou a tarde chorando e se lamentando, pois quer ir para casa, precisa ver a mãe. Nem Eliza, que explica a uma mulher que apareceu procurando Agnes que ela não irá atendê-la hoje, nem amanhã, mas, quem sabe, na próxima semana. E nem a própria Agnes, agachada junto ao catre de costas para a janela.

Judith, a filha, sua filha, a que nasceu por último, está sentada numa cadeira. Agnes ainda não acredita. Seu rosto continua pálido, mas os olhos brilham, alertas. Está magra e fraca, mas abre a boca para tomar um caldo, fixa o olhar na mãe.

Agnes se parte ao meio, enquanto se senta ao lado do filho, apertando contra si o corpo que treme. A filha foi poupada; foi-lhes entregue de volta, mais uma vez. Mas em troca, ao que tudo indica, de que Hamnet seja levado.

Ela lhe deu um purgativo, alimentou-o de geleia de alecrim e menta. Deu-lhe tudo que dera a Judith, e mais. Pôs uma pedra com um buraco no meio debaixo do seu travesseiro. Várias horas antes, pedira a Mary que trouxesse o sapo e o amarrou com uma faixa de linho na barriga do menino.

Nada o trouxe de volta; nada disso melhorou seu estado. Ela sente que a esperança de que ele se recupere começa a abandoná-la, como a água que vaza de um balde furado. É uma tola, uma idiota cega, o pior tipo de imbecil. O tempo todo achara que precisava proteger Judith, quando o destinado a ser levado era Hamnet. Como o Destino pôde ser tão cruel a ponto de lhe preparar tamanha armadilha? A ponto de fazê-la se concentrar no filho errado para que pudesse estender o braço, num momento de distração, e lhe arrancar o outro?

Pensa em seu jardim, em suas prateleiras de pós, poções, folhas, líquidos, com incredulidade, com raiva. De que serviu tudo isso? Para que acumulou tudo isso? Todos esses anos cultivando, arrancando mato, podando e colhendo. Seu desejo é ir lá fora, arrancar aquelas plantas pela raiz e atirá-las no fogo. Ela é uma tola, uma inútil, uma boba orgulhosa. Como pôde um dia pensar que suas plantas dariam conta de uma coisa como essa?

O corpo do filho é um local de tortura, um inferno. Ele se torce, se contorce, se dobra, se retesa. Agnes o segura pelos ombros, aperta seu peito para mantê-lo imóvel. Não há, começa a ver, nada mais a fazer. Pode ficar ao lado dele, confortá-lo da melhor forma possível, mas essa peste é grande demais, forte demais, demasiado vil. É um inimigo poderoso demais para ela. Estendeu e apertou seus tentáculos para se apossar do corpo do seu filho e se recusa a libertá-lo. Tem um cheiro almiscarado, rançoso, salgado. Chegou a eles, pensa Agnes, vindo de muito longe, de um lugar de podridão, umidade e confinamento. Abriu um caminho devastador por entre humanos e animais e insetos; alimenta-se de dor, de infelicidade e de luto. É insaciável, irrefreável; o pior e mais negro tipo de mal.

Agnes não sai do lado do filho. Enxuga sua testa, os braços e as pernas com um pano úmido. Espalha sal na cama. Põe um ramalhete de valeriana e penas de cisne em seu peito, para lhe dar conforto, consolo. A febre de Hamnet só faz subir e os bubões vão ficando cada vez mais rijos. Agnes ergue a mão de Hamnet, que tem agora um sombrio tom azul-acinzentado na lateral, e a leva ao rosto. Tentaria de tudo, faria de tudo. Abriria as próprias veias, rasgaria o próprio corpo e daria ao filho seu sangue, seu coração, seus órgãos, se de alguma coisa adiantasse.

O corpo dele se cobre de suor, seus humores vazando pela pele, como na tentativa de esvaziar-se.

A cabeça de Hamnet, porém, está noutro lugar. Durante muito tempo pôde ouvir a mãe e as irmãs, a tia e a avó. Tinha consciência da presença delas à sua volta, lhe dando remédios, falando com ele, tocando sua pele. Agora, contudo, não há mais ninguém. Ele está no meio de uma paisagem que não reconhece. Faz frio e o silêncio paira no ar. Está sozinho. A neve cai, devagar, irrevogavelmente, sem parar. Se amontoa no solo à volta, cobrindo trilhas, pegadas e pedras; se acomoda pesadamente nos galhos das árvores, transformando tudo em alvura, desolação, inércia. O silêncio, o frio, a distinta claridade prateada da neve são mais do que reconfortantes para ele. Hamnet só deseja se deitar nessa neve, repousar; as pernas estão cansadas, os braços, doloridos. Deitar, se entregar, se esticar nesse alvo cobertor cintilante e espesso: que alívio isso lhe traria. Alguma coisa lhe diz que não deve se deitar, não deve ceder a esse desejo. Por que não? Por que não deveria descansar?

Do lado de fora do seu corpo, Agnes está falando. Está tentando aplicar o emplastro aos inchaços em seu pescoço e em suas axilas, mas ele treme tanto que a mistura não fica no lugar. A mãe diz seu nome vez após vez. Eliza pega Judith no colo e a leva agora para o lado oposto do aposento. Judith deixa escapar um ruído rouco e sibilante, enquanto resiste aos braços da tia. Quem, pensa Eliza, descreve o ato de morrer como "fazer a passagem" ou "ir em paz" jamais o testemunhou. A morte é violenta. A morte é uma luta. O corpo se agarra à vida, como hera a um muro, e não a larga com facilidade, não se desapega sem lutar.

Susanna observa o irmão convulsivo junto à lareira, observa a mãe mexendo em seus emplastros e bandagens inúteis. Tem vontade de arrancar essas coisas das suas mãos, atirá-las contra a parede e dizer chega, deixe o meu irmão em paz. Não está vendo que é tarde demais para isso? Susanna aperta com força as palmas das mãos contra os olhos. Não suporta mais ver, não aguenta.

Agnes está sussurrando por favor, Hamnet, por favor, não nos deixe, não vá. Junto à janela, Judith resiste, pede que seja deitada junto ao irmão no catre, diz que precisa dele, que precisa falar com ele, pede que a soltem. Eliza a segura, dizendo pronto, pronto, mas não faz ideia do que quer dizer com isso. Mary, de joelhos ao pé do catre, segura um dos tornozelos do neto. Susanna encosta a testa na parede de gesso e tapa os ouvidos com as mãos.

De repente, Hamnet para de tremer e um silêncio ensurdecedor se instala no aposento. O corpo fica subitamente imóvel, o olhar fixo em alguma coisa bem acima dele.

No lugar de neve e gelo, ele se deita no chão, permitindo que os joelhos se dobrem sob o corpo. Espalma primeiro uma das mãos, depois a outra, contra a pele gelada e cristalina da neve — e como ela é bem-vinda, como é perfeita, nem fria demais, nem dura demais. Ele se deita; pressiona a bochecha contra a maciez da neve. Sua alvura é cintilante, dói nos olhos, por isso ele os fecha, só um instante, só o bastante para poder descansar e reunir forças. Não vai dormir, não vai. Há de seguir em frente. Mas precisa descansar, só um minuto. Abre os olhos para se certificar de que o mundo ainda continua lá e depois deixa que eles se fechem. Por ora, apenas.

Eliza embala Judith, pondo a cabeça da criança sob o próprio queixo, e murmura uma prece. O rosto de Susanna está virado para o irmão, a bochecha molhada encostada à parede. Mary se benze e agarra o ombro de Agnes. Agnes se inclina e pousa os lábios na testa do filho.

E ali, junto ao fogo, nos braços da mãe, na sala onde aprendeu a engatinhar, a comer, a andar, a falar, Hamnet exala seu último suspiro.

Inspira, expira.

Então baixa o silêncio, a imobilidade. Nada mais.

II

Eu morro:
Mas tu vives;
... respira cansado mais um pouco
Para contares minha história

Hamlet, Ato 5, Cena II

Uma sala. Comprida e estreita, com faixas costuradas velando um espelho. Algumas pessoas estão de pé agrupadas próximo à janela, viradas umas para as outras, conferenciando. As janelas foram cobertas por panos, de modo que há pouca claridade, mas alguém entreabriu uma delas, somente uma fresta. Uma brisa atravessa o cômodo, alvoroçando o ar no interior, brincando com as tapeçarias das paredes, com a toalha da mesa, levando consigo o odor da rua, poeira da estrada de terra, a sugestão do aroma de uma torta sendo assada na vizinhança, o aroma edulcorado de maçãs caramelizadas. Vez por outra, as vozes dos que passam do lado de fora catapultam palavras estranhas para dentro, despidas de sentido, pequenas bolhas de som liberadas no silêncio.

Cadeiras foram arrumadas em volta da mesa. Flores enchem um vaso, suas pétalas abertas e o pólen salpicando a toalha. Um cão adormecido numa almofada acorda assustado, começa a lamber a pata, depois desiste e torna a cair no sono. Há uma jarra de água na mesa, ladeada por um punhado de copos. Ninguém bebe. As pessoas junto à janela continuam a conversar aos sussurros umas com as outras; alguém estende o braço e aperta a mão de outrem; essa pessoa inclina a cabeça, o topo alto e branco da touca revelando-se aos demais.

Elas lançam um olhar para o extremo do cômodo, onde fica a lareira, depois voltam a se encarar.

Uma porta foi retirada do batente e colocada sobre dois barris junto à lareira. Uma mulher está sentada ao lado, imóvel, encurvada, de cabeça baixa. Não é imediatamente aparente se ela sequer respira. O cabelo em desalinho lhe desce pelos ombros. Sob seu corpo curvado, os pés estão acomodados; os braços estendidos deixam o pescoço à mostra.

Diante dela repousa o corpo de uma criança, com os pés descalços expostos. As solas e as unhas ainda mostram a sujeira tão recentemente adquirida na vida: areia da estrada, terra do jardim, lama da margem do rio, onde ele nadou não faz nem uma semana com os amigos. Os braços estão alinhados ao corpo, a cabeça, levemente virada para a mãe. A pele já perdeu a aparência da dos vivos, tornando-se branca como pergaminho, rígida e encovada. Ainda veste a roupa de dormir. Os tios foram os encarregados de desmontar a porta e levá-la para a sala. Ergueram o menino, com delicadeza, muita delicadeza, com mãos cuidadosas e respiração contida, do catre onde ele morreu e o deitaram na dura superfície de madeira da porta.

O tio mais jovem, Edmond, chorou, as lágrimas borrando-lhe a visão, o que para ele foi um alívio, pois se deu conta de ser demasiado doloroso olhar para as feições imóveis do filho morto do irmão, uma criança que ele conheceu e com quem conviveu todos os dias da sua curta vida, uma criança a quem ele ensinou a aparar uma bola de madeira, a catar pulgas num cão, a talhar um cachimbo de um pé de bambu. O tio mais velho, Richard, não chorou: em vez disso, sua tristeza se transformou em raiva — raiva diante da tarefa sombria que lhes foi confiada, raiva do mundo, do Destino, do fato de uma criança poder cair doente e depois jazer ali morta. A raiva o fez brigar com Edmond, que lhe deu a impressão de não estar aguentando como devia o peso do menino nem segurando as pernas com a firmeza necessária — pelos joelhos e não pelos tornozelos —, de estar desempenhando mal a função, fazendo tudo errado.

Ambos os tios vão embora pouco tempo depois, trocando poucas palavras com os presentes na sala, encontrando desculpas no trabalho, em afazeres e lugares onde precisam estar.

Na sala, quase todos os presentes são mulheres: a avó do menino, a mulher do padeiro, que é madrinha do garoto, a tia dele. Todas fizeram tudo que podiam. Queimaram a cama e o colchão, a palha e os lençóis. Arejaram o cômodo. Puseram a gêmea do menino na cama no andar de cima, pois ela ainda está fraca, ainda não ficou de todo boa, embora esteja se recuperando bem. Limparam tudo, aspergindo água de lavanda e deixando entrar o ar. Trouxeram um lençol branco, linha grossa, agulhas pontiagudas. Disseram, com vozes respeitosas e tranquilas, que ajudariam com o preparo do corpo e ali ficaram, não irão embora, estão prontas para começar. O menino precisa ser preparado para o enterro: não há tempo a perder. A cidade decretou que qualquer um que morra da peste tem de ser enterrado rapidamente, antes que se complete um dia. As mulheres comunicaram isso à mãe, para o caso de ela não estar a par da ordem ou de tê-la esquecido devido ao luto. Deixaram tigelas de água quente e panos ao lado da mãe e agora pigarreiam.

Nada. Ela não reage. Não ergue a cabeça. Não ouve ou sequer aparenta escutar as sugestões para começar o preparo, a lavagem do corpo, a costura da mortalha. Não olha para as tigelas de água, deixando que esfriem a seu lado. Não lança um olhar sequer para o quadrado branco do lençol, impecavelmente dobrado, depositado ao pé da porta.

Apenas fica sentada, com a cabeça baixa, uma das mãos tocando os dedos inertes, dobrados, do menino e a outra lhe afagando o cabelo.

Na cabeça de Agnes, os pensamentos se ampliam e depois se encolhem, vez após vez. Ela pensa isso não pode acontecer, não pode, como haveremos de viver, o que faremos, como Judith vai aguentar, o que eu vou dizer aos outros, como poderemos seguir em frente, o que eu fiz, onde está meu marido, o que ele vai dizer, como eu poderia tê-lo salvado, por que não o salvei, por que não percebi que era ele quem corria perigo? Então, seu foco se estreita e ela pensa: ele está morto, está morto, está morto.

As três palavras não fazem sentido. Ela não consegue obrigar a mente a registrar seu significado. É uma ideia impossível a de que seu filho, seu menino, seu bebê, o mais saudável e mais robusto dos três, possa, em poucos dias, ter adoecido e morrido.

Como todas as mães, ela constantemente lança seus pensamentos, como linhas de pescar, em direção aos filhos, recordando-se de onde eles estão, o que andam fazendo, como se sentem. Por força do hábito, enquanto se senta junto à lareira, uma parte da sua mente monitora a localização dos três: Judith, lá em cima. Susanna, na casa vizinha. E Hamnet? Sua mente inconsciente lança a linha uma, duas, três vezes, surpresa porque a isca não é mordida, surpresa com a resposta que dá a si mesma: está morto, se foi. E Hamnet?, sua mente torna a perguntar. Na escola? Brincando lá no rio? E Hamnet? E Hamnet? Onde ele está?

Agnes tenta responder à própria pergunta: frio e sem vida nessa prancha, bem diante de você. Olhe, veja.

E Hamnet? Onde ele está?

De costas para a porta, ela encara a lareira, cheia de cinzas apenas, apoiadas na forma frágil da tora a que pertenceram.

Está ciente da chegada e da partida de pessoas pela porta que dá na rua e pela porta que dá no quintal. A sogra, Eliza, a mulher do padeiro, o vizinho, John, alguns outros que ela não identifica.

Essas pessoas falam com ela, que ouve suas palavras e vozes, quase sempre em forma de sussurros, mas não se vira para encará-las. Não ergue a cabeça. Essa gente, que entra e sai, enchendo seus ouvidos de frases e exclamações, nada tem a ver com ela. Nada oferecem que ela queira ou de que precise.

Uma de suas mãos repousa no cabelo do filho; a outra ainda segura seus dedos. Essas são as únicas partes dele que lhe são familiares, que ainda continuam iguais. Agnes se permite pensar nisso.

O corpo está diferente. Cada vez mais, à medida que o dia passa. É como se um vento forte — o vento do seu sonho, acredita ela — erguesse seu filho do solo, o atirasse de encontro a pedras, girasse seu corpo em volta de um rochedo e depois o pousasse novamente. Ele está maltratado, vilipendiado, marcado; a doença o destroçou. Por um tempo, após a morte, os hematomas e manchas negras se espalharam e aumentaram. Depois isso cessou. A pele adquiriu um sebo seroso, os ossos se destacando por baixo. O corte acima do olho, aquele cuja presença ela não sabe a que creditar, continua aberto e vermelho.

Ela fita o rosto do filho, o rosto que já pertenceu ao filho, o invólucro que abrigava sua mente, produzia sua fala, continha tudo que seus olhos viam. Os lábios estão secos, selados. Ela gostaria de umedecê-los, de permitir que se molhassem um pouco. As bochechas estão distendidas, encovadas pela febre. As pálpebras têm um delicado tom cinza-arroxeado, como as pétalas de flores do início da primavera. Ela mesma as fechou. Com as próprias mãos, com os próprios dedos, e como esses dedos lhe pareceram quentes e escorregadios, como foi dolorosa essa tarefa, como foi difícil pousar os dedos — trêmulos e úmidos — naquelas pálpebras tão amadas, pálpebras tão conhecidas que ela poderia desenhá-las de cor se lhe pusessem um pedaço de carvão na mão. Como alguém pode fechar os olhos de um filho morto? Como é possível encontrar duas moedas e pousá-las ali, nas cavidades oculares, para manter as pálpebras fechadas? Como alguém pode fazer isso? Não está certo. Não pode estar.

Ela segura a mão do menino na sua. O calor da própria pele aquece a dele. Ela quase consegue crer que a mão é a mesma de antes, que o filho ainda vive, se mantiver os olhos longe do rosto, daquele peito que não se ergue mais e da rigidez inexorável que invade o corpo imóvel. É preciso segurar com força essa mão. É preciso continuar tocando seu cabelo, que segue sendo como sempre foi: sedoso, macio, esfiapado nas extremidades que ele puxa quando está estudando.

Os dedos de Agnes pressionam o músculo entre o polegar e o indicador de Hamnet. Ela pressiona o músculo com delicadeza, num movimento circular, e aguarda, escuta, se concentra. Parece seu velho francelho, farejando o ar, aguçando o ouvido à espera de um sinal, de um som.

Nada. Nadinha. Ela jamais sentiu isso antes. Sempre há alguma coisa, mesmo quando se trata da mais misteriosa e introvertida das pessoas; com os próprios filhos, Agnes sempre sentiu um turbilhão de imagens, ruídos, segredos, informações. Susanna passou a entrelaçar as mãos nas costas quando a mãe está por perto, tamanha a ciência que tem de que Agnes pode descobrir o que quiser dessa forma.

Mas a mão de Hamnet está muda. Agnes espera; aguça os sentidos. Tenta ouvir o que possa estar sob o silêncio, por trás dele. Poderia haver um murmúrio distante, algum som, uma mensagem, talvez, do filho? Um sinal de onde ele está, um lugar onde encontrá-lo? Mas não há nada. Um ganido estrondoso de nada, como a ausência de ruído quando um sino de igreja se cala.

Alguém, ela percebe, se aproximou, se agachou e agora toca em seu braço. Ela não precisa olhar para saber que se trata de Bartholomew. A largura e o peso daquela mão. Os passos firmes e ruidosos, o aroma fresco de feno e lã.

O irmão toca em seu rosto seco. Chama seu nome uma, duas vezes. Fala que sente muito, que lhe dói o coração. Diz que ninguém esperava por isso. Que queria que tudo fosse diferente, que o sobrinho era o melhor dos meninos, o melhor dos melhores, que foi uma perda terrível. Pousa sua mão na dela.

— Vou tomar as providências — murmura. — Já mandei Richard à igreja. Ele vai cuidar para que tudo esteja preparado. — Bartholomew inspira e Agnes ouve, nesse suspiro, tudo que foi dito à sua volta. — As mulheres estão aqui para ajudar você.

Ela balança a cabeça, calada. Insere um único dedo no côncavo da palma da mão de Hamnet. Lembra-se de ter examinado essa mão e a de Judith quando ambos eram bebês, deitados juntos no berço. Havia desdobrado aqueles dedinhos e acompanhado as linhas das duas mãozinhas. Como lhe tinham parecido notáveis as dobras de ambas as mãos: precisamente como as dela, só que menores. A de Hamnet tinha um sulco profundo e definido atravessando-lhe a palma, como um risco de pincel, mostrando uma vida longa; a de Judith era pouco nítida, incerta, esvaindo-se depois para recomeçar noutro ponto. A visão a fizera franzir o cenho, a fizera levar os dedinhos dobrados aos lábios e beijá-los, repetidas vezes, com um amor feroz, quase furioso.

— Elas podem... — está dizendo Bartholomew — prepará-lo. Ou podem ficar a seu lado enquanto você faz isso. O que você preferir.

Agnes se mantém imóvel.

— Agnes...

Ela desdobra os dedos de Hamnet e examina-lhe a palma da mão. Os dedos não parecem mais rígidos do que antes, definitivamente. Lá está a longa e firme linha da vida, indo do pulso até a base dos dedos. É uma linha bonita, perfeita, um regato numa paisagem. Veja, quer dizer a Bartholomew, está vendo isto? Você pode explicar?

— Precisamos prepará-lo — diz Bartholomew, aumentando a pressão sobre a mão da irmã.

Ela cerra os lábios. Se estivessem sozinhos, Bartholomew e ela, talvez se arriscasse a deixar escapar algumas palavras que entalaram em sua garganta. Mas, no momento, com a sala cheia de gente calada, não é possível fazer isso.

— Ele precisa ser enterrado. Você sabe. A prefeitura virá buscá-lo se não o enterrarmos.

— Não, ainda não — insiste Agnes.

— Quando, então?

Ela baixa a cabeça e se vira novamente para o filho.

Bartholomew alterna o peso de um pé para o outro.

— Agnes — diz, em voz baixa de modo a evitar que alguém os ouça, embora todos estejam atentos, ela sabe. — É possível que a notícia não tenha chegado a ele. Ele viria se soubesse. Sei que viria. Mas não há de considerar errado irmos em frente. Há de entender que é necessário. O que precisamos fazer é mandar outra carta e nesse meio-tempo...

— Vamos esperar — Agnes se força a dizer. — Até amanhã. Pode avisar à prefeitura. E eu vou prepará-lo. Ninguém mais.

— Muito bem — retruca Bartholomew, levantando-se.

Ela o vê olhar para Hamnet, observa seus olhos viajarem dos pés descalços e enegrecidos do sobrinho até o rosto devastado. A boca do irmão se cerra numa linha fina e ele fecha os olhos um instante. Faz o sinal da cruz. Antes de se virar para partir, estende o braço e pousa a mão no peito do menino, logo acima do lugar onde seu coração costumava bater.

—

Uma tarefa a cumprir, e ela a cumprirá sozinha.

Aguarda até a noite, até todos terem ido embora, até a maioria estar dormindo.

Põe a água à sua direita e pinga algumas gotas de óleo nela. O óleo resiste, insiste em não se misturar à água, boiando, em vez disso, em círculos dourados na superfície. Ela mergulha e empapa o pano.

Começa pelo rosto. Hamnet tem uma testa larga e o cabelo cresce espetado. Ultimamente, começou a molhá-lo de manhã para tentar domá-lo, mas o cabelo não obedece. Ela o umedece agora, mas ele continua não obedecendo, mesmo na morte. Veja, diz ao filho, não se pode mudar o que recebemos, não podemos domar ou alterar o que nos cabe.

Ele não responde.

Ela molha as mãos na água e depois passa os dedos no cabelo dele, onde encontra alguns fios de linha, uma semente, uma folha de ameixeira. Tudo isso ela põe de lado, num prato: destroços do seu menino. Penteia com os dedos o cabelo até que fique limpo. Será que eu posso, pergunta a ele, pegar uma mecha para mim? Você se importa?

Ele não responde.

Ela pega uma faca, a que considera ótima para extrair caroços de frutas — comprada de uma cigana com quem cruzou certo dia no caminho —, e corta uma mecha de cabelo na parte de trás da cabeça. A faca corta com facilidade, como ela previra, a mecha que segura, louro-claro na extremidade, descorada pelo sol de verão, escurecendo até ficar quase castanha na raiz. Ela a pousa com cuidado ao lado do prato.

Enxuga a testa do filho, os olhos fechados, as bochechas, os lábios, a ferida aberta no supercílio. Limpa as dobras espiraladas de ambas as orelhas, a pele macia do pescoço. Lavaria o corpo dele da febre, arrancando-a da sua pele, se pudesse. A roupa de dormir precisa ser cortada, e ela recorre à faca da cigana para abri-la do peito até cada axila.

Está passando o pano com delicadeza, com toda a delicadeza do mundo, nas axilas inchadas e com hematomas quando Mary entra.

A sogra fica parada à porta, olhando para o neto. O rosto está molhado e os olhos, inchados.

— Vi a luz — diz ela com voz rouca. — Eu estava acordada.

Agnes faz um gesto indicando uma cadeira. Mary estava com ela quando Hamnet veio ao mundo; pode ficar para vê-lo partir.

A vela reluz com uma chama alta, iluminando o teto e deixando os cantos do aposento na sombra. Mary se senta na cadeira; Agnes pode ver a barra branca da sua camisola.

Mergulha o pano, limpa, mergulha de novo. Um movimento repetitivo. Passa os dedos na cicatriz no braço de Hamnet deixada pela queda de uma cerca em Hewlands; acaricia outra, enrugada, de uma mordida de cachorro numa festa da colheita. O terceiro dedo da mão direita ostenta um calo onde ele segura a pena para escrever. Na pele da barriga há pequenas depressões oriundas de uma erupção de pele na infância.

Agnes lava as pernas, os tornozelos, os pés. Mary pega a tigela, troca a água. Agnes lava novamente os pés e os enxuga.

As duas se entreolham um instante, então Mary pega o lençol dobrado, segurando um canto em cada mão. O lençol se desdobra, se abre como uma flor enorme de pétalas largas, e Agnes se vê diante dessa incrível amplidão cristalina e neutra. O brilho lembra o de uma estrela, inevitável, nesse cômodo escuro.

Ela pega o lençol. Pressiona o rosto de encontro a ele, que cheira a juníparo, cedro, sabão. O tecido é macio, envolvente, flexível.

Mary a ajuda a levantar as pernas de Hamnet, depois seu torso, para estender o lençol sob seu corpo.

Difícil enrolá-lo. Difícil erguer os cantos e cobri-lo, engolfá-lo em sua alvura. Difícil pensar, saber, que ela jamais voltará a ver esses braços, essas juntas, essas canelas, a unha do polegar, o calo, seu rosto, depois de hoje.

Ela não consegue cobri-lo na primeira vez. Não consegue na segunda. Pega o lençol, estende-o sobre o corpo, retira-o. Repete o gesto. Torna a retirá-lo. O menino está deitado, despido, lavado, no centro do lençol, as mãos postas sobre o peito, o queixo erguido, os olhos cerrados.

Agnes se inclina sobre a prancha de madeira, respirando rapidamente, as mãos agarrando o tecido.

Mary observa; se inclina sobre o corpo do neto para tocar a mão da nora.

Agnes olha para o filho. Para as costelas, para os dedos entrelaçados, os ossos redondos dos joelhos, o rosto imóvel, o cabelo cor de milho, que já secou, eriçado acima da testa, como sempre. Sua presença física sempre foi tão forte, tão marcante, ao contrário da de Judith. Agnes sempre soube quando ele entrava ou saía: aqueles inconfundíveis passos ruidosos, a passagem do ar, o baque surdo quando ele se sentava numa cadeira. Agora precisa abrir mão desse corpo, entregá-lo à terra, para jamais ser visto de novo.

— Não posso fazer isso.

Mary pega o lençol das mãos da nora. Com um lado cobre as pernas, com o outro cobre o peito. Uma parte de Agnes percebe, pela forma hábil como ela desempenha a tarefa, que a sogra já passou por isso antes, várias vezes.

Então, juntas, as duas estendem o braço para alcançar as vigas. Agnes escolhe arruda, confrei, camomila. Pega lavanda roxa e tomilho, um punhado de alecrim. Não amor-perfeito, porque Hamnet não gostava do cheiro. Nem angélica, porque é tarde demais para isso e ela não ajudou, não cumpriu seu papel, não o salvou, não eliminou a febre. Nem valeriana, pelo mesmo motivo. Nem cardo-mariano, porque as folhas são espinhosas e afiadas o bastante para ferir a pele e fazer brotar gotas de sangue.

Ela põe as plantas dentro do lençol, as acomoda junto ao corpo, onde haverão de sussurrar consolo em seus ouvidos.

Em seguida vem a agulha, enfiada com barbante grosso. Agnes começa pelos pés.

A agulha é pontiaguda; perfura o trançado do pano e sai do outro lado. Ela mantém os olhos no trabalho, a junção dos lados do lençol para formar uma mortalha. É uma marinheira costurando uma vela, preparando o barco que levará seu filho para o outro mundo.

Está nas canelas quando algo a faz erguer a cabeça. Uma figura está postada ao pé da escada. O coração de Agnes se aperta como um punho, ela quase grita. Você chegou, você voltou, mas então percebe que, na verdade, se trata de Judith. O mesmo rosto, mas este está vivo, abalado, trêmulo.

Mary se levanta da cadeira dizendo volte já para a cama, você precisa dormir, mas Agnes intervém: não, ela pode ficar.

Pousa a agulha com cuidado porque ela não pode espetá-lo, nem mesmo agora, e estende os braços. Judith se afasta da escada, entra na sala, se atira ao encontro da mãe, pressionando o rosto em seu avental, falando alguma coisa sobre filhotes e mais alguma coisa sobre doença, sobre troca de lugares, sobre se sentir culpada, antes que os soluços a assaltem, como um vendaval fustigando uma árvore.

Agnes lhe diz que ela não tem culpa, culpa alguma. A febre veio atrás dele e nada pôde ser feito. Que precisam aguentar essa dor da melhor forma possível. Então pergunta:

— Você quer vê-lo?

Mary arruma o lençol de modo a descobrir o rosto de Hamnet. Judith se posta a seu lado, baixando os olhos, as mãos erguidas e entrelaçadas. Sua expressão passa da descrença ao acanhamento, da compaixão ao luto e de volta à descrença.

— Oh! — exclama, respirando fundo. — É ele mesmo?

Agnes, de pé a seu lado, assente.

— Não parece ele.

Agnes torna a assentir.

— Sim, ele se foi.

— Foi para onde?

— Para... — Agnes tenta inspirar de modo a manter a voz firme — para o... para o Céu. E seu corpo ficou aqui. Temos que cuidar dele o melhor possível.

Judith estende a mão e toca a bochecha do irmão gêmeo. Lágrimas lhe escorrem pelo rosto, perseguindo umas às outras. Judith sempre verteu lágrimas enormes, como pérolas pesadas, em total desacordo com a delicadeza da sua figura. Balança a cabeça com força uma, duas vezes e depois pergunta:

— Ele nunca mais vai voltar?

E Agnes descobre que pode aguentar tudo, menos a dor da filha. Pode aguentar separação, doença, golpes, partos, privações, fome, injustiça, isolamento, mas não isto: a filha olhando para o irmão gêmeo morto. A filha soluçando pela perda do irmão. A filha destroçada pelo luto.

Pela primeira vez, as lágrimas enchem os olhos de Agnes. Sem aviso, lhe borram a visão, brotam e lhe descem pelo rosto, pelo pescoço, empapam seu avental, escorrem pela roupa e pela pele. Parecem vir não apenas dos olhos, mas de cada poro do corpo. Todo o seu ser anseia, chora, pelo filho, pelas filhas, pelo marido ausente, por todos eles, quando ela diz:

— Não, meu amor, ele nunca mais vai voltar.

—

A claridade leitosa, incerta, da aurora alcança o cômodo Agnes está dando os derradeiros pontos na mortalha, achegando-a aos ombros, arrumando as extremidades junto aos joelhos. Mary esvaziou as tigelas, torceu os panos, varreu as folhas e os botões espalhados no chão. Judith pressiona o queixo de encontro ao tecido próximo ao ombro do irmão. Susanna chegou da casa vizinha e agora está sentada ao lado da irmã, de cabeça baixa.

Com a ajuda de todas, ele foi preparado. Está limpo e pronto para o enterro, envolto em pano branco.

Agnes descobre que a mente refuga, como um cavalo diante de uma vala, quando pensa no túmulo. Pode pensar à frente, em acompanhá-lo até a igreja — Bartholomew e talvez Gilbert e John o levarão; pode visualizar o padre abençoando o corpo. Mas na descida à terra, a um poço negro, para jamais ser visto de novo, ela não consegue pensar. Não consegue imaginar. Não tem como permitir que isso aconteça a seu filho.

Ela está, pela terceira ou quarta vez, tentando enfiar o barbante na agulha — precisa unir o lençol sobre o rosto dele, precisa, isso tem de ser feito —, mas o barbante é mais grosso do que de hábito e se desfia, não entra no buraco da agulha, por mais vezes que insista. Está umedecendo a extremidade da boca, quando se ouve uma batida na porta.

Levanta a cabeça. Judith soluça, ergue o olhar. Mary, que está perto da lareira, se vira.

— Quem pode ser? — pergunta.

Agnes pousa a agulha. As quatro ficam de pé. Nova batida: uma série delas, fortes.

Por um instante ensandecida, Agnes acredita que alguma coisa veio à sua casa de novo para levar-lhe as outras filhas, para levar seu menino antes que ela esteja pronta, antes que ela termine de prepará-lo. É cedo demais para um visitante ou vizinho determinado a prestar condolências, ou para as autoridades municipais virem arrancar o defunto de casa. Só pode ser algum espectro, alguma assombração batendo na sua porta. Mas em busca de quem?

Mais uma vez, ouve-se o som: uma batida, outras tantas. A porta sacode no batente.

— Quem é? — grita Agnes, a voz mais destemida do que ela própria.

O ferrolho se levanta, a porta se escancara e ali, de repente, está seu marido, parado sob o lintel, prestes a entrar, as roupas e a cabeça encharcadas de chuva, o cabelo grudado no rosto insone, insano, a pele pálida.

— Cheguei tarde demais?

Então seu olhar cai sobre Judith, de pé junto à vela, e um sorriso ilumina suas feições cansadas.

— Você — diz ele, atravessando o cômodo numa passada e estendendo os braços. — Você está aqui, você está bem. Fiquei preocupado, não pude esperar. Vim assim que soube, mas agora...

Ele se interrompe, se cala. Viu a tábua de madeira, a mortalha, a figura embrulhada.

Olha à volta para as mulheres, uma a uma. O rosto está assustado, confuso. Agnes observa-o eliminar uma por uma. A esposa, a mãe, a primogênita, a caçula.

— Não — diz ele. — Não...? Acaso é...?

Agnes o encara e ele a encara de volta. Ela deseja mais do que tudo esticar esse momento, ampliar o tempo que precede a resposta, proteger o marido contra o que aconteceu tanto quanto possível. Então, assente com um único e rápido gesto de cabeça.

O som que vem dele é sufocado e contido, como o que emitiria um animal obrigado a suportar um peso enorme. É um ruído de descrença, de angústia, que Agnes jamais esquecerá. No final da vida, quando o marido já estiver morto há anos, ela será capaz de evocar o timbre e o tom exatos.

Ele atravessa rapidamente o aposento e remove o pano. Ali está, à sua frente, o rosto do filho, um lírio branco-azulado, os olhos cerrados, os lábios selados, como se o menino demonstrasse desagrado, indiferença pelo que ocorreu.

O pai pega o queixo do filho na mão em concha. Os dedos trêmulos traçam o ferimento no supercílio. Ele diz não, não, não. Diz Deus do céu. E então, se inclinando sobre o menino, sussurra:

— Como isso foi acontecer com você?

As mulheres o cercam, o abraçam, aconchegando-o.

—

Por conseguinte, é o pai que leva Hamnet para ser enterrado. Ergue a tábua de madeira em seus braços estendidos, o filho sobre ela embrulhado na mortalha branca, com flores e botões em torno do corpo.

Atrás dele segue Agnes, segurando a mão de Susanna de um lado e a de Judith do outro. Judith está no colo de Bartholomew, o rosto enterrado no pescoço do tio, suas lágrimas empapando-lhe a camisa. Mary e John, Eliza e os irmãos vêm depois, acompanhados de Joan, dos irmãos de Agnes, do padeiro e sua esposa.

O pai suporta o peso, sem ajuda, ao longo da Henley Street, lágrimas e suor lhe escorrendo pelo rosto. Próximo ao cruzamento, Edmond sai do cortejo fúnebre e se une ao irmão. Juntos, dividem o peso do morto, o pai na frente e Edmond atrás.

Os vizinhos, os moradores, os transeuntes cedem espaço ao ver a procissão silenciosa. Largam suas ferramentas, trouxas, cestas. Recuam para as margens das ruas abrindo caminho. Tiram os chapéus. Os que estão com crianças no colo as apertam mais ao verem o filho do luveiro passar com o menino morto. Muitos se benzem. Dizem palavras de conforto, expressam condolências. Fazem uma oração — pela criança, pela família, por si mesmos. Há os que choram. Há os que trocam sussurros sobre a família, sobre o luveiro, sobre a arrogância da esposa, sobre como todos sempre acharam que o filho do luveiro não daria em nada, já que sempre pareceu um perdulário, e agora olha só para ele: um homem importante em Londres, dizem, e lá vai ele, com suas mangas finamente bordadas e botas de couro lustrosas. Quem imaginaria? Será mesmo verdade que ele ganha todo esse dinheiro no teatro? Como é possível? Todos, porém, fitam com tristeza o corpo coberto, o rosto enlutado da mãe, caminhando entre as duas filhas.

Para Agnes, a caminhada até o cemitério é, ao mesmo tempo, lenta demais e demasiado rápida. Ela não tem forças para aguentar as fileiras e mais fileiras de olhos curiosos, violadores, registrando para sempre a imagem do corpo do filho envolto na mortalha em suas retinas, roubando dele essa essência. Essas pessoas o viam diariamente passar por suas portas, debaixo de suas janelas. Trocavam palavras com ele, apressando-o se estivesse atrasado para a escola. Ele brincava com os filhos delas, entrava e saía de suas casas e lojas. Levava recados para elas, fazia festa com seus cães, acariciava o pelo de seus gatos enquanto estes dormiam em parapeitos ensolarados. E agora suas vidas prosseguiriam, imutáveis, os cães continuariam a bocejar junto às lareiras, os filhos seguiriam cobrando o jantar, enquanto que ele não mais existe.

Por isso Agnes não consegue suportar seus olhares, não pode encará-los. Não quer essa solidariedade nem suas orações nem suas palavras murmuradas. Odeia a forma como as pessoas se afastam para deixá-los passar e depois, às suas costas, se reagrupam, apagando essa passagem, como se nada fosse, como se não tivesse existido. Ela deseja arranhar o chão, talvez com uma enxada, para marcar as ruas sob seus pés, de modo que haja para sempre um sinal, para que para sempre se saiba que Hamnet por ali passou. Que ele esteve ali.

Cedo demais, rápido demais, eles se aproximam do cemitério, passam pelo portão, caminham por entre os corredores de teixos, salpicados de frutinhos macios, escarlates.

O túmulo é um choque. Um rasgo profundo e escuro na terra, dando a impressão de ter sido aberto com um golpe descuidado de uma pata gigantesca. Fica no extremo do cemitério. Logo além, o rio faz uma curva lenta, ampla, desviando suas águas para outra direção. A superfície está opaca hoje, trançada como uma corda, correndo sempre em frente.

Como Hamnet teria gostado desse pedaço de terra. Ela se observa formulando esse pensamento. Se ele pudesse escolher, se estivesse ali, a seu lado, se ela pudesse lhe perguntar, com certeza o filho apontaria precisamente para aquele ponto: junto ao rio. Ele sempre foi amante de água. Ela sempre passou maus bocados para mantê-lo longe das margens cheias de algas, das frias bocas de poços, de ralos fedorentos, de poças de esterco. E, agora, ele há de ficar aqui, encerrado na terra para toda a eternidade, junto ao rio.

O pai está baixando o filho ao túmulo. Como pode fazer isso, como é possível? Ela sabe que tem de ser assim, que ele só está fazendo o que precisa ser feito, mas Agnes sente que jamais poderia desempenhar essa tarefa. Nunca, jamais, conseguiria entregar o corpo do filho à sepultura assim, sozinho, com frio, para ser coberto de terra. Agnes não consegue olhar, não pode olhar o marido com os braços retesados, o rosto contraído e molhado, Bartholomew e Edmond se adiantando para ajudá-lo. Alguém soluça ali perto. Será Eliza? Será a esposa de Bartholomew, que perdeu um filho não faz muito tempo? Judith choraminga e Susanna agarra sua mão, de modo que Agnes perde o instante, perde a chance de ver o filho, na mortalha que ela costurou para ele, desaparecer de vista, entrando na terra negra encharcada. Num momento estava ali; então, quando ela virou o rosto a fim de olhar para Judith, não estava mais. E jamais seria visto de novo.

É ainda mais difícil, descobre Agnes, sair do cemitério do que foi entrar nele. Tantos túmulos pelos quais passar, tantos fantasmas tristes e furiosos puxando-a pelas saias, tocando-a com dedos gélidos, querendo detê-la, insistentes, queixosos, dizendo não vá, espere por nós, não nos deixe aqui. Precisa apertar a barra da saia de encontro ao corpo, esconder as mãos em suas dobras. Outra ideia difícil também é que entrou nesse lugar com três filhos e sai dele com dois. Espera-se, diz a si mesma, que deixe um para trás, mas como pode fazer isso? Nesse lugar de espíritos uivantes e teixos chorões e mãos frias e invasivas?

O marido pega-lhe o braço quando chegam ao portão; ela se vira para olhá-lo e é como se nunca o tivesse visto antes, de tão estranhas, distorcidas e velhas parecem suas feições. Será a longa separação dos dois, o luto, serão todas as lágrimas?, pergunta-se, fitando-o. Quem é essa pessoa a seu lado, tomando-lhe o braço, aproximando-a de si? Dá para ver, em seu rosto, os contornos do rosto do filho morto, o formato da testa, mas só isso. Apenas vida, apenas sangue, apenas provas de um coração resiliente a pulsar, os olhos brilhando marejados, as bochechas coradas de emoção.

Ela está oca, seus contornos borrados e etéreos. Talvez se desintegre, se rompa, como uma gota caindo numa folha. Não pode deixar esse lugar, não pode atravessar esse portão. Não pode deixá-lo ali.

Estende o braço para a coluna de madeira do portão e a agarra com ambas as mãos. Tudo está destruído, mas agarrar-se a esse portão parece ser o melhor a fazer, a única coisa a fazer. Se puder ficar ali, com as filhas de um lado e o filho do outro, haverá de conseguir manter tudo em ordem.

São necessários o marido, o irmão e ambas as filhas para abrir seus dedos, afastá-la do portão.

—

Agnes é uma mulher em pedaços, e esses pedaços estão espalhados por todo lado. Não se surpreenderia se baixasse os olhos num dia qualquer e visse um dos pés num canto, um braço largado no chão, uma das mãos caída no corredor. Com as filhas dá-se o mesmo. O rosto de Susanna vive crispado, as sobrancelhas franzidas numa expressão que lembra raiva. Judith só chora, chora sem parar, silenciosamente; as lágrimas vazam dela e, ao que parece, jamais cessarão.

—

Como se haveria de saber que Hamnet era o alfinete que os prendia? Que sem ele todos se fragmentariam e desmontariam, como uma xícara quebrada no chão?

—

O marido, o pai, anda de um lado para outro no andar de baixo nessa primeira noite e na seguinte. Agnes escuta seus passos do quarto lá em cima. Não há outro som. Nem choro, nem soluços, nem suspiros. Apenas o arrastar dos pés inquietos, andando, andando, como alguém que tenta encontrar o caminho de volta para um lugar cujo mapa perdeu.

—

— Eu não percebi — sussurra ela, no espaço escuro entre ambos.

Ele vira a cabeça; ela não o vê fazer isso, mas ouve o farfalhar dos lençóis. O cortinado os envolve, a despeito do calor inclemente de verão.

— Ninguém percebeu — retruca ele.

— Mas *eu* não percebi — sussurra Agnes. — E deveria. Eu devia saber. Devia ter visto. Devia ter entendido que era uma armadilha terrível me fazer temer por Judith, enquanto o tempo todo...

— Chega — diz ele, virando-se e envolvendo-a com o braço. — Você fez tudo que podia. Nada que alguém fizesse poderia ter salvado Hamnet. Você tentou tudo e...

— Claro que tentei — sibila ela, de repente furiosa, sentando na cama, desvencilhando-se do abraço dele. — Eu teria arrancado o meu coração para dá-lo a ele, se adiantasse. Eu teria...

— Sei disso.

— Não sabe, não — revida Agnes, socando o colchão. — Você não estava aqui. Judith... — sussurra, as lágrimas lhe escorrendo dos olhos agora, descendo pelo rosto, molhando seu cabelo. — Judith estava tão mal. Eu... Eu fiquei tão atenta a ela que não consegui pensar em mais nada... Eu devia ter prestado atenção nele... Não previ o que ia acontecer... Sempre achei que seria ela que iria embora. Não acredito que fui tão cega, tão burra...

— Agnes, você fez tudo, tentou tudo — repete o marido, tentando fazê-la voltar a se deitar. — A doença foi muito violenta.

Ela resiste, dobrando-se sobre si mesma, envolvendo os joelhos com os braços.

— Você não estava aqui — repete.

—

Ele vai até a cidade, dois dias depois do enterro. Precisa falar com um homem que arrenda seus campos, precisa lembrá-lo da dívida.

Sai pela porta da frente e descobre que a rua está cheia de luz do sol, cheia de crianças. Caminhando, chamando umas às outras, segurando as mãos dos pais, rindo, chorando, dormindo num ombro, tendo os casacos abotoados por alguém.

É uma visão insuportável. A pele delas, o crânio, costelas, os olhos claros, bem abertos: como são frágeis. Vocês não veem?, tem vontade de gritar para as mães, para os pais. Como vocês deixam seus filhos saírem de casa?

Consegue chegar ao mercado, onde para. Dá meia-volta, ignorando os cumprimentos, a mão estendida de um primo, e volta para casa.

—

Em casa, Judith está sentada junto à porta dos fundos. Recebeu a incumbência de descascar uma cesta de maçãs. Ele se senta ao lado da filha. Passado um instante, enfia a mão na cesta e entrega a ela a maçã seguinte. Judith segura na mão esquerda — sempre na esquerda — uma faca com a qual descasca a fruta. A casca escorre da lâmina em longos caracóis verdes, como o cabelo de uma sereia.

—

Quando os gêmeos eram bem pequenos, talvez por volta do aniversário de um ano, ele se virara para a esposa e dissera: observe.

Agnes erguera a cabeça do trabalho.

Ele empurrara duas fatias de maçã na direção dos filhos por sobre a mesa. No mesmíssimo instante, Hamnet estendera a mão direita para pegar a maçã e Judith estendera a esquerda.

Sincronizadamente, ambos levaram as fatias de maçã à boca, Hamnet com a mão direita, Judith com a esquerda.

Pousaram, então, a fruta na mesa, como se tivessem trocado algum sinal silencioso, no mesmo instante, entreolhando-se depois, antes de tornarem a pegar seus pedaços, Judith com a mão esquerda, Hamnet com a direita.

É como um espelho, dissera ele. Ou os dois são uma só pessoa cortada ao meio.

As duas cabecinhas descobertas brilhavam como ouro enovelado.

—

Ele esbarra com o pai, John, no corredor, precisamente quando o pai está saindo da oficina.

Os dois homens param e se encaram.

O pai ergue uma das mãos para esfregar o queixo barbado. Seu pomo de Adão sobe e desce desconfortavelmente conforme ele engole. Depois faz um ruído a meio caminho entre um rosnado e uma tosse, se esquiva do filho e volta para a oficina.

—

Para onde quer que ele olhe: Hamnet. Com dois anos, agarrado à beirada do parapeito da janela, num esforço para ver a rua, o dedo esticado apontando para um cavalo que passa. Ainda bebê, dormindo com Judith num berço, acomodados como duas broas. Abrindo a porta com força exagerada ao voltar da escola e deixando uma marca no gesso que leva Mary a gritar e repreendê-lo. Pegando uma bola no ar, vez após vez, do lado de fora da janela. Levantando a cabeça do dever de casa para perguntar ao pai uma frase em grego, a bochecha manchada de giz no formato de uma vírgula, uma pausa. O som da sua voz, chamando do quintal, pedindo alguém pode vir aqui fora ver? Porque um pássaro caiu em cima de um porco.

E a esposa tão quieta, tão calada e pálida, a filha mais velha com raiva do mundo, atacando todos com uma língua viperina.

E a caçula, que não para de chorar; pousa a cabeça na mesa ou fica de pé junto a uma porta ou se deita na cama e soluça ininterruptamente até que ele ou a mãe, pondo os braços em torno de seus ombros, lhe implore para parar senão vai adoecer.

E o cheiro de couro, de curtume, de peles, de pelúcia chamuscada: ele não consegue evitar nada disso. Como pôde passar todos aqueles anos nessa casa? Percebe que agora não é capaz de respirar o ar amargo ali. As batidas na janela, os pedidos dos fregueses que querem comprar luvas, examiná-las, experimentá-las nas mãos, deliberar incessantemente sobre bordados, botões e rendas. A conversa contínua sobre este ou aquele comerciante, este ou aquele alvejador, fazendeiro, nobre, sobre o preço da seda, o custo da lã, quem frequenta ou não as reuniões da guilda, quem será o representante local da rainha no ano seguinte.

É intolerável. Tudo é intolerável. Ele sente como se tivesse sido apanhado numa teia de ausência, seus fios e tentáculos prestes a se grudarem nele, não importando a direção que tome. Ali está de novo, nessa cidade, nessa casa, e tudo isso o faz temer que jamais consiga escapar; esse luto, essa perda talvez o mantenham ali, talvez destruam tudo que construiu para si em Londres. Sua companhia mergulhará no caos e na desordem sem ele; perderá todo o dinheiro e se desfará; talvez encontrem outro para tomar seu lugar; não prepararão uma peça nova para a temporada seguinte ou o farão e ela será melhor do que qualquer coisa que ele possa escrever, e o nome dessa pessoa, e não o dele, constará dos cartazes, e ele será chutado, substituído, não mais bem-vindo. Talvez perca tudo que construiu lá. É tão tênue, tão frágil, a vida no teatro. Com frequência ele pensa que, mais que tudo, essa vida lembra os bordados nas luvas do pai: somente a beleza aparece, somente a parte menor, enquanto, por baixo, há um arcabouço de trabalho, talento, frustração e suor. Ele precisa estar lá, o tempo todo, para garantir que o que está por baixo aconteça, que siga o planejado. E anseia, é verdade, pelas quatro paredes das suas acomodações, onde jamais recebe alguém, onde jamais alguém o procura ou chama por ele, ou fala com ele, ou o incomoda, onde existe apenas uma arca, uma cama e uma escrivaninha. Em nenhum outro lugar ele consegue escapar do ruído, da vida e das pessoas à sua volta; em nenhum outro lugar, ele é capaz de deixar o mundo desaparecer, a noção de si mesmo se dissolver, de modo a ser apenas uma única mão, segurando uma pena molhada na tinta, e assistir enquanto as palavras escorrem dela. E conforme essas palavras surgem, uma após outra, lhe é possível distanciar-se de si mesmo e encontrar uma paz tão absorvente, tão reconfortante, tão particular e satisfatória que nada se iguala a ela.

Não pode abrir mão disso, não pode ficar aqui, nesta casa, nesta cidade, na periferia do negócio de luvas, nem mesmo pelo bem da esposa. Vê como pode ficar atolado em Stratford para sempre, uma criatura com a perna presa numa armadilha de ferro, com o pai na casa vizinha e seu filho, frio e deteriorado, debaixo da terra do cemitério.

—

Ele a procura e diz que precisa partir. Não pode ficar longe da companhia de teatro por muito tempo. Os colegas precisam dele: logo estarão de volta a Londres e precisam se preparar para a próxima temporada. Outros grupos teatrais vão adorar ver o deles fracassar; a concorrência, sobretudo no início da temporada, é feroz. Há muitas providências a tomar e ele precisa estar presente para garantir que tudo seja feito da maneira correta. Não pode delegar essa tarefa aos demais. Não tem em quem confiar. Precisa partir. Lamenta e espera que ela entenda.

Agnes nada diz enquanto ele faz o próprio discurso. Deixa que as palavras chovam sobre ela e a seu redor. Continua a despejar a lavagem de uma bacia no comedouro dos porcos. Uma tarefa tão simples: segurar uma bacia e despejar seu conteúdo. Nada mais lhe cabe senão ficar ali em pé, encostada ao muro do chiqueiro.

— Mando notícias — diz ele, atrás dela, e Agnes se assusta. Quase já tinha se esquecido da sua presença. O que foi mesmo que ele disse?

— Manda notícias? — repete. — Para quem?

— Para você.

— Para mim? Por quê? — Faz um gesto indicando a si mesma. — Estou aqui, na sua frente.

— Eu quis dizer que mando notícias quando chegar a Londres.

Agnes franze o cenho, deixando cair o restante da lavagem. Lembra, sim, de que minutos atrás ele estivera falando de Londres. Dos amigos que tem lá. "Providências" foi a palavra que usou, acha ela. E "partir".

— Londres?

— Preciso ir — responde ele, com um toque de irritação.

Ela quase sorri de tão ridícula e extravagante que lhe parece a ideia.

— Você não pode partir.

— Mas preciso.

— Mas não pode.

— Agnes — insiste ele, agora no auge da irritação. — O mundo não para. Tem gente me esperando. A temporada vai começar e a minha companhia vai voltar de Kent a qualquer momento e eu preciso...

— Como você pode pensar em partir — questiona ela, confusa. O que precisa dizer para fazê-lo entender? — Hamnet — fala, sentindo o formato redondo da palavra, do nome dele, dentro da boca, no formato de uma pera madura. — Hamnet morreu.

As palavras o fazem se encolher. Não pode encará-la depois de ouvi-las; baixa a cabeça, de olhos fixos nos sapatos.

Para ela é simples. O menino, o filho deles, está morto, ainda nem esfriou no túmulo. Não haverá partida. Haverá permanência. Haverá portas fechadas, os quatro se aproximando, como dançarinos no final de um minueto. Ele permanecerá aqui, com ela, com Judith, com Susanna. Como é possível falar de partida? Não faz sentido.

Ela segue o olhar do marido, fixo nos sapatos, e vê ali, ao lado dos pés, a sacola. Está inchada, cheia, como o ventre de uma grávida.

Aponta para ela, muda, incapaz de falar.

— Eu preciso ir... Agora — murmura ele, tropeçando nas palavras, esse marido que sempre fala de um jeito que lembra um córrego ligeiro e cristalino correndo por um leito de seixos. — Tem um... Tem um grupo de comerciantes partindo hoje para Londres... Eles me ofereceram um cavalo. É... Eu preciso... Quer dizer, preciso me despedir de você... Eu acho, ou melhor, eu vou...

— Você está partindo agora? Hoje? — Ela se mostra incrédula, virando-se para encará-lo. — Precisamos de você aqui.

— O grupo de comerciantes... Eu... Não posso pedir que me esperem... É uma boa oportunidade... Assim não preciso viajar sozinho. Você não gosta que eu faça essa viagem sozinho, lembra? Você mesma disse isso... Várias vezes...

— Você pretende partir agora?

Ele pega das mãos dela a bacia de lavagem e a pousa no muro, tomando-lhe ambas as mãos nas suas.

— Muita gente depende de mim em Londres. Tenho a obrigação de voltar. Simplesmente não posso abandonar esses homens que...

— Mas pode nos abandonar?

— Não, claro que não. Eu...

Ela aproxima o rosto do dele:

— Por que você vai embora? — sibila.

Ele desvia o olhar, mas não solta as mãos dela.

— Eu já disse — sussurra. — A companhia, os outros atores, eu...

— Por quê? — questiona ela. — É o seu pai? Aconteceu alguma coisa? Me diga.

— Não há nada a dizer.

— Não acredito em você.

Ela tenta libertar as mãos, mas ele não permite. Ela torce o pulso para um lado e depois para o outro.

— Você fala da sua companhia — insiste, atirando as palavras no espaço entre os dois, tão estreito que cada um respira o ar que o outro expira —, você fala da sua temporada e das suas providências, mas nada disso é o motivo real.

Ela luta para libertar as mãos, os dedos, de modo a poder segurar a mão dele; ele sabe disso e não vai permitir. O fato de ser impedida a deixa furiosa, exasperada, assaltada por uma fúria que jamais sentiu desde criança.

— Não importa — diz, meio sem fôlego, enquanto os dois lutam, ao lado dos porcos esfomeados. — Eu sei. Você foi seduzido por aquele lugar, como um peixe fisgado.

— Que lugar? Londres?

— Não, o lugar na sua cabeça. Eu o vi uma vez, faz muito tempo, todo um país, uma paisagem. Você foi para esse lugar e ele agora é mais real para você do que qualquer outro. Nada pode manter você longe dele. Nem mesmo a morte do próprio filho. Estou vendo — diz ela, enquanto ele lhe prende os dois pulsos com uma única mão, inclinando-se para pegar a sacola a seus pés com a outra. — Não pense que eu não vejo.

Somente depois de pendurar a sacola no ombro ele a liberta. Ela balança as próprias mãos, os pulsos doloridos e vermelhos, esfrega os dedos nas marcas deixadas por ele.

Ele respira afogueado, de pé, a dois passos dela. Amassa o chapéu nas mãos, evitando encará-la.

— Você não vai se despedir de mim? — indaga Agnes. — Vai virar as costas sem se despedir de mim? Da mulher que pariu seus filhos? Que cuidou do seu filho até seu último suspiro? Que o preparou para ser enterrado? Você vai me virar as costas sem dizer uma palavra?

— Cuide das meninas. — É tudo que ele diz, e isso fere como a picada fina, mas afiada, de uma agulha. — Mando notícias — repete. — E espero voltar antes do Natal.

Agnes vira as costas para ele e se volta para os porcos. Vê seus pelos eriçados, as orelhas de abano, ouve seus grunhidos satisfeitos.

De repente, ele surge por trás dela. Seus braços lhe envolvem a cintura, a viram para si e a puxam de encontro ao peito. As cabeças de ambos estão próximas: ela sente o odor do couro das luvas do marido, o sabor salgado de suas lágrimas. Ficam assim, juntos, como um único ser, um instante, e ela sente a atração de sempre, a atração que sempre sentiu, como se existisse uma corda invisível ligando seu coração ao dele. Nosso menino era feito, ela pensa, de nós dois. Os dois o fizeram juntos; os dois o enterraram juntos. Ele jamais há de voltar. Uma parte dela gostaria de retroceder no tempo, enrolá-lo como lã num carretel. Gostaria de desenrolá-lo ao contrário, desenrolar a meada desde a morte de Hamnet, voltando à sua infância, a quando era bebê, ao parto, até o momento lá atrás em que ela e o marido se uniram naquela cama para gerar os gêmeos. Gostaria de desmanchar o rolo todo, devolvê-lo ao estágio de lã sem trato, descobrir o caminho de volta àquele momento e, então, ficar de pé, erguer o rosto para as estrelas, para o céu, para a lua e implorar-lhes que mudassem o que havia à espera do filho, pedir-lhes que encontrassem um desfecho diferente para ele, por favor, por favor. Faria qualquer coisa para tanto, daria qualquer coisa, entregaria o que quer que os céus exigissem.

O marido a segura bem próximo a si, enquanto ela o envolve com ambos os braços, a despeito de tudo, como fez naquela noite com o próprio corpo encaixado no dele. Ele inspira e expira, junto ao lado curvo da touca, como se fosse falar, no entanto, ela não quer as palavras, não precisa das palavras. Vê, por cima do ombro do marido, a sacola de viagem, no chão a seus pés.

Não há como voltar atrás. Não há como desfazer o que foi estipulado para todos. O filho se foi e o marido vai partir e ela ficará e os porcos terão de ser alimentados todos os dias e o tempo corre numa única direção.

— Vá, então — diz, afastando-se dele, empurrando-o —, já que é para ir. Volte quando puder.

—

Ela descobre que é possível chorar o dia todo e a noite toda. Descobre que há muitas formas diferentes de chorar: o brusco surto de lágrimas, os soluços profundos, devastadores, o brotar mudo e incessante de água nos olhos. Que a pele ferida em torno dos olhos pode ser tratada com óleo em que se instila tintura de eufrásia e camomila. Que é possível consolar as filhas falando sobre lugares no céu e felicidade eterna e que todos voltarão a se encontrar depois da morte e ele estará lá a esperá-los, embora não acredite em nada disso. Que nem sempre se sabe o que dizer a uma mulher que perdeu um filho. Que alguns atravessam a rua a fim de evitá-la simplesmente por causa disso. Que pessoas que não eram consideradas amigas próximas se apresentam, sem aviso, para ajudar, com pães e bolos deixados à porta, uma palavra gentil e adequada na saída da igreja, um afago no cabelo de Judith e um carinho no rosto lívido.

—

É difícil saber o que fazer com as roupas dele.

Durante semanas, Agnes não consegue tirá-las da cadeira em que ele as deixou antes de se deitar.

Cerca de um mês depois do enterro do filho, ela pega a calça, mas volta a largá-la no mesmo lugar. Passa os dedos no colarinho da camisa. Empurra o bico da bota a fim de alinhar o par lado a lado.

Então enterra o rosto na camisa; aperta a calça junto ao coração; enfia a mão em cada bota, sentindo a ausência dos pés dele; amarra e desamarra as golas; abotoa e desabotoa botões. Dobra as roupas, desdobra, volta a dobrar.

Enquanto o tecido lhe escorre entre os dedos, enquanto ela junta costura com costura, enquanto desamassa as rugas, seu corpo recorda essas tarefas, levando-a de volta ao antes. Dobrando as roupas do filho, cuidando delas, inspirando o aroma dele, quase consegue se convencer de que ele continua vivo, acabando de se vestir, que entrará pela porta a qualquer momento, perguntando cadê as minhas meias, onde está minha camisa?, preocupado em não se atrasar para a escola.

—

Ela, Judith e Susanna dormem juntas na cama de dossel, sem questionamentos a respeito: a cama das meninas não é retirada do cômodo, mas não é usada. Ela fecha o cortinado bem fechado em volta das três. Diz a si mesma que nada pode alcançá-las, nada entrará pela janela ou descerá pela chaminé. Passa a maior parte da noite acordada, de ouvido atento às batidas e aos lamentos de maus espíritos tentando achar uma maneira de entrar. Envolve com os braços as filhas adormecidas. Acorda com frequência durante a noite para checar se estão com febre, com inchaços, com colorações estranhas na pele. Muda de lado, de vez em quando, ao longo da noite, de modo a ficar entre Judith e o mundo exterior e depois na posição semelhante em relação a Susanna. Ficará alerta. Nada virá para levar suas filhas. Nunca mais.

—

Susanna avisa que vai passar a noite na casa vizinha, com os avós. Não consigo dormir aqui, diz, evitando o olhar da mãe. Você se mexe demais.

Pega a touca de dormir, a camisola e sai do quarto, a saia arrastando a poeira que cobre o chão.

—

Agnes não vê sentido em varrer o chão. Ele vai ficar sujo de novo. Preparar comida também parece igualmente inútil. Ela prepara, todos comem e depois, mais tarde, comem mais.

—

As meninas fazem as refeições na casa vizinha; Agnes não ergue um dedo para impedir.

—

Caminhar ao lado da sepultura do filho todo domingo é, ao mesmo tempo, doloroso e prazeroso. Ela quer deitar-se ali para que seu corpo a cubra. Quer cavar a terra com as próprias mãos. Quer açoitá-la com um galho de árvore. Quer construir uma estrutura sobre o túmulo, para protegê-lo do vento e da chuva. Talvez acabe indo morar ali, com ele.

—

Deus precisava dele, lhe disse o padre, pegando-lhe a mão um dia após a missa.

Ela se vira para encará-lo, quase rosnando, impelida pelo impulso de agredi-lo. Eu precisava dele, tem vontade de responder, e o seu Deus podia ter esperado.

Não diz nada. Pega as filhas pelo braço e vai embora.

Agnes sonha que está nos campos em Hewlands. Cai a tarde e a terra está nua e profundamente escavada. À sua frente está a mãe, que se inclina e depois se empertiga. Quando chega mais perto, Agnes percebe que a mãe semeia na terra dentinhos alvos como pérolas. A mãe não se vira nem se detém ante a aproximação de Agnes, simplesmente sorri e depois continua a deixar cair dentes de leite na terra, um atrás do outro.

—

O verão é uma agonia. As longas noites, o ar quente entrando pelas janelas, o lento correr do rio através da cidade, os gritos das crianças brincando até tarde na rua, os cavalos espantando as moscas de seus flancos, os arbustos carregados de flores e frutos.

Agnes tem vontade de arrancar tudo, rasgar tudo, atirar tudo para o vento.

—

O outono, quando chega, também é terrível. A natureza cortante do ar, cedinho de manhã. A bruma cobrindo o quintal. As galinhas ciscando e cacarejando em seu cercado, recusando-se a sair. As folhas enrijecidas nas pontas. Essa é uma estação que Hamnet não conheceu nem tocou. Esse mundo se move sem ele.

—

Cartas chegam de Londres. Susanna as lê em voz alta. São mais curtas, repara Agnes, quando as examina mais tarde, quase não ocupam uma página, o conteúdo mais solto, como se escrito de forma apressada. Não falam de teatro, das plateias, das encenações, das peças que ele escreve. Nada do gênero. Em vez disso, ele fala da chuva em Londres e de como suas meias ficaram ensopadas na semana anterior, de como manca o cavalo do senhorio, do encontro que teve com um vendedor de rendas do qual comprou para todas um lenço, cada qual com um bordado diferente.

—

Ela sabe muito bem que deve evitar olhar pela janela na hora da entrada e da saída da escola. Mantém-se ocupada, a cabeça distraída. Não sai de casa nessas horas do dia.

Cada criança loura na rua tem o andar, a aparência, o humor dele, fazendo seu coração pular como um cervo. Há dias em que as ruas estão cheias de Hamnets. Eles caminham para lá e para cá. Pulam e correm. Implicam uns com os outros. Vêm na direção dela, se afastam, somem virando a esquina.

Há dias em que ela não sai de casa o dia todo.

—

A mecha do cabelo dele está guardada num potinho de barro sobre a lareira. Judith costurou uma bolsinha de seda para guardá-la. Ela arrasta uma cadeira até a lareira quando acha que ninguém está olhando e a tira de lá.

O cabelo é da mesma cor que o dela; poderia ter sido cortado da sua cabeça; escorre como água por entre seus dedos.

—

Como se chama, pergunta Judith à mãe, alguém que foi gêmeo, mas não é mais?

A mãe, mergulhando um pavio dobrado, duplo, no sebo aquecido, faz uma pausa, mas não se vira.

Quando uma mulher é esposa, prossegue Judith, e o marido morre, ela vira viúva. Quando os pais morrem, um filho vira órfão. Mas qual é a palavra para o que sou agora?

Não sei, responde a mãe.

Judith observa o líquido escorrer das extremidades dos pavios para dentro da tigela.

Talvez não exista uma palavra, sugere.

Talvez, diz a mãe.

—

Agnes está no andar de cima, sentada à escrivaninha na qual Hamnet guardava sua coleção de seixos em quatro potes. Ele gostava de despejá-los periodicamente e arrumá-los seguindo outro critério. Agnes examina o conteúdo de cada pote, observando que da última vez que os arrumou, o filho usou o critério da cor, não do tamanho, e...

Ergue os olhos e vê as filhas de pé a seu lado. Susanna segura uma cesta numa das mãos e uma faca na outra. Judith, atrás da irmã, segura uma segunda cesta. Ambas ostentam uma expressão bem séria.

— É hora — diz Susanna — de colher rosas-mosquetas.

Fazem isso todos os anos nessa época, quando o verão escorrega para o outono, vasculhando os arbustos, enchendo as cestas com os frutinhos das roseiras que incham e crescem na esteira das pétalas. Agnes lhes ensinou, ensinou às filhas, como encontrar os melhores, como cortá-los com uma faca e fervê-los para fazer um xarope contra tosse e resfriado para ser usado até o final do inverno.

Esse ano, porém, o aspecto maduro dos frutos e sua cor chamativa são um insulto, assim como as amoras arroxeando na velha amoreira.

As mãos de Agnes, fechadas em torno dos potes de seixos, parecem enfraquecidas, inúteis. Ela não será capaz de segurar a faca, de afastar os caules espinhosos, de cortar os frutinhos serosos. A ideia de colhê-los, levá-los para casa, despi-los de suas folhas e dos caules e depois fervê-los... Não se acha capaz de fazer tudo isso. Prefere se deitar na cama e puxar as cobertas para cobrir a cabeça.

— Venha — pede Susanna.

— Por favor, mamãe — insiste Judith.

As filhas tocam seu rosto e a puxam pelos braços para pô-la de pé; as duas a conduzem escada abaixo, para a rua, o tempo todo falando do lugar que viram, cheio de rosas-mosquetas, dizem que está abarrotado. Ela tem de ir junto, insistem; vão lhe mostrar o caminho.

—

Os arbustos são constelações, salpicados de frutinhos vermelho-fogo.

—

Logo que se casaram, ele a levou para a rua uma noite e foi estranho estar naquele lugar tão quieto, tão escuro, tão vazio.

Olhe para cima, disse ele, de pé a seu lado, envolvendo-a com os braços, as mãos pousadas na curva do seu ventre. Ela inclinou a cabeça para trás de modo a apoiá-la no ombro do marido.

Equilibrado sobre os telhados das casas, ela viu um céu salpicado de joias, com orifícios prateados. Ele sussurrara em seu ouvido nomes e histórias, com o dedo esticado, traçando formas e gente e animais e famílias a partir das estrelas.

Constelações, dissera. Essa foi a palavra.

O bebê, que era Susanna, se revirou no ventre de Agnes como se escutasse.

—

O pai de Judith escreve dizendo que os negócios vão bem, mandando amor e carinho e informando que não voltará para casa até depois do inverno porque as estradas estão ruins.

Susanna lê a carta em voz alta.

A companhia faz imenso sucesso com uma nova comédia. Foi encenada no Palácio e correu a notícia de que a rainha se divertiu muito com o espetáculo. O rio em Londres está congelado. Ele pensa em comprar mais terras em Stratford, termina de ler

Susanna. O pai foi ao casamento do amigo Condell, no qual se deleitou com um maravilhoso café da manhã.

Faz-se silêncio. Susanna olha da mãe para a irmã e para a carta. Uma comédia?, questiona a mãe.

—

Não é fácil ficar sozinha numa casa como essa, descobre Judith. Tem sempre alguém esbarrando na gente, alguém chamando nosso nome, alguém nos nossos calcanhares.

Tem um lugar que sempre foi dela e de Hamnet quando os dois eram pequenos, um vão triangular entre a parede da cozinha e a do galinheiro: uma abertura estreita, pela qual só dá para se espremer virado de lado, que desemboca num espaço mais amplo com três cantos. Espaço suficiente para duas crianças se sentarem com as pernas esticadas, de costas para a parede de pedra.

Judith pega juncos do chão da oficina, um a um, e os esconde nas dobras da saia. Passa os juncos pelo vão quando ninguém está vendo e os trança para fazer um telhado. Dois filhotes da gata, agora crescidos, a seguem, com suas caras listradas idênticas e pés que parecem calçados em meias brancas.

Então, ela pode se sentar ali, com as mãos entrelaçadas, e deixá-lo vir se quiser.

Ela canta para si mesma, para os gatos, para o telhado acima, uma ladainha de notas e palavras, laralá-lalá-larari-lili, canta e canta, até que o som encontra o vazio que existe nela, encontra-o e nele se derrama, enchendo-o, preenchendo-o, mas obviamente ele nunca ficará cheio porque não tem forma nem beiradas.

Os gatos a observam com olhos verdes e implacáveis.

—

Agnes está no mercado com quatro outras mulheres, segurando uma bandeja de favos de mel. A madrasta, Joan, faz parte do grupo. Uma delas reclama, contando que o filho se recusa a aceitar uma vaga de aprendiz que os pais lhe arrumaram, que o rapaz grita quando os dois tentam conversar sobre o assunto, que diz que não vai, que não podem obrigá-lo. Não se rende nem mesmo, diz a mulher esbugalhando os olhos, quando o pai o espanca.

Joan se inclina para a frente a fim de contar que o seu caçula se recusa a levantar-se da cama de manhã. As outras assentem e resmungam. E à noite, diz ela, franzindo o cenho numa careta, ele não se deita, andando pela casa, atiçando o fogo, exigindo comida, mantendo todos acordados.

Uma outra mulher diz que o filho não estoca a lenha da forma como ela gosta e a filha recusou uma proposta de casamento. O que ela há de fazer com filhos como esses?

Tolas, pensa Agnes, vocês são todas umas tolas. Mantém uma boa distância da madrasta. Baixa os olhos para os formatos repetidos dos desenhos dos favos de mel. Gostaria de encolher para ficar do tamanho de uma abelha e perder-se entre eles.

—

— Você acha — pergunta Judith a Susanna, enquanto as duas submergem camisas, vestidos e meias na água — que o papai não volta para casa por causa... por causa do meu rosto?

A lavanderia está quente, abafada, cheia de vapor e bolhas de sabão. Susanna, que odeia lavar roupa mais do que qualquer outra tarefa, responde rispidamente:

— Do que você está falando? Ele volta para casa. Ele volta sempre. E o que o seu rosto tem a ver com isso?

Judith mexe a água no caldeirão, cutucando uma manga, uma barra de saia, uma touca.

— É que — diz baixinho, sem encarar a irmã — eu pareço tanto com ele. Talvez por isso seja difícil o papai olhar para mim.

Susanna emudece. Tenta dizer no seu tom habitual não seja ridícula, que tremenda bobagem. Mas é verdade, faz um bocado de tempo desde que o pai esteve com elas. Desde o enterro. Mas ninguém diz isso em voz alta, ninguém menciona o fato. As cartas chegam, ela as lê. A mãe as deixa sobre a lareira, durante alguns dias, pegando-as de vez em quando, quando acha que ninguém está olhando. Depois elas somem. Susanna não sabe o que a mãe faz com elas.

Olha para a irmã. Examina-a atentamente. Desvia a atenção das roupas no caldeirão e segura Judith com delicadeza pelos ombros miúdos.

— Quem não conhece você tão bem — começa Susanna, encarando a irmã — diria que você é igual a ele. E a semelhança de vocês é... era incrível. Às vezes era até difícil acreditar. Mas nós que vivemos com você vemos as diferenças.

Judith lança para Susanna um olhar meio descrente.

Susanna toca em seu rosto com um dedo trêmulo.

— Seu rosto é mais estreito. Seu queixo é menor. E a cor dos seus olhos é mais clara. Os dele tinham mais manchinhas. Ele também tinha mais sardas. Seus dentes são mais retinhos — diz Susanna, engolindo com dificuldade. — Papai vê todas essas coisas também.

— Você acha?

Susanna assente.

— Eu nunca... Eu nunca confundi vocês dois. Sempre soube quem era quem, mesmo quando ainda eram bebês. Quando pregavam aquelas peças, trocando de roupa ou de chapéu, vocês nunca me enganaram.

Há lágrimas agora escorrendo dos olhos de Judith. Susanna levanta uma ponta do avental e as enxuga. Funga e se vira para o caldeirão, voltando a atenção para a lavagem das roupas.

— Melhor continuar o trabalho. Acho que ouvi alguém chegando.

Agnes procura por ele. Claro. Nas noites e mais noites e semanas e meses depois da sua morte. Espera por ele. Fica sentada à noite, com um cobertor lhe envolvendo os ombros, uma vela ardendo a seu lado. Espera no lugar onde a cama dele costumava ficar. Senta na cadeira do pai dele, colocada no exato lugar onde ele morreu. Sai para o quintal folheado a gelo e se posta sob a ameixeira nua, chamando alto: Hamnet, Hamnet, você está aí?

Nada. Ninguém.

Agnes não consegue entender. Ela, que é capaz de ouvir os mortos, o não dito, o desconhecido, que é capaz de tocar alguém e ouvir a doença insidiosa lhe correndo nas veias, que pode sentir a pressão sombria e aveludada de um tumor num pulmão ou num fígado, pode ler os olhos e o coração de alguém como alguns leem um livro, não consegue encontrar, não consegue localizar o espírito do próprio filho.

Ela espera nesses lugares, mantém o ouvido atento, separa os sons e carências e insatisfações de outros seres mais ruidosos, mas é incapaz de ouvir justo aquele cuja voz é a única que deseja ouvir. Não há nada. Apenas silêncio.

—

Judith, em compensação, o escuta no ruído que a vassoura faz no chão. Ela o vê no bater das asas de um pássaro que pousa no muro. Encontra-o no balançar da crina de um pônei, no barulho do gelo de encontro à vidraça, no vento que enfia o braço chaminé abaixo, no roçar dos juncos que formam o telhado no seu esconderijo.

Ela nada diz, é claro. Abriga tal conhecimento em si mesma. Fecha os olhos, permite-se dizer sem palavras, dentro da própria mente: Estou vendo você, escuto você, onde você está?

Para Susanna é difícil ficar na casa. O catre sem uso encostado à parede. As roupas largadas na cadeira, as botas vazias debaixo dela. Os potes das pedras dele que ninguém tem permissão para tocar. A mecha de cabelo sobre a lareira.

Ela leva o pente, o vestido, a camisola para a casa vizinha. Toma para si a cama que já foi da tia. Nada é dito. Deixa a mãe e a irmã vivenciarem seu luto e se muda para morar em cima da oficina.

—

Agnes não é a mesma pessoa de antes. Está totalmente mudada. Lembra-se de ter sido alguém confiante na vida e no que o futuro lhe reservava; tinha as filhas, tinha o marido, tinha o lar. Era capaz de espiar o interior das pessoas e ver o que lhes aconteceria. Sabia como ajudá-las. Seus passos se moviam sobre a terra com segurança e graça.

Essa pessoa se perdeu para sempre. Ela é hoje alguém à deriva na vida, que Agnes não reconhece: desorientada, desacorçoada. Alguém que explode em lágrimas se não acha um sapato, se cozinha demais a sopa ou tropeça numa panela. Coisas pequenas a fazem desmoronar. Não existe mais certeza de nada.

—

Agnes aferrolha a janela, fecha a porta. Não atende às batidas que se fazem ouvir à noitinha ou cedinho de manhã.

Quando a param na rua, com perguntas sobre feridas, inchaços nas gengivas, surdez, urticária nas pernas, dores no coração, tosse, ela balança a cabeça e segue em frente.

Deixa que as ervas amareleçam e se ressequem, não rega mais seu jardim medicinal. Os potes e frascos na prateleira adquirem uma pálida camada de poeira.

É Susanna quem com um pano úmido limpa os potes, que baixa das prateleiras as ervas desidratadas e inúteis e as joga no fogo. Ela não rega pessoalmente o jardim, mas Agnes a ouve instruir Judith a levar uma panela com água uma vez por dia ao pequeno canteiro do outro lado do galinheiro onde crescem as plantas medicinais. Verifique se todas estão molhadas, insiste Susanna enquanto Judith se afasta. Agnes ouve, reparando que a filha começa a adotar a voz da avó, a que Mary usa para falar com as criadas.

Susanna é quem mergulha as pétalas de calêndula em vinagre, que tritura e acrescenta mel. É ela quem se assegura de que a mistura seja agitada diariamente.

Judith passa a abrir o ferrolho da janela quando alguém bate. Fala com a pessoa lá fora, ficando na ponta dos pés para ouvi-la. Mãe, diz ela, é uma lavadeira lá do outro lado do rio. Um homem de fora da cidade. Uma criança em nome da mãe. Uma velha da leiteria. Você vai falar com eles?

Susanna não atende quem bate, mas observa, escuta e faz gestos para Judith quando alguém surge à janela.

Agnes resiste durante algum tempo. Balança a cabeça. Ignora os pedidos das filhas. Vira-se novamente para a lareira. Quando, porém, a mulher da leiteria aparece uma terceira vez, ela assente. A mulher entra, assume seu lugar na cadeira alta de madeira com braços gastos, e Agnes a ouve falar de juntas que doem, do peito que chia, da cabeça que vagueia e se perde, esquecendo nomes, dias, obrigações.

Agnes se levanta e vai até a mesa em que trabalha. Pega o almofariz e o pilão no armário. Não se permite pensar que na última vez que usou os apetrechos foi para ajudar a ele; a última vez que segurou esse pilão entre os dedos, que sentiu seu peso frio, foi pouco antes do fim, e recorda de como o apetrecho se revelou inútil, para nada serviu. Ela não pensa nada disso, enquanto parte caules finos de alecrim, para que o sangue flua para a cabeça, além de confrei e hissopo.

Entrega o embrulho à velha da leiteria. Tem que polvilhar três vezes ao dia na água quente, instrui. Beber quando esfriar.

Não aceita as moedas que a mulher tenta lhe dar, sem jeito, hesitante, mas finge não ver o queijo embrulhado deixado na mesa, a tigela de creme espesso.

As filhas conduzem a mulher até a porta e se despedem. Suas vozes soam como o canto de pássaros coloridos voltejando em círculos pelo cômodo e alçando voo para o céu.

—

Como essas crianças, essas jovens, saíram da sua barriga? Que relação elas guardam com os serezinhos que no passado ela alimentou, acalentou e banhou? Cada vez mais, sua vida lhe parece estranha e irreconhecível.

—

Passa da meia-noite, e Agnes está na rua, enrolada num xale. Foi acordada por passos leves, rápidos, com um ritmo que lhe é familiar.

Foi arrancada do sono por uma sensação de pés se aproximando da janela, por uma noção cristalina da presença de alguém lá fora. E por isso está ali, sozinha na rua, à espera.

— Estou aqui — diz em voz alta, virando a cabeça primeiro para um lado e depois para o outro. — Você também está?

—

Nesse exato momento, o marido está sentado sob o mesmo céu, num barco que faz uma curva no rio. Viajam rio acima, mas ele sente que a maré está virando; o rio parece confuso, quase hesitante, tentando fluir simultaneamente em duas direções.

Ele estremece, aconchegando a capa ao corpo (vai pegar um resfriado, ouve uma voz no interior da cabeça avisar, uma voz doce, zelosa). O suor de mais cedo secou, restando sua sensação incômoda e pegajosa entre a pele e a lã da roupa.

A maior parte da companhia dorme, esticada no fundo do barco com os chapéus cobrindo o rosto. Ele não; nunca consegue dormir nessas noites, o sangue ainda borbulhando nas veias, o coração a galope, os ouvidos ainda escutando os sons e arquejos e pausas. Anseia pela própria cama, pelo espaço protegido do quarto, por aquele momento quando a mente se cala, quando o corpo se dá conta de que acabou e o sono precisa se instalar.

Ele se dobra sobre si mesmo, ali sentado na tábua dura do barco, contemplando o rio, a visão das casas à margem e o balanço das luzes noutras embarcações, os ombros do barqueiro enquanto dribla as correntes traiçoeiras, o entra e sai dos remos na água, a nuvem branca de respiração que lhe escapa da boca.

O Tâmisa degelou (ele contou à família na última carta que estava congelado); é possível novamente chegar ao Palácio. Ele teve, por um instante, a visão de olhos além da beira do palco, além do mundo que abriga tanto ele quanto os amigos, por entre a névoa das chamas das velas. Os rostos que o observam, nesses momentos, são cores borradas com um pincel molhado. Seus gritos, os aplausos, as expressões ávidas, as bocas abertas, as fileiras de dentes, os olhares que o sorveriam (se pudessem, mas não podem, pois ele está coberto, protegido por um figurino, como um búzio numa concha — talvez jamais vejam seu verdadeiro eu).

Ele e os amigos acabaram de encenar no Palácio uma peça histórica sobre um rei há muito morto. O tema se revelou, descobriu ele, seguro para ser abordado. Não existem, numa história assim, armadilhas, lembretes nem terrenos instáveis em que tropeçar. Quando encena velhas batalhas, cenas remotas de corte, quando põe palavras na boca de governantes distantes, não existe armadilha alguma para prendê-lo e arrastá-lo ao passado para ver coisas sobre as quais não deseja pensar (um vulto embrulhado, uma cadeira com roupas vazias, uma mulher chorando junto ao muro de um chiqueiro, uma criança descascando maçãs num vão de porta, uma mecha de cabelo louro num pote). Ele dá conta disto: histórias e comédias. Pode seguir em frente. Apenas com elas é capaz de esquecer quem é e o que aconteceu. São lugares seguros onde ancorar a mente (e ninguém mais no palco com ele, nenhum de seus atores, seus amigos mais íntimos, saberá que ele se pega procurando, todas as noites, na plateia atenta, um rosto específico, um menino com um sorriso levemente torto e uma perene expressão de surpresa; seu olhar varre a plateia, com cuidado, porque ele ainda não consegue imaginar que o filho possa simplesmente ter partido; ele deve estar em algum lugar; resta apenas encontrá-lo).

Cobre primeiro um olho e depois o outro, virando-se para contemplar a cidade. É um jogo que ele pode jogar. Um dos olhos pode ver apenas o que está longe, o outro, o que está próximo. Juntos, eles funcionam de modo a habilitá-lo a ver a maioria das coisas, mas em separado; cada olho vê apenas o que pode: o primeiro, o que está longe, o segundo, o que está perto.

Perto: os pontos entrelaçados da capa de Condell, a borda de madeira do barco, o redemoinho que os remos criam na água. Longe: o brilho congelado das estrelas, vidro quebrado sobre seda preta, Órion para sempre caçando, uma barcaça cortando, impassível, a água, um grupo de pessoas agachadas na beira de um cais, uma mulher com várias crianças, uma quase tão alta quanto a mãe (tão alta quanto Susanna agora?), a menor, um bebê de touca (ele teve três bebês lindos, mas agora são apenas dois).

Ele alterna os olhos, com um movimento rápido, de modo que a mulher e as crianças na pescaria noturna (tão próximos à água, perto demais, com certeza) não passem agora de formas indistintas, rabiscos sem sentido de uma pena.

Ele boceja, o maxilar estalando com um ruído que lembra o de uma noz se quebrando. Vai escrever para casa talvez amanhã. Se tiver tempo. Pois existem novas páginas a redigir, o homem do outro lado do rio com quem se encontrar; o senhorio tem de ser pago, há um novo rapaz para testar, pois o outro já está alto demais, a voz já oscila, a barba começa a brotar (e é um tamanho segredo, uma dor pessoal, ver um garoto crescer assim, de rapaz para homem, sem esforço, sem preocupação, mas ele jamais dirá isso, jamais deixará que qualquer outra pessoa descubra como ele evita esse garoto, como jamais fala com ele, como odeia lhe pôr os olhos em cima).

Despe a capa, de repente sufocante, e tapa ambos os olhos. As estradas estarão liberadas agora. Ele sabe que deveria ir. Mas alguma coisa o refreia, como se tivesse os tornozelos amarrados. A velocidade do seu trabalho aqui — da escrita aos ensaios à encenação e de volta à escrita — é tão sôfrega, tão ininterrupta, que é bem possível que se passem três ou quatro meses sem que ele perceba. E existe o medo onipresente de que se descer desse carrossel giratório jamais será capaz de subir de novo. Pode perder seu lugar; já viu isso acontecer a outros. Mas a magnitude, a intensidade do luto da esposa pelo filho dos dois exerce uma atração letal. É como uma corrente perigosa que talvez possa sugá-lo, submergi-lo, caso se aproxime demasiado dela. Ele jamais voltaria à tona; precisa se manter apartado a fim de sobreviver. Se afundar, levará todos consigo.

Caso consiga permanecer no centro desta vida em Londres, nada poderá tocá-lo. Aqui, nesse barco, nessa cidade, nessa vida, quase pode se convencer de que se voltar para casa os encontrará como eles sempre foram, inalterados, livres, três crianças adormecidas em suas camas.

Destapa os olhos, ergue-os até o amontoado de telhados das casas, formas escuras acima da superfície flexível, inquieta, do rio.

Fecha o olho que vê de longe e contempla a cidade com um olhar imperfeito, aquoso.

—

Susanna e a avó estão sentadas na sala de estar, cortando lençóis e embainhando-os para transformá-los em toalhas de rosto. A tarde se arrasta; a cada furo no pano e a consequente passagem da linha para o outro lado, Susanna se diz que faltam menos segundos para o fim do dia. A agulha escorrega entre seus dedos; o fogo arde baixo; ela sente o sono chegar, recuar, chegar de novo.

Será que morrer é assim? Sentir a proximidade de algo que não se pode evitar? A ideia brota em sua mente do nada, como uma gota de vinho na água, colorindo-lhe a mente com sua mancha escura que se alastra.

Ela se remexe na cadeira, pigarreia, se inclina mais sobre a agulha.

— Você está bem? — pergunta a avó.

— Estou, obrigada — responde Susanna, sem erguer o olhar.

Pergunta-se quanto tempo mais ficarão embainhando panos: estão nisso desde o meio-dia e não parece haver fim à vista. A mãe ficou ali algum tempo, assim como Judith, mas a mãe sumiu na casa vizinha com um cliente que queria uma cura para úlceras e Judith foi tratar do que quer que costume tratar. Falar com pedras. Desenhar formas indecifráveis com a mão esquerda, a giz, no chão. Recolher penas caídas do pombal e costurá-las com barbante.

Agnes entra na sala.

— Você deu a ele uma cura? — pergunta-lhe Mary.

— Dei.

— E ele pagou?

Sem mexer a cabeça, Susanna vê, pelo canto do olho, a mãe dar de ombros e se virar para a janela. Mary suspira e enfia com força a agulha no pano que segura.

Agnes permanece junto à janela, com uma das mãos no quadril. O vestido que usa está folgado esta primavera, os pulsos finos, as unhas roídas.

Mary, Susanna sabe, considera o luto adequado desde que moderado, mas chega uma hora em que é necessário fazer um esforço. Ela acha que alguns exageram na dose. Que a vida continua.

Susanna costura. Costura e costura. A avó pergunta à mãe: Onde está Judith? Como as criadas estão se virando com a lavagem das roupas? Está chovendo? Não parece que os dias estão ficando mais compridos? Não foi gentileza do vizinho devolver aquela galinha fujona?

Agnes nada diz, simplesmente continua a olhar pela janela.

Mary não para de falar, menciona a carta recebida do pai de Susanna, como ele está prestes a excursionar com a companhia outra vez, que teve uma gripe — por causa dos gases do rio —, mas agora já ficou bom.

Agnes inspira sobressaltada e se vira para as outras duas com o rosto alerta, tenso.

— Nossa! — reage Mary, levando a mão ao rosto. — Você me assustou. O que foi que...

— Vocês ouviram isso? — pergunta Agnes.

As três emudecem, aguçam os ouvidos, inclinam a cabeça.

— Ouvimos o quê? — indaga Mary, unindo as sobrancelhas, curiosa.

— Isso... — Agnes ergue um dedo — ... Isso! Ouviram?

— Não ouvi nada — retruca Mary.

— Uma batida — diz Agnes, se aproximando da lareira e pressionando a mão contra a sua parede. — Um ruído. — Afasta-se da lareira e vai até o banco de madeira, erguendo o olhar. — Um barulho, com certeza. Vocês não ouviram?

Mary aguarda um tempo.

— Não. Provavelmente é só uma gralha que entrou pela chaminé.

Agnes sai da sala.

Susanna aperta o pano com força numa das mãos, segurando a agulha com a outra. Se conseguir continuar dando pontos, sem parar, pontos sempre do mesmo tamanho, talvez tudo isso passe.

—

Judith está na rua. Levou com ela o cachorro de Edmond, que se deitou ao sol, uma das patas erguidas, enquanto a menina trança uma fita verde nos pelos longos do seu pescoço. O animal olha para ela, confiante, pacientemente.

O sol esquenta as costas dela, cega seus olhos, motivo pelo qual não percebe a figura que desce a Henley Street: um homem se aproxima, com o chapéu na mão e uma sacola pendurada no ombro.

Ele a chama. Ela levanta a cabeça. Ele acena. Ela já está correndo ao seu encontro antes mesmo de dizer seu nome mentalmente, e o cachorro a seu lado saltita, pensando que isso é bem mais divertido do que o jogo da fita, e o homem a toma nos braços e a ergue do chão, dizendo minha menina, minha Jude, e o riso a faz perder o fôlego, e ela lembra que não o vê desde...

— Por onde você andou? — pergunta, de repente enfurecida, empurrando-o para longe e, do nada, começando a chorar. — Você ficou fora tanto tempo...

Se ele percebeu sua raiva, não demonstra. Pega a sacola do chão, afagando o cão atrás das orelhas, pegando a menina pela mão e puxando-a para casa.

— Onde estão todos? — indaga, com a voz impostada, trovejante.

—

Uma refeição. Os irmãos dele, os pais, Eliza e o marido dela, Agnes e as meninas, todos apertados em volta da mesa. Mary cortou o pescoço de um dos gansos em homenagem ao filho — os grasnados e guinchos foram horríveis de ouvir —, e agora sua carcaça repousa, desmontada e rompida, diante dos presentes.

Ele está contando uma história que inclui um estalajadeiro, um cavalo e um lago. Os irmãos riem, o pai bate com o punho na mesa; Edmond cutuca Judith, fazendo-a dar risadas; Mary discute algo com Eliza; o cachorro, latindo, corre atrás de migalhas que Richard lhe atira. A história atinge o clímax — algo a ver com um portão largado aberto, Agnes não sabe ao certo qual — e todos caem na gargalhada. E Agnes olha para o marido, do outro lado da mesa.

Tem alguma coisa diferente nele. Ela não consegue identificar o quê. O cabelo está mais comprido, mas não é isso. Surgiu um segundo brinco, na outra orelha, mas não é isso. A pele mostra sinais de que tomou sol e ele veste uma camisa que ela nunca viu antes, com punhos compridos que lembram babados. Mas nada disso faz a diferença.

Eliza agora está falando, e Agnes a fita durante um instante, voltando depois a olhar para o marido. Ele escuta Eliza. Os dedos, lustrosos com a gordura do ganso, brincam com uma casca de pão no prato. Como o ganso reclamou e depois guinchou, pensa Agnes, durante o breve intervalo em que correu sem cabeça, como se acreditasse piamente que podia escapar, mudar seu destino. A expressão do marido é ansiosa enquanto ele escuta a irmã, levemente inclinado para a frente. Um dos braços abarca a cadeira de Judith.

Faz quase um ano que ele ficou fora. O verão chegou de novo e o aniversário de morte do filho se aproxima. Ela não sabe como é possível, mas é fato.

Ela o encara, e encara e encara. Ele voltou para a família, abraçou-os todos animadamente, tirou presentes da sacola: pentes de cabelo, cachimbos, lenços, um novelo de lã colorida, uma pulseira para ela, de prata martelada, com um rubi no fecho.

A pulseira é mais refinada do que qualquer coisa que ela já teve. Tem uma gravação circular intricada na superfície escorregadia e um engaste elevado para a pedra. Ela sequer imagina quanto custou. Ou por que ele gastou dinheiro nisso, ele, que nunca desperdiça um centavo, que é tão cuidadoso com o bolso desde que o pai perdeu a fortuna. Ela brinca com a joia, girando-a no pulso, ali sentada à mesa, em frente ao marido.

Da pulseira, percebe Agnes, emana algo ruim, uma espécie de vibração. A princípio pareceu fria demais, cingindo-lhe o braço num abraço gélido, indiferente. Agora, porém, está quente demais, apertada demais. Seu único olho vermelho cintila para sua dona com um propósito sinistro. Alguém infeliz a usou, sabe Agnes, alguém que não lhe tem simpatia ou que se ressente dela. O objeto está saturado de má sorte, maus sentimentos, que lhe dão um brilho opaco. A pessoa a quem a pulseira pertenceu lhe quer mal.

Eliza está sentada, sorrindo agora, ao terminar de falar. O cão se acomodou ao lado da janela aberta. John pega a jarra de cerveja e torna a encher o copo.

Agnes olha para o marido e de repente vê, sente, fareja. Está presente em todo o seu corpo, na pele, no cabelo, no rosto, nas mãos, como se um animal o tivesse atropelado repetidas vezes, deixando minúsculas marcas de patas. O marido está, percebe Agnes, coberto pelas marcas deixadas pelas mãos de outras mulheres.

Baixa os olhos para o prato, para as próprias mãos, para os dedos, suas extremidades calejadas, para as volutas e dobras das digitais, para as juntas, cicatrizes e veias, para as unhas, que não consegue evitar roer assim que começam a crescer. Por um instante acha que vai vomitar.

Agarrando a pulseira, ela a tira do pulso. Olha para o rubi, aproxima-o do rosto, perguntando-se o que ele terá visto, de onde veio, como se tornou propriedade do marido. A pedra é de um vermelho profundo em seu interior, uma gota de sangue congelado. Ela ergue os olhos e percebe o marido fitando-a diretamente.

Pousa a pulseira na mesa e continua a encará-lo. Por um instante, ele parece confuso. Olha para a pulseira, depois para a esposa e de volta para a pulseira; começa a se levantar, como se fosse falar. Então o sangue lhe sobe ao rosto, depois se espalha pelo pescoço. Ergue uma das mãos, dando a impressão de que vai estender o braço para Agnes, mas em seguida desiste.

Ela se põe de pé, calada, e sai da sala.

—

Ele vai encontrá-la à tardinha, pouco antes do pôr do sol, em Hewlands, onde ela foi cuidar de suas abelhas, arrancar mato, colher os botões de suas flores de camomila.

Ela o vê se aproximar ao longo da trilha. Havia despido a camisa nova e o chapéu trançado e vestido o justilho velho que mantém pendurado do lado de dentro da porta de entrada.

Ela não o observa enquanto ele vem; mantém a cabeça distraída. Seus dedos continuam a mexer nas flores de miolos amarelos, colhendo-as e deixando-as cair em uma cesta de palha a seus pés.

Ele para no extremo da fileira de colmeias de cânhamo.

— Eu trouxe isto para você — diz ele, estendendo a mão que segura um xale.

Ela vira a cabeça para ele um instante, mas nada diz.

— Para o caso de você estar com frio.

— Não estou.

— Bom — prossegue, pousando cuidadosamente o agasalho sobre a colmeia mais próxima —, está aqui se você precisar.

Ela se volta para as flores. Pega um botão, dois botões, três, quatro.

Os pés dele chegam mais perto, roçando a grama, até que param a seu lado. O olhar dele a observa de cima. Agnes vê as botas do marido pelo canto do olho. Descobre-se invadida por um impulso de furar aqueles dedos. Várias vezes, com a ponta da faca que tem nas mãos, até que a pele por baixo esteja cortada e ferida. Como ele iria uivar e pular.

— Confrei? — indaga o marido.

Ela não consegue atinar com o que ele disse, do que está falando. Como ousa chegar ali e falar de suas flores? Leve sua ignorância, tem vontade de dizer, e sua pulseira e suas botas lustrosas elegantes de volta para Londres e fique por lá. Não volte nunca mais.

Ele gesticula, indicando as flores na cesta, indagando se são de confrei, se são violas, se são...

— Camomila — responde ela, e a voz, a seus próprios ouvidos, soa monocórdia e arrastada.

— Ah, claro. Aquelas são de confrei, não? — pergunta, apontando para um punhado de matricárias.

Ela balança a cabeça e constata, surpresa, que o gesto a deixa tonta, como se o menor movimento pudesse derrubá-la na grama.

— Não. — E gesticula, os dedos manchados de amarelo-esverdeado. — Aquelas ali, sim.

Ele assente com vigor, pega uma lâmina de lavanda entre os dedos, esfrega e depois leva a mão ao nariz, reagindo com prazer descabido.

— As abelhas vão bem?

Ela assente uma única vez.

— Produzindo muito mel?

— Ainda não sabemos.

— E... — começa ele, indicando com o braço a fazenda de Hewlands. — E seu irmão? Está bem?

Ela ergue o rosto para fitá-lo pela primeira vez desde que ele chegou. Não pode continuar essa conversa nem mais um segundo. Se ele disser alguma outra coisa sobre suas flores, sobre Hewlands, sobre abelhas, ela não sabe do que será capaz. De enfiar a faca em suas botas. De empurrá-lo para cima das colmeias. De fugir dele, para Hewlands, para Bartholomew, para o abrigo seguro da floresta escura, recusando-se a sair de lá.

Ele sustenta o olhar ostensivo dela por um instante apenas e desvia o seu.

— Não consegue me encarar? — indaga ela.

Ele esfrega o queixo, suspira, se agacha, trêmulo, ao lado dela e segura a cabeça entre as mãos. Agnes deixa a faca cair no chão. Não se sente confiante o bastante para continuar segurando-a.

Ficam sentados ali, juntos, mas sem se olharem, durante algum tempo. Ela não será, se impõe mentalmente, a primeira a falar. Que ele decida o que deve ser dito, já que é tão habilidoso com as palavras, já que é tão respeitado e celebrado por seus belos discursos. Ela vai se manter calada. Foi ele o causador desse problema, dessa ruptura no casamento dos dois: pode ser o responsável por abordar o tema.

O silêncio engorda entre ambos; se expande e os engolfa; adquire forma e tentáculos que se agitam no ar, como fios saídos de uma teia rompida. Ela sente o ar que entra e sai dele a cada respiração, cada suspiro quando ele cruza os braços, coça um cotovelo, afasta o cabelo da testa.

Ela fica imóvel, com as pernas cruzadas sob o corpo, com a sensação de que um fogo intenso lhe consome as entranhas e a esvazia de tudo que sobrou ali. Pela primeira vez, não sente o ímpeto de tocá-lo, de encostar as mãos nele. Pelo contrário. Do corpo do marido emana uma pressão que a mantém afastada, que a faz se recolher. Não consegue imaginar que algum dia volte a pôr a mão onde ele foi tocado pela mão de outra mulher. Como ele pôde fazer isso? Como pôde partir após a morte do filho de ambos e buscar consolo em outras mulheres? Como pôde voltar para ela com essas marcas?

Pergunta-se como ele conseguiu passar dela para outra. Não é capaz de imaginar outro homem em sua cama, um corpo diferente, uma pele diferente, uma voz diferente; a ideia a faria vomitar. Pergunta-se, enquanto os dois estão ali sentados, se algum dia voltará a tocá-lo, se ficarão sempre separados agora, se existe alguém em Londres que enfeitiçou seu coração e o considera sua propriedade. Pergunta-se como ele lhe contará isso, que palavras há de escolher.

A seu lado, ele pigarreia. Ela o escuta tomar fôlego, se preparar para falar, e se apronta para ouvir. Vai ser agora.

— Com que frequência você pensa nele? — pergunta o marido.

Por um instante, ela se surpreende. Esperava um relato, uma explicação, talvez um pedido de desculpa pelo que ela sabe ter acontecido. Havia se preparado para ouvi-lo dizer não podemos continuar assim, meu coração pertence a outra, não voltarei mais de Londres. Ele? Com que frequência ela pensa nele? Sequer imagina a quem o marido se refere.

Percebe então o que ele quis dizer e se volta para encará-lo. O rosto dele se esconde nos braços dobrados, a cabeça pende. É uma atitude de sofrimento abjeto, de lamento, de tamanha tristeza, que ela quase se levanta para tomá-lo nos braços, para consolá-lo. Mas lembra-se de que não deve, de que não pode.

Em vez disso, observa uma andorinha chegar perto das plantas em busca de insetos e depois alçar voo em direção às árvores.

Ao lado de ambos, as árvores se inflam e expiram, os ramos sob o peso das folhas estremecendo ao vento.

— O tempo todo — responde Agnes. — Ele está sempre aqui, embora, é claro — prossegue, pressionando o punho de encontro ao peito —, não esteja.

Ele não responde, mas, quando lhe lança um olhar furtivo, ela o vê assentir.

— Descobri — diz ele, com a voz ainda abafada — que vivo constantemente me perguntando onde ele estará. Para onde foi. É como uma roda sem controle girando no fundo da minha cabeça. O que quer que eu faça, onde quer que eu esteja, fico pensando onde ele está, onde ele está? Não pode simplesmente ter sumido. Deve estar em algum lugar. Só preciso encontrá-lo. Procuro por ele em todos os lugares, na rua, na multidão, em todas as plateias. É isso que faço quando olho para as plateias: tento achá-lo, ou achar uma versão dele.

Agnes assente. A andorinha voa em círculos e volta, como se tivesse algo importante a lhes dizer, bastando para tanto que eles entendessem. Seu peito é um flash escarlate, a cabeça tem um roxo-azulado. Refletido na panela de água ao lado de Agnes, um amontoado de nuvens vai passando, indiferente e lentamente.

Ele fala alguma coisa com uma voz grave e rouca.

— O que você disse? — pergunta ela.

Ele repete.

— Não ouvi.

— Eu disse — responde o marido, erguendo a cabeça, deixando-a ver seu rosto manchado de lágrimas — que sou capaz de enlouquecer com isso. Mesmo agora, passado um ano.

— Um ano não é nada — comenta ela, pegando um botão de camomila que caiu na terra. — É uma hora ou um dia. Talvez jamais paremos de procurá-lo. Acho que eu não gostaria de parar.

Ele estende o braço por sobre o espaço que os separa e lhe agarra a mão, esmagando a flor que ela segura. O aroma terroso, intenso, de pólen enche o ar. Ela tenta escapar, mas ele não deixa.

— Lamento — diz ele.

Ela puxa o pulso, tentando libertá-lo. A força e a insistência dele a surpreendem.

Ele diz o nome dela, com uma interrogação no final.

— Você me ouviu? Eu lamento.

— Lamenta o quê? — sussurra Agnes, tentando inutilmente puxar a mão e desistindo.

— Tudo. — Ele solta um suspiro trêmulo. — Você vai morar comigo em Londres um dia?

Agnes encara o marido, esse homem que aprisionou sua mão, o pai dos seus filhos, e balança a cabeça.

— Não podemos fazer isso. Judith não sobreviveria. Você sabe.

— Talvez sim.

Ouve-se a distância o som de balidos, levado pelo vento. Ambos viram a cabeça na direção.

— Você correria esse risco? — indaga Agnes.

Ele nada diz, mas segura a mão da esposa entre as suas. Ela torce a mão dentro da dele, até que a do marido fique com a palma exposta. Então, aperta o músculo entre o polegar e o indicador, os olhos fixos nos dele. O marido dá um sorriso débil, mas não retira a mão. Os olhos estão úmidos e os cílios, endurecidos.

Ela pressiona o músculo, pressiona de novo, como se pudesse extrair dali algum sumo. No início, o que sente são ruídos: inúmeras vozes, chamando em tom alto, suave, ameaçador e suplicante. A mente do marido ecoa uma cacofonia, discussões, falas que se atropelam e gritos e uivos e ganidos e sussurros, e ela não sabe como ele consegue aguentar tudo isso. E existem as outras mulheres, dá para senti-las, os cabelos soltos, as marcas de mãos suadas, que a deixam enojada, mas não a impede de ir em frente, a despeito de querer desistir, de querer afastá-lo. Também há medo, um bocado de medo, de uma viagem, algo a ver com água, talvez mar, um desejo de buscar um horizonte distante, de estender o olhar até alcançá-lo, e, por baixo de tudo, por trás de tudo, ela encontra um espaço oco, uma vacância, um abismo escuro cujo vazio uiva, no fundo do qual ela descobre o que jamais sentiu antes: o coração dele, aquele músculo grande, escarlate, pulsando, frenético e insistente em sua constância, dentro do peito. Parece tão perto, tão presente, que é quase como se pudesse tocá-lo só estendendo a mão.

Ele continua a encará-la quando ela lhe liberta a mão. A dela se encaixa, inerte, na dele.

— O que você encontrou? — pergunta ele.

— Nada — responde Agnes. — Seu coração.

— Isso é nada? — replica ele, fingindo indignação. — Nada? Como pode falar assim?

Ela sorri, um sorriso tênue, mas que o faz levar a mão dela ao peito.

— E o coração é seu — diz ele. — Não meu.

—

Ele a desperta nessa noite, quando ela está sonhando com um ovo, um ovo enorme, no fundo de um regato cristalino; de pé em uma ponte, ela o contempla, contempla sua corrente, obrigada a contornar suas curvas.

O sonho é tão real que ela leva um minuto para acordar e se dar conta do que está acontecendo, de que o marido a abraça com força, a cabeça aninhada em seu cabelo, os braços lhe envolvendo a cintura, dizendo que sente muito, vez após vez.

Ela não responde durante algum tempo, não reage nem retribui as carícias. Ele não consegue parar. As palavras brotam de seus lábios como água. Como o ovo, ela flutua, imóvel, na corrente que elas produzem.

Leva, então, a mão ao ombro dele. Sente a depressão vazia que sua palma cria, ali pousada. Ele lhe toma a outra mão e a encosta no próprio rosto, onde ela percebe o eriçado resistente da barba, seus beijos insistentes e possessivos.

Não há como pará-lo, como distraí-lo; esse é um homem comprometido com um único propósito, uma única ação. Ele puxa e arranca a camisola dela, esmagando na mão suas dobras e costuras, dizendo impropérios e blasfemando ante o esforço, até despi-la, até que ela esteja rindo para ele, quando então a cobre com o próprio corpo e não a liberta; ela se sente como um ser apartado, um outro corpo, se dissolvendo até não ter mais senso, não ter mais noção, de quem é o dono daquela pele, que membros são de quem, de quem é o cabelo em sua boca, a quem pertence a respiração que entra e sai de quais lábios.

— Tenho uma proposta — diz ele depois, deitado ao lado dela.

Agnes enrosca nos dedos uma mecha do cabelo dele. O conhecimento da existência das outras mulheres ficou em segundo plano durante o ato, distante dela, mas voltou agora, espreitando do lado de fora do cortinado, disputando espaço, esfregando as mãos e os corpos contra o tecido, pisando na camisola caída no chão.

— Proposta de casamento?

— Eu acho — responde ele, beijando-lhe o pescoço, o ombro, o peito — que já é um pouco tarde para isso, e... Ai, mulher, meu cabelo. Por acaso quer arrancá-lo da minha cabeça?

— Talvez — retruca ela, dando mais um puxão. — Faria você se lembrar de que é casado. De vez em quando.

Ele ergue a cabeça e suspira.

— Eu me lembro. Vou lembrar. Lembro, sim — diz, acariciando a pele do rosto dela. — Quer ou não ouvir minha proposta?

— Não.

Ela sente um desejo perverso de contradizer o que quer que ele esteja prestes a dizer. Não vai deixá-lo escapar com tanta facilidade, não vai deixá-lo pensar que tudo foi tão insignificante para ela quanto para ele.

— Bom, tape os ouvidos se não quiser escutar, porque vou falar com ou sem a sua permissão.

Ela começa a levar as mãos às orelhas, mas ele as prende rapidamente entre as suas.

— Me solte — exige ela.

— Não.

— Estou dizendo para me soltar.

— Quero que você escute.

— Mas eu não quero escutar.

— Pensei — diz ele, libertando as mãos dela e a puxando para mais perto — em comprar uma casa.

Ela se vira para encará-lo, mas os dois estão cercados pela escuridão, uma escuridão espessa, absoluta, impenetrável.

— Uma casa?

— Para você. Para nós.

— Em Londres?

— Não — responde o marido com impaciência —, em Stratford. Você disse que prefere ficar aqui com as meninas.

— Uma casa? — repete Agnes.

— Sim.

— Aqui?

— Sim.

— Você tem dinheiro para comprar uma casa?

Ela o escuta sorrir a seu lado, ouve os lábios lhe desnudarem os dentes. Pegando a mão dela, ele a beija a cada palavra que diz.

— Tenho. E muito mais.

— O quê? — indaga ela, libertando a mão. — É verdade?
— É.
— Como?
— Sabe — responde ele, tornando a desabar sobre o colchão — que é sempre um prazer para mim conseguir surpreender você. Um prazer raro, a que não estou acostumado.
— Como assim?
— Você não faz ideia de como é estar casado com alguém como você.
— Como eu?
— Alguém que sabe tudo sobre a gente, antes mesmo que a gente saiba. Alguém capaz de adivinhar nossos segredos mais secretos apenas com um olhar. Alguém capaz de dizer o que a gente vai falar, e o que não vai falar, antes que a gente fale. Isso é, ao mesmo tempo, uma alegria e uma maldição.

Ela dá de ombros.

— Não posso evitar nada disso. Nunca...
— Tenho dinheiro — intervém o marido, com um sussurro, os lábios encostados na orelha da esposa. — Muito dinheiro.
— Sério?

Ela se senta, atônita. Entendera que a atividade dele vinha florescendo, mas isso era novidade para ela. Pensa por um instante na pulseira cara, que cobrira com cinzas e fragmentos de ossos, embrulhara em pele e enterrara ao lado do galinheiro.

— Como conseguiu esse dinheiro?
— Não conte ao meu pai.
— Seu pai? — repete ela. — Não vou contar, claro, mas...
— Você poderia ir embora desta casa? — pergunta ele, pousando a mão nas costas dela. — Quero tirar você e as meninas daqui, desenraizá-las e plantá-las em outro lugar. Quero vocês longe de tudo... de tudo isso. Em um lugar novo. Você iria?

Agnes pondera a ideia, de vários ângulos. Imagina-se em uma nova moradia, uma casinha de campo talvez, com um ou dois cômodos, em algum lugar na periferia da cidade, com as filhas. Um pedaço de terra para um jardim; algumas janelas com vista para ele.

— Ele não está aqui — diz ela, o que imobiliza a mão em suas costas. Tenta manter a voz estável, mas a angústia vaza dos intervalos entre as palavras. — Já procurei por todo lado. Esperei. Vigiei. Não sei onde ele está, mas não é aqui.

Ele a puxa de novo para si, delicadamente, com cuidado, como se ela pudesse se quebrar, e a cobre.

— Vou tomar as providências — afirma ele.

—

A pessoa a quem ele pede que providencie a compra é Bartholomew. Ele não pode, explica em uma carta ao cunhado, pedir a nenhum dos irmãos, já que o assunto acabaria chegando aos ouvidos do pai. Será que o cunhado se disporia a ajudá-lo?

Bartholomew reflete sobre a questão. Pousa a carta sobre a lareira e lhe lança um olhar de vez em quando, enquanto toma o café da manhã.

Joan, agitada pelo aparecimento da carta por baixo da porta, anda de um lado para outro no cômodo, perguntando do que se trata, se é "daquele homem", expressão que usa para se referir ao marido de Agnes. Exige uma resposta, é o seu direito. Ele está pedindo dinheiro emprestado? Está? Acabou se dando mal em Londres? Ela sempre soube que isso iria acontecer. Percebeu que o sujeito não prestava desde que pôs os olhos nele. Ainda fica abalada com o fato de Agnes ter jogado fora suas oportunidades por um zé-ninguém desses. Está pedindo dinheiro? Ela espera que Bartholomew não pense, nem por um minuto, em lhe emprestar um centavo. É preciso levar em conta a fazenda e as crianças, sem falar nos irmãos e nas irmãs. Tem que ouvi-la, a ela, Joan, sobre essa questão. Está ouvindo? Está mesmo?

Ele continua a comer seu mingau em silêncio, como se não a ouvisse, a colher mergulhando e emergindo, mergulhando e emergindo. A esposa fica nervosa e derrama o leite, metade no chão e metade no fogo, e Joan a repreende, ficando de quatro para limpar a sujeira. Uma criança desata a chorar. A esposa tenta avivar o fogo.

Bartholomew empurra o que sobrou do café da manhã para longe. Fica em pé, com a voz de Joan ainda soando às suas costas, como a de um estorninho. Enfia o chapéu na cabeça e sai de casa.

Caminha até a terra a leste de Hewlands, onde o solo se tornou alagadiço recentemente. Depois faz o caminho de volta.

A esposa, a madrasta e os filhos o cercam novamente, cheios de perguntas. São ruins as notícias de Londres? Aconteceu alguma coisa? Joan, claro, examinou a carta, que passou de mão em mão na casa, mas nem ela nem a esposa de Bartholomew sabem ler. Algumas das crianças sabem, mas não conseguem decifrar a caligrafia desse tio misterioso.

Bartholomew, ainda ignorando as perguntas das mulheres, pega uma folha de papel e uma pena. Com esforço molha a pena na tinta e, com a língua firmemente presa entre os dentes, responde à carta do cunhado, dizendo que, sim, vai ajudá-lo.

—

Várias semanas depois, ele procura a irmã. Tenta achá-la primeiro em casa, depois no mercado e em uma choupana sugerida pela esposa do padeiro — um lugar pequeno e escuro, próximo ao moinho.

Quando Bartholomew empurra a porta, Agnes está aplicando um emplastro no peito de um velho deitado em um colchão de palha. O aposento está nas sombras. Ele consegue enxergar o avental da irmã, o formato branco de sua touca. Sente o fedor acre da argila, a umidade do chão de terra batida e algo mais — a fedentina podre de doença.

— Espere lá fora — instrui Agnes baixinho. — Vou em um instante.

Ele se posta na rua, batendo com as luvas de encontro à perna. Quando ela surge a seu lado, ele começa a se afastar da porta do velho doente.

Agnes o encara enquanto os dois caminham em direção à cidade. Ele percebe que está sendo estudado, que seu humor está sendo avaliado. Passado um momento, estende a mão e pega a cesta que ela carrega no braço. Um rápido exame do seu conteúdo revela um embrulho de pano, com algum tipo de planta seca se projetando para fora, um frasco tapado, alguns cogumelos e uma vela gasta pela metade. Refreia um suspiro.

— Você não devia vir a lugares como este — diz ele, quando se aproximam do mercado.

Ela abaixa as mangas da blusa, mas não responde.

— Não devia — repete o irmão, sabendo o tempo todo que desperdiça saliva. — Precisa cuidar da sua saúde.

— Ele está morrendo, Bartholomew — responde Agnes. — E não tem ninguém. Nem mulher, nem filhos. Todos morreram.

— Se está morrendo, por que tenta curá-lo?

— Não estou tentando curá-lo — retruca a irmã, com o olhar em chamas. — Mas posso facilitar sua passagem, livrá-lo da dor. Não é isso que todos merecemos em nossa hora derradeira?

Estendendo o braço, ela tenta recuperar sua cesta, mas Bartholomew não lhe permite.

— Por que você está de mau humor? — indaga Agnes.

— Como assim?

— É Joan — atalha a irmã, desistindo do embate inútil pela cesta e fixando nele um olhar penetrante —, certo?

Bartholomew respira fundo, passando a cesta para a outra mão, de modo a tirá-la do alcance de Agnes de uma vez por todas. Não está ali para falar de Joan, mas foi tolice sua achar que Agnes não notaria seu humor sombrio. Ele discutiu com a madrasta durante o café. Vem economizando há anos para ampliar a casa da fazenda, para acrescentar um piso superior e mais quartos nos fundos — está cansado de dormir em um salão com inúmeras crianças, uma madrasta resmungona e vários animais. Joan foi contrária ao plano desde o início. O lugar sempre foi bom o bastante para seu pai, gritou, enquanto servia o mingau, por que não é bom o bastante para você? Por que é preciso levantar o colmo, tirar o teto de cima de nossa cabeça?

— Quer meu conselho? — pergunta Agnes.

Bartholomew dá de ombros, os lábios cerrados.

— Com Joan, é preciso fingir — diz ela, quando já podem ver a primeira banca do mercado — que o que a gente quer não é o que a gente quer.

— O quê?

Agnes faz uma pausa para examinar uma fileira de queijos e cumprimentar uma mulher com um xale amarelo, antes de seguir adiante.

— Faça com que ela acredite que você mudou de ideia — prossegue, caminhando à frente do irmão, abrindo espaço no meio da multidão —, que não quer reconstruir a casa. Que acha trabalhoso demais, caro demais — sugere, lançando para o irmão um olhar por cima do ombro. — Garanto que em uma semana ela estará dizendo que acha que o salão ficou muito apertado, que é preciso ter mais quartos, que o único motivo para você não estar providenciando isso é a sua preguiça.

Bartholomew reflete sobre o que ouviu, enquanto os dois se aproximam da saída do mercado.

— Acha que vai funcionar?

Agnes deixa o irmão alcançá-la, e os dois voltam a caminhar lado a lado.

— Joan nunca está contente e não aguenta ver ninguém contente. A única coisa que a deixa feliz é fazer os outros tão infelizes quanto ela. Adora ter companhia para sua perpétua insatisfação. Por isso, esconda dela o que faz você feliz. Esforce-se para fingir que você quer o oposto. Aí tudo vai sair conforme você deseja, acredite.

Agnes está prestes a tomar a direção da Henley Street quando Bartholomew a pega pelo cotovelo e faz com que ela lhe dê o braço, alterando o caminho para uma rua diferente, que vai dar no auditório da guilda e no rio.

— Vamos por aqui — diz ele.

Ela hesita um instante, lançando para o irmão um olhar inquiridor, antes de ceder em silêncio.

Os dois passam pelas janelas da escola. É possível ouvir os alunos recitando uma lição. Uma fórmula matemática, uma construção verbal, o verso de um poema, Bartholomew não consegue dizer o que exatamente. O ruído é ritmado, musical, como os pios distantes de pássaros do pântano. Quando olha para a irmã, vê que a cabeça dela está baixa, os ombros encolhidos, como os de quem se protege contra granizo. A pressão em seu braço lhe diz que ela quer atravessar a rua, e por isso assim o fazem.

— Seu marido — diz Bartholomew, enquanto esperam um cavalo passar — me escreveu.

Agnes ergue a cabeça.

— Mesmo? Quando?

— Ele pediu que eu compre uma casa para ele e…

— Por que não me contou?

— Estou contando agora.

— Mas por que não antes, antes que eu...
— Quer ver a casa?
Agnes cerra os lábios. O irmão percebe que ela quer dizer não, mas ao mesmo tempo está cheia de curiosidade.
Ela opta por dar de ombros, fingindo indiferença.
— Se você quiser...
— Não — retruca ele —, se você quiser.
Ela volta a dar de ombros.
— Talvez um outro dia, quando...
Bartholomew estende a mão livre e aponta para um prédio do outro lado da rua. É um lugar enorme, o maior da cidade, com uma larga porta central, três andares, e fica em uma esquina, de modo que a frente os encara e a lateral dá a volta nesta.
Agnes segue a direção do dedo indicador do irmão. Ele a observa examinar a casa. Observa enquanto ela olha para cada lado da construção. Observa-a franzir o cenho.
— Onde? — pergunta Agnes.
— Ali.
— Aquele lugar?
— Sim.
O rosto dela estampa uma grande confusão.
— Mas que parte dela? Que cômodos?
Bartholomew pousa no chão a cesta que segura e balança de leve o corpo, antes de dizer:
— Todos.
— Como assim?
— A casa toda é sua.

———

A casa nova é um lugar de sons. Jamais fica silenciosa. À noite, Agnes percorre corredores e escadas e cômodos e passagens, descalça, de ouvido atento.

Na casa nova, as janelas estremecem nos batentes. Uma lufada de ar transforma a chaminé em uma flauta, soprando uma nota lamentosa em direção ao saguão. O clique de lambris de madeira se acomodando para dormir. Cães se remexendo e suspirando em suas cestas. As garras de camundongos fora do alcance da visão nas paredes. O barulho dos galhos no enorme jardim nos fundos.

Na casa nova, Susanna dorme no extremo do corredor; tranca a porta para escapar dos passeios noturnos da mãe. Judith ocupa o quarto ao lado do de Agnes; patina sobre a superfície do sono, acordando com frequência, quase nunca dormindo profundamente. Se Agnes abre a porta, basta o som das dobradiças para fazê-la se sentar na cama e perguntar quem está ali. Os gatos dormem sobre suas cobertas, cada um de um lado da menina.

Na casa nova, Agnes consegue acreditar que, se descesse a rua, atravessasse o mercado, subisse a Henley Street e entrasse pela porta da própria casa, acharia a si mesma e aos demais como eram antes: uma mulher com duas filhas e um filho. O imóvel não estaria habitado por Eliza e seu marido chapeleiro, não mesmo, mas por eles, como eles deveriam ser, como seriam agora. O filho estaria mais velho, mais alto, mais espadaúdo, a voz mais grave e mais confiante. Sentado à mesa, as botas sobre uma cadeira, estaria conversando com ela — como ele adorava conversar — a respeito do dia na escola, coisas que o mestre disse, quem apanhou de vara, quem recebeu elogios. Estaria sentado lá, a touca pendurada atrás da porta, e reclamaria de fome, perguntando o que havia para comer.

Agnes deixa que essa ideia a encharque. Pode contê-la dentro de si, como um tesouro embrulhado e escondido, para ser retirado do esconderijo, polido e admirado, quando ela estiver sozinha, quando vagar por essa casa nova, enorme, à noite.

—

Ela encara o jardim como seu território, seu domínio. A casa é uma entidade enorme, atraindo muitos comentários e elogios, inveja e indagações sobre o marido e sobre o que ele faz, qual é o seu negócio e se é verdade que ele frequenta a corte. A casa exerce, ao mesmo tempo, atração e repulsa. Desde que o marido a comprou, as pessoas não pararam mais de falar nisso. Expressam surpresa diante dela, mas, pelas costas, sabe o que dizem: como ele conseguiu isso, sempre foi um inútil estouvado, meio maluco, com a cabeça no mundo da lua, de onde saiu tanto dinheiro, será que está metido em transações ilegais em Londres? Não seria surpresa, talvez tenha puxado ao pai; como essa quantidade de dinheiro pode vir da profissão de ator? Não é possível.

Agnes já ouviu tudo isso. A casa nova é um pote de geleia, atraindo moscas o tempo todo. Ela mora lá, mas a casa nunca será dela.

Do lado de fora da porta dos fundos, porém, ela consegue respirar. Planta uma fileira de macieiras ao longo do alto muro de tijolos. Dois pares de pereiras de cada lado do caminho principal, ameixeiras, sabugueiros, bétulas, groselheiras, ruibarbos vermelhos. Pega uma muda de uma rosa-de-cão que cresce junto ao rio e a planta de encontro ao muro morno do galpão de malte. Planta sementes de sorveira perto da porta dos fundos. Enche o solo de camomila e calêndula, de hissopo e sálvia, borragem e angélica e matricária. Instala sete colmeias de cânhamo na extremidade do jardim — nos dias quentes do verão é possível ouvir de dentro de casa o movimento incessante das abelhas.

Ela transforma o velho galpão de cerveja em um cômodo para secar suas plantas, misturá-las, receber clientes, que entram pelo portão lateral para pedir curas. Encomenda a construção de um galpão de cerveja maior, o maior da cidade, nos fundos da casa. Limpa o velho poço no quintal. Cria um jardim decorativo, com sebes de buxo em um padrão quadriculado, preenchendo os intervalos com lavanda roxa.

—

O marido visita a casa nova duas ou três vezes por ano. Passa um mês ali no segundo ano de vida deles na casa. Tinha havido rebeliões por causa da falta de comida, conta, com os aprendizes marchando em Southwark e saqueando lojas. A praga voltou mais uma vez a Londres e os teatros estão fechados. Isso nunca é mencionado em voz alta.

Judith percebe a ausência dessa palavra durante as visitas do pai. Nota que ele adora a casa nova. Perambula por ela com passos lentos, arrastados, erguendo o olhar para as chaminés e as vigas do teto, fechando e abrindo cada porta. Se fosse um cão, seu rabo balançaria sem parar. Pode ser visto no pátio, cedinho de manhã, onde gosta de tirar a primeira água do poço e tomar um copo. A água ali, diz ele, é a mais fresca, mais deliciosa que já provou.

Judith também percebe que, durante os primeiros dias da estada, a mãe não olha para ele. Chega para o lado quando o marido se aproxima e sai do aposento se ele entra.

Ele a segue, porém, quando não está trancado no próprio quarto, trabalhando. Ele a segue até o galpão de cerveja e de um lado para outro no jardim. Enfia um dedo no punho da blusa da esposa. Fica a seu lado na estufa enquanto ela trabalha, espiando sob a sua touca. Judith, agachada no canteiro de camomila, com o pretexto de arrancar mato, o vê pegar uma cesta de maçãs e oferecer, com um sorriso, à esposa. Agnes pega a cesta sem dizer uma palavra e a põe de lado.

Contudo, passado um tempo, acontece uma espécie de degelo. A mãe permite que a mão dele pouse em seu ombro quando ele passa perto da cadeira em que está sentada. Satisfaz suas vontades, no jardim, respondendo às constantes perguntas sobre que flores são essas e quais suas utilidades. Ouve quando, segurando um livro de aparência antiga, ele compara os nomes que ela dá às plantas aos que constam ali em latim. Prepara um elixir para o marido, um chá de levístico e giesta, e o leva até o segundo andar, ao cômodo em que ele se debruça sobre a escrivaninha, fechando a porta ao entrar. Toma o braço dele quando os dois andam juntos na rua. Judith ouve risos e conversas vindos dos galpões fora da casa.

É como se a mãe precisasse que Londres e tudo que o marido faz por lá seja purgado dele antes de poder aceitá-lo de volta.

—

Jardins não ficam imóveis: estão sempre em mutação. A macieira estende seus galhos até que suas coroas fiquem mais altas que o muro. As pereiras deram frutas no primeiro ano, mas não no segundo, e voltaram a dar no terceiro. As calêndulas abrem suas pétalas brilhantes, infalivelmente, todo ano, e as abelhas deixam suas colmeias para sobrevoar o tapete de botões, entrando e saindo das pétalas. Nos arbustos de lavanda no jardim decorativo crescem gravetos, mas Agnes não os arranca — ela os poda, guardando os caules, as mãos impregnadas de uma fragrância intensa.

Os gatos de Judith têm filhotes e, no devido tempo, esses filhotes têm filhotes. A cozinheira tenta agarrá-los para serem afogados, mas a menina não permite. Alguns são levados vivos para Hewlands, outros para Henley Street, outros mais são distribuídos pela cidade, mas, ainda assim, o jardim se enche de gatos de diferentes tamanhos e idades, todos com rabo comprido e esbelto, uma mancha branca no pescoço e olhos verde-folha, todos esbeltos, musculosos e fortes.

A casa não tem ratos. Até a cozinheira é obrigada a admitir que há vantagens em dividir a moradia com uma longa dinastia de gatos.

Susanna está mais alta que a mãe. É a encarregada das chaves da casa, que ficam penduradas em um gancho na cintura. Anota tudo em um livro contábil, paga aos criados, supervisiona os lucros e os gastos em razão da atividade de curas da mãe e da produção de cerveja e malte. Se alguém deixa de pagar, ela manda um dos tios rondar a porta do devedor. Corresponde-se com o pai sobre rendas, investimentos, aluguéis das propriedades, quais inquilinos estão com os pagamentos atrasados ou incompletos. Aconselha-o sobre quanto dinheiro mandar para casa e quanto manter em Londres; avisa-o quando ouve sobre uma casa ou um pedaço de terra à venda. Assume o encargo, a pedido do pai, de comprar mobília para a casa nova: cadeiras, catres, cômodas para roupas de cama, tapeçarias de parede, uma cama nova. A mãe, contudo, se recusa a abrir mão da própria cama, dizendo que foi nela que se casou e que não dormirá em outra. Por isso a nova, mais imponente, vai parar no quarto de visitas.

Judith se mantém próxima à mãe, orbitando a sua volta, como se sua proximidade lhe garantisse algo. Susanna não sabe o quê. Segurança? Sobrevivência? Propósito?

Judith cuida do jardim, faz compras, arruma a bancada de trabalho da mãe. Se esta lhe pede que pegue três folhas de louro ou manjerona, Judith sabe onde estão. Todas as plantas parecem iguais para Susanna. Judith passa horas com seus gatos, escovando-os, comunicando-se com eles em uma linguagem que mistura canções melosas e gritinhos agudos. Toda primavera, há filhotes para vender — os bichanos são, Judith explica aos interessados, excelentes caçadores de ratos. Seu rosto é do tipo em que as pessoas confiam, pensa Susanna: olhos grandes bem separados, o sorriso rápido e meigo, o olhar alerta, porém sincero.

Toda a atividade no jardim faz Susanna trincar os dentes; ela passa a maior parte do tempo dentro de casa. As plantas que demandam um cuidado incessante, as abelhas infernais que sobrevoam e picam e vão de encontro ao rosto de qualquer um; as visitas que chegam e vão embora durante o dia inteiro pelo portão lateral: tudo isso a perturba e a deixa zonza.

Ela se esforça, uma vez por dia, para ensinar Judith a ler e escrever. Prometeu ao pai fazer isso. Obedientemente, chama a irmã para dentro e a faz se sentar na sala, com uma velha lousa em frente a ambas. É uma tarefa inglória. Judith se remexe no assento, olha pela janela, se recusa a usar a mão direita para escrever, diz que parece errado fazer isso, puxa um fio solto da bainha da roupa, não escuta o que Susanna diz e, quando escuta, se distrai com um ambulante vendendo bolos na rua. Judith se recusa a registrar as letras, a ver como elas se juntam para adquirir sentido, questiona se pode haver resquícios de algo que Hamnet tenha escrito na lousa, não se recorda de um dia para outro o que é um *a* e o que é um *c*, e como distinguir um *d* de um *b*, já que para ela as letras são iguais, e como tudo isso é entediante, como é impossível! Desenha olhos e bocas em todos os espaços nas letras, tornando-as criaturas diferentes, algumas tristes, outras felizes, algumas cativantes. Passa-se um ano até que Judith produza uma assinatura confiável; é o rabisco de uma inicial, mas de cabeça para baixo e torcida como um rabo de porco. Susanna, afinal, desiste.

Quando reclama com a mãe sobre o fato de Judith não aprender a escrever, não ajudar com a contabilidade, não assumir qualquer responsabilidade pela administração da casa, Agnes sorri de leve e diz que os talentos de Judith são diferentes dos da irmã, mas, ainda assim, são talentos.

Por que, pensa Susanna, entrando ruidosamente em casa, ninguém vê como a vida é difícil para ela? O pai, ausente e jamais em casa, o irmão morto, a casa toda para cuidar, os criados para vigiar. Ela precisa dar conta disso tudo enquanto mora com duas... Susanna hesita ante a expressão "quase retardadas". A mãe não é quase retardada, embora não seja como todo mundo. Antiquada. Camponesa. Cabeça-dura. Mora nessa casa como se ela fosse o lugar em que nasceu, um único cômodo cercado por ovelhas. Comporta-se ainda como a filha de um fazendeiro, vagando por trilhas e campos, colhendo mato em uma cesta, a roupa molhada e suja, o rosto corado e queimado de sol.

Ninguém sequer a leva em conta, pensa Susanna, enquanto sobe a escada para o quarto. Ninguém jamais vê suas dificuldades e provações. A mãe lá fora no jardim, os braços enfiados até os cotovelos no adubo das plantas, o pai em Londres, atuando em peças que dizem ser extremamente indecentes, e a irmã em algum lugar da casa, cantando uma canção tortuosa fruto da própria invenção em uma voz que lembra o som de uma flauta. Quem há de querer cortejá-la, pergunta para o ar, enquanto escancara a porta e a deixa bater às suas costas, com uma família assim? Como há de escapar um dia dessa casa? Quem há de aguentar interagir com qualquer um deles?

—

Agnes vê a criança escorregar da filha mais nova como uma capa escorrega de um ombro. Ela está mais alta, esbelta como um salgueiro, suas formas preenchendo os vestidos. Perde o ímpeto de pular, de se locomover com rapidez, com destreza, de deslizar de um extremo ao outro de um aposento ou quintal. Ela adquire a postura responsável de uma mulher adulta. Suas feições se tornam mais definidas, as maçãs do rosto elevadas, o nariz se afunila, a boca se transforma na boca que lhe cabe ter.

Agnes observa esse rosto; observa e observa. Tenta ver Judith como ela é, como ela será, mas existem momentos em que o que se pergunta é: será que esse é o rosto que o filho teria, como seria esse rosto em um menino, como seria sua aparência com uma barba, com um maxilar masculino, em um rapaz forte?

—

É noite na cidade. Um silêncio profundo, sombrio, paira sobre as ruas, quebrado apenas pelo pio oco de uma coruja chamando pelo companheiro. Uma brisa percorre, invisível, insistente, as ruas, como um ladrão em busca de uma entrada. Brinca com os topos das árvores, inclinando-os para um lado, depois para o outro. Penetra no sino da igreja, fazendo o bronze vibrar com uma única nota grave. Eriça as penas da coruja solitária, postada em um telhado próximo à igreja. Faz estremecer o batente solto de algumas portas ao longo da rua, levando os moradores a se mexerem em suas camas, os sonhos perturbados por imagens de ossos trêmulos, de passos se avizinhando, de cascos ruidosos.

Uma raposa sai de trás de uma carroça vazia, avançando de lado pela rua escura e deserta. Para por um instante, uma pata erguida, do lado de fora do auditório da guilda, perto da escola em que Hamnet estudou, assim como o pai antes dele, como se tivesse ouvido alguma coisa. Então, volta a andar, antes de virar à esquerda e sumir no vão entre duas casas.

A terra ali já foi um pântano — úmido, aquoso, meio rio, meio terra. Para construir casas, foi preciso primeiro drenar a terra, depois criar um leito de juncos e galhos que servisse de boia para as construções, como navios no mar. Na estação chuvosa, as casas se lembram. Elas estalam nas fundações, puxadas pela lembrança antiga; assoalhos se lascam, chaminés racham, batentes se afrouxam e se rompem. Nada desaparece sem deixar vestígios.

A cidade está em silêncio, com a respiração presa. Dali a uma hora mais ou menos, a escuridão começará a fraquejar, a claridade se fará e todos acordarão em suas camas, prontos — ou não — para encarar um novo dia. Agora, porém, os moradores dormem.

Exceto Judith. Ela vem caminhando pela rua, envolta em uma capa, o capuz cobrindo sua cabeça. Passa pela escola, onde a raposa esteve pouco antes — não vê a raposa, mas a raposa a vê, de seu esconderijo em um beco. Observa a garota com as pupilas dilatadas, assustada por essa criatura inesperada que partilha seu mundo noturno, registrando seu manto, seus pés que caminham com rapidez, a pressa em seu passo.

Judith atravessa a praça do mercado com pressa, mantendo-se junto aos prédios, e vira na Henley Street.

Uma mulher se consultara com a mãe no outono, buscando remédio para juntas inchadas e dores nos pulsos. Ela era, contou a Judith quando esta abriu o portão lateral, a parteira. A mãe aparentemente conhecia a mulher. Depois de fitá-la por um longo momento, lhe sorriu. Tomara as mãos da mulher nas suas, virando-as com delicadeza para cima. As juntas estavam grossas, roxas, desfiguradas. Agnes as embrulhou em um pano contendo folhas de confrei e depois saiu da sala para buscar um pouco de unguento.

A mulher pôs as mãos com ataduras no colo. Olhou-as um instante e depois disse, sem erguer os olhos:

— Às vezes preciso atravessar a cidade tarde da noite. Os bebês chegam a qualquer hora, sabe?

Judith assentiu com educação.

A mulher sorriu.

— Lembro de quando você nasceu. Achamos que você não viveria. Mas aí está você.

— Aqui estou — sussurrou Judith.

— Várias vezes — prosseguiu a mulher —, andando pela Henley Street, passando pela casa em que você nasceu, vi coisas.

Judith a encarou brevemente. Queria perguntar o quê, mas também temeu a resposta.

— O que você viu? — desembuchou.

— Alguma coisa. Ou talvez eu deva dizer alguém.

— Quem? — indagou Judith, já sabendo a resposta.

— Correndo.

— Correndo?

A velha parteira assentiu.

— Da porta da casa grande para a porta da casa menorzinha. Claro como água. Uma figura correndo como o vento, como se o próprio demônio estivesse em seus calcanhares.

Judith sentiu o coração se acelerar, como se fosse ela a condenada a correr pela Henley Street por toda a eternidade, não ele.

— Sempre à noite — diz a mulher, acariciando uma das mãos com a outra. — Nunca de dia.

Por isso, Judith vem toda noite, desde então, saindo de casa às escondidas no meio da escuridão, para se postar aqui, à espera, à espreita. Nada disse à mãe nem a Susanna. A parteira escolheu contar para ela e somente para ela. É seu segredo, sua conexão, seu gêmeo. Há manhãs em que pode sentir a mãe fitando-a, observando seu rosto cansado, contraído, e então se pergunta se a mãe sabe. Não seria surpresa. Mas não deseja falar disso com ninguém, para o caso de jamais se concretizar, para o caso de ela jamais encontrá-lo, para o caso de ele não aparecer para ela.

Na casa pequena, atualmente, no quarto em que Hamnet morreu, tremendo e com convulsões, o veneno da febre correndo em suas entranhas, há muitos manequins de chapeleiro, todos virados para a porta, uma multidão de observadores de madeira, mudos, sem feições. Judith vigia essa porta, encara-a.

Por favor, pede mentalmente. Por favor, só esta vez. Não me deixe aqui sozinha, por favor. Sei que você tomou meu lugar, mas sou apenas meia pessoa sem você. Me deixe ver você uma última vez.

Ela não consegue imaginar como seria revê-lo. O irmão ainda criança e ela já crescida, quase uma mulher. O que ele pensaria? Será que a reconheceria, se passasse por ela na rua, esse menino que para sempre seguiria sendo um menino?

A várias ruas de distância, a coruja sai do poleiro, entregando-se a uma corrente de ar frio, as asas silenciosamente alçando voo, o olhar alerta. Para ela, a cidade não passa de uma série de telhados, com valetas de ruas entre eles, um local para ser sobrevoado. Ela vê as folhas das árvores enquanto voa, assim como a fumaça sinuosa de chaminés ociosas. Assiste ao progresso da raposa, que agora atravessa a rua; flagra um roedor, possivelmente uma ratazana, cruzar um quintal e sumir em um buraco; vê um homem, que dorme junto à porta de uma taverna, coçar uma mordida de pulga na canela; vê coelhos em uma gaiola nos fundos de uma casa; cavalos amarrados do lado de fora da estalagem; e também vê Judith entrando na rua.

Judith não tem ciência da coruja, que voa no céu acima dela. Sua respiração lhe entra no corpo em arroubos irregulares, curtos. Ela viu alguma coisa. Uma centelha, uma sugestão, um movimento imperceptível, mas ainda assim alguma coisa. Foi como a passagem de uma brisa pelo milharal, como o vislumbre de um reflexo em uma vidraça, quando se puxa a janela para fechá-la — o inesperado flash de luz que atravessa o cômodo.

Judith atravessa a rua, o capuz escorregando de sua cabeça. Posta-se do lado de fora da casa onde morou, e em seguida anda da porta da casa modesta até a porta do casarão dos avós. O ar parece se fundir, carregado, como acontece pouco antes de uma tempestade. Fecha os olhos. Pode senti-lo. Tem certeza disso. A pele em seus braços e no pescoço se arrepia e ela deseja mais que tudo estender o braço, tocá-lo, pegar sua mão, mas não tem coragem para tanto. Ouve o próprio pulso latejar, a respiração ofegar e escuta, sob a dela, a respiração de outro. Sim. Sem dúvida.

Ela começa a tremer, a cabeça baixa, os olhos cerrados. O pensamento que se forma em sua cabeça é: tenho saudades suas, sinto sua falta. Eu daria qualquer coisa para ter você de volta, qualquer coisa.

E então o momento passa, acabou. A pressão baixa como uma cortina. Judith abre os olhos, apoia a mão no muro da casa para recuperar o equilíbrio. Ele se foi, se foi novamente.

—

Mary, bem cedo, ao abrir a porta da frente para deixar os cachorros saírem para a rua, dá com uma pessoa em frente à casa, caída e encurvada, a cabeça pousada nos joelhos. Por um instante, acredita ser um bêbado que parou ali durante a noite. Então, reconhece os sapatos e a saia da neta Judith.

Surpresa e aflita, leva correndo a menina semicongelada para dentro, pedindo cobertores e um caldo quente, pelo amor de Deus.

—

Agnes está nos fundos da casa, inclinada sobre os canteiros de plantas, quando a criada aparece para informar que sua madrasta, Joan, veio lhe fazer uma visita.

É um dia de tempestade, com o vento fustigando o jardim, encontrando caminho para açoitar os muros altos e se abater sobre todos, espalhando chuva e granizo, como se tomado de fúria por algum pecado cometido por eles. Agnes chegou ali bem cedinho para amarrar as plantas mais frágeis a gravetos, uma tentativa de protegê-las do massacre.

Agnes faz uma pausa, segurando a faca e os barbantes, e fita a moça.

— O que você disse?

— A sra. Joan — repete a criada, o rosto crispado, uma das mãos segurando firme a touca, que o vento parece decidido a lhe arrancar da cabeça — está esperando na sala.

Susanna corre pelo caminho que leva à casa, de cabeça baixa, em disparada na direção de ambas. Está gritando algo para a mãe, mas as palavras se perdem, carregadas por lufadas de vento. Gesticula indicando a casa, primeiro com uma das mãos, depois com a outra.

Agnes suspira, pondera a situação por mais um instante e depois enfia a faca no bolso. Deve ser alguma coisa a respeito de Bartholomew ou uma das crianças, da fazenda, das melhorias a serem executadas. Joan há de querer que ela interceda e Agnes terá de ser firme. Não gosta de se envolver no que acontece em Hewlands. Por acaso não tem a própria casa e a família para cuidar?

No instante em que entra em casa, Susanna começa a ajeitar a touca, o avental, o cabelo que escapou dos grampos. Agnes a dispensa. Susanna atravessa a passagem e o corredor, resmungando que ela não pode receber visitas naquele estado e que seria melhor dar um jeito na aparência. Ela mesma fará companhia a Joan, promete.

Agnes ignora a filha. Atravessa o corredor com passo firme e rápido e abre a porta.

É recebida pela visão da madrasta, sentada bem ereta na cadeira que pertence ao marido de Agnes. Em frente a ela está Judith, que se acomodou no chão, com dois gatos no colo e outros três ao redor, circulando e ostensivamente se esfregando nas suas costas e mãos. Está falando, com uma fluência incomum, sobre os diferentes gatos e seus nomes, sobre o que gostam de comer e onde preferem dormir.

Agnes sabe que Joan sente uma repulsa especial por gatos — os bichanos lhe tiram o fôlego e a fazem se coçar, foi o que sempre disse —, razão pela qual entra na sala refreando um sorriso.

— ... e o mais incrível — está dizendo Judith — é que este é o irmão daquele, o que ninguém diria, não é mesmo, se visse os dois de longe. Mas de perto dá pra ver que os olhos são exatamente da mesma cor. Exatamente. Está vendo?

— Hã, hã — responde Joan, tapando a boca com a mão e ficando de pé para cumprimentar Agnes.

As duas se encontram no meio do aposento. Joan pega a enteada pelos dois braços com uma força que é decidida e rápida. Os olhos se fecham quando ela planta um beijo na bochecha de Agnes, que resiste ao impulso de se libertar. Ambas se perguntam como estão, se as famílias vão bem.

— Desculpe — diz Joan enquanto volta para a cadeira — se interrompi alguma... alguma tarefa sua.

Olha sem disfarçar para o avental enlameado da enteada e a barra da saia cheia de terra.

— De jeito algum — responde Agnes, sentando-se, afagando o ombro de Judith ao passar. — Eu estava no jardim, tentando salvar algumas plantas. O que traz você à cidade com um tempo tão pavoroso?

Joan parece temporariamente desconcertada pela pergunta, como se não tivesse se preparado para ser questionada. Desamassa as rugas da roupa, cerra os lábios.

— Uma visita a uma... uma amiga. Uma amiga que não está bem.

— Oh, sinto muito saber. Qual é o problema?

Joan faz um gesto com a mão.

— Nada de muito sério... Só um resfriado. Nada que seja...

— Eu daria com prazer à sua amiga uma tintura de pinha e sabugueiro. Tenho uma que acabei de preparar. É muito bom para os pulmões, principalmente no inverno e...

— Não é preciso — interrompe Joan. — Eu agradeço, mas não, obrigada.

Ela pigarreia, olhando ao redor. Agnes vê seus olhos se iluminarem ao observarem o teto, a lareira, os atiçadores, as tapeçarias nas paredes, que retratam florestas, folhas, vegetação densa em meio à qual saltitam cervos: um presente do marido, que as encomendou em Londres. A abastança recente e inesperada de Agnes incomoda Joan. Existe algo insuportável no fato de a enteada morar em uma casa tão suntuosa.

Como se seguisse o fio do próprio pensamento, Joan pergunta:

— E como vai seu marido?

Agnes encara a madrasta, antes de responder:

— Bem, eu acho.

— O teatro ainda o prende em Londres?

Agnes entrelaça as mãos no colo e sorri para Joan antes de assentir.

— Ele escreve para você com frequência, suponho.

Agnes sente um ligeiro ajuste por dentro, um ínfimo movimento, como se um animalzinho mudasse de posição.

— Claro.

Judith e Susanna, porém, a denunciam. Ambas viram a cabeça em sua direção com rapidez, uma rapidez exagerada, como cães aguardando um sinal do dono.

Joan, é óbvio, percebe. Agnes vê a madrasta umedecer os lábios, como se provasse alguma iguaria, algum doce saboroso. Volta a pensar no que disse a Bartholomew anos antes, no mercado: que Joan gosta de ter companhia em sua insatisfação perpétua. Como será que ela espera abatê-la agora? Que informação terá que, como uma espada, há de dilacerar essa casa, esse cômodo, esse lugar que ela e as filhas habitam, tentando viver da melhor forma possível na presença de enormes ausências? O que será que Joan sabe?

A verdade é que o marido de Agnes não escreve há vários meses, exceto por uma carta breve lhes assegurando estar bem e por outra, endereçada a Susanna, pedindo-lhe que garanta a compra de mais um lote de cultivo. Agnes vem dizendo a si mesma e às filhas que nada há de errado, que ele deve andar ocupado, que às vezes as cartas se perdem na estrada, que ele trabalha muito, que voltará para casa mais cedo do que imaginam, mas, mesmo assim, a ideia a tem perturbado. Por onde ele andará e o que estará fazendo e por que não escreve?

Agnes cruza os dedos, escondendo-os nas dobras do avental.

— Tivemos notícia dele há uma semana, mais ou menos, dizendo que está muito ocupado preparando uma nova comédia e...

— A nova peça, sem dúvida, não é uma comédia — intervém Joan. — Mas suponho que você saiba disso.

Agnes se cala. O animal dentro dela se remexe sem parar, começa a arranhar suas entranhas com as garras afiadas.

— É uma tragédia — prossegue Joan, desnudando os dentes com um sorriso. — E tenho certeza de que ele lhe disse o título. Nas cartas que manda. Porque, é claro, ele jamais lhe daria tal título sem contar a você primeiro, não é mesmo, sem sua permissão? Garanto que você viu o cartaz. Ele provavelmente lhe mandou. Todos na cidade estão comentando. Meu primo, que chegou de Londres ontem, trouxe um. Tenho certeza de que você também recebeu, mas eu trouxe, por via das dúvidas, para você ver.

Joan se põe de pé e atravessa a sala, leve como uma pluma. Deixa cair um papel enrolado no colo da enteada.

Agnes olha o rolo e depois o pega com dois dedos, desenrolando-o no avental enlameado. Por um instante, não consegue atinar com o que vê. É uma folha impressa. Há muitas letras, tantas, enfileiradas, agrupadas em palavras. Lá está o nome do marido, no alto, e a palavra "tragédia". Então, bem no meio, em letras maiores que as outras, vê o nome do filho, seu menino, o nome dito em voz alta na igreja quando ele foi batizado, o nome em sua sepultura, o nome que ela mesma lhe deu, pouco depois do nascimento dos gêmeos, antes que o marido chegasse para segurar os dois no colo.

Agnes não entende o que isso significa, o que aconteceu. Como o nome do filho foi parar em um cartaz de teatro londrino? Houve algum engano estranho. Ele morreu. Esse é o nome de seu filho e ele morreu não faz nem quatro anos. Ele era uma criança e seria um homem hoje, mas morreu. Ele é ele, não uma peça, não um pedaço de papel, não algo sobre o que falar ou encenar ou exibir. Ele morreu. O marido sabe disso, Joan sabe disso. Agnes não consegue entender.

Ela percebe quando Judith se inclina por sobre seu ombro, dizendo o que foi, o que é isso? Mas ela não sabe ler, não sabe juntar as letras e lhes dar sentido — estranho que não consiga reconhecer o nome do próprio gêmeo —, e percebe quando Susanna segura o canto do cartaz para firmá-lo — então seus dedos tremem, como se sacudidos pelo vento que uiva lá fora — apenas o suficiente para entender. Susanna tenta arrancar o cartaz das mãos da mãe, mas Agnes não deixa, de jeito algum vai entregá-lo, não aquele pedaço de papel, não aquele nome. Joan a observa, de boca aberta, perplexa diante do resultado da sua visita. Evidentemente subestimou o efeito do cartaz, não tinha ideia de que pudesse causar tal reação. As filhas de Agnes estão levando Joan para fora da sala, dizendo que a mãe não está bem, que Joan deve voltar em outra hora, e Agnes é capaz, a despeito do cartaz, a despeito do título, a despeito de tudo, de ouvir a falsa preocupação na voz de Joan ao se despedir.

—

Agnes fica de cama, pela primeira vez na vida. Vai para o quarto, se deita e não se levanta nem para comer, nem para atender visitas, nem para os doentes que batem no portão lateral. Não se despe, deitando-se em cima das cobertas. Raios de luz entram pelas janelas de treliça, impondo-se por entre as frestas do cortinado. Ela segura nas mãos o cartaz enrolado.

Os ruídos da rua lá fora, o barulho da casa, os passos das criadas no corredor, os tons abafados das vozes das filhas a alcançam. É como se ela estivesse submersa e todos à tona, no ar, olhando-a de cima.

À noite, ela deixa o leito e vai lá fora. Senta-se em meio às laterais trançadas, ásperas, das colmeias de cânhamo. Os zumbidos vibrantes que vêm de dentro delas, desde o alvorecer, lhe parecem a linguagem mais eloquente, articulada e perfeita que existe.

—

Susanna, consumida pela fúria, senta-se à escrivaninha com uma folha de papel em branco. Como você foi capaz?, escreve para o pai. Como pôde não nos contar?

—

Judith leva tigelas de sopa para a mãe na cama, um ramalhete de lavanda, uma rosa em um vaso, uma cesta de nozes frescas, as cascas fechadas.

—

A esposa do padeiro aparece trazendo broas, um bolo de mel. Finge não notar a aparência de Agnes, o cabelo desgrenhado, o rosto insone e marcado. Senta-se na beirada da cama, arrumando a saia em volta, pega a mão de Agnes na sua, quente e seca, e diz:

— Ele sempre foi estranho, sabe disso.

Agnes nada responde, mas ergue o olhar para o teto de tapeçaria sobre a própria cama. Mais árvores, algumas com maçãs colorindo seus galhos.

— Você não se pergunta o que tem nela? — indaga a esposa do padeiro, arrancando um pedaço do pão e o oferecendo a Agnes.

— No quê? — pergunta Agnes, ignorando o pão, mal escutando o que é dito.

A esposa do padeiro enfia o pedaço de pão entre os próprios dentes, mastiga, engole e arranca outro pedaço antes de responder:

— Na peça.

Agnes a fita pela primeira vez.

—

Para Londres, então.

Não levará ninguém com ela, nem as filhas, nem a amiga, nem as irmãs, nem os sogros, nem mesmo Bartholomew.

Mary declara ser uma loucura, diz que Agnes será atacada na estrada ou morta na cama em alguma estalagem no caminho. Judith começa a chorar ao ouvir isso e Susanna tenta consolá-la, mas também se mostra preocupada. John lhe aperta a mão e lhe diz para não ser uma tola. Agnes se senta à mesa dos sogros, composta, com as mãos no colo, como se não pudesse ouvir tais palavras.

— Eu vou. — É tudo que diz.

Mandam chamar Bartholomew. Ele e Agnes dão várias voltas em torno do jardim. Passam pelas macieiras, pelas pereiras, pelas colmeias, pelos canteiros de calêndulas, e refazem o caminho. Susanna, Judith e Mary observam da janela do quarto de Susanna.

A mão de Agnes está aninhada na dobra do braço do irmão. Ambos estão com a cabeça baixa. Eles param, rapidamente, ao lado do galpão de cerveja, como se examinassem algo no chão, e depois continuam a caminhar.

— Ela há de ouvi-lo — comenta Mary, a voz fingindo mais convicção do que sente. — Ele jamais permitirá.

Judith encosta os dedos na vidraça molhada de chuva. Como é fácil obliterar os dois com um dedão.

Quando a porta dos fundos bate, as três descem correndo a escada, mas apenas Bartholomew entrou, pondo o chapéu na cabeça, pronto para partir.

— Então? — indaga Mary.

Bartholomew ergue o rosto para olhá-las na escada.

— Você a convenceu?

— Convencê-la de quê?

— De não ir a Londres. De desistir dessa loucura.

Bartholomew arruma a copa do chapéu.

— Partimos amanhã — avisa ele. — Vou providenciar cavalos para nós.

— O que você disse? — pergunta Mary.

Judith começa a chorar e Susanna, juntando as mãos, questiona:

— Nós? Você vai com ela?

— Sim.

As três o cercam, como uma nuvem se enroscando na lua, cobrindo-o de objeções, de perguntas, de súplicas, mas Bartholomew se desvencilha e se dirige à porta.

— Vejo vocês amanhã cedo — conclui, antes de sair.

—

Agnes é uma amazona competente, ainda que não exímia. Gosta o suficiente dos animais, mas sente que andar no alto não é uma experiência de todo confortável. Trafegar velozmente na terra a deixa meio tonta; o sobe e desce de outro ser debaixo dela, o ranger e chiado do couro da sela, o odor poeirento, ressecado da crina a fazem contar as horas que é preciso passar no lombo de um cavalo até chegar a Londres.

Bartholomew afirma que a estrada que passa por Oxford é mais segura e mais rápida — um homem que vende carne de carneiro lhe disse. Os dois cavalgam pelos altos e baixos suaves de Chiltern Hills, enfrentam uma tempestade e uma chuva de granizo. Em Kidlington, o cavalo dela está tão manco que a opção é trocar por uma égua malhada de flancos estreitos e com uma tendência estouvada a empinar quando se depara com um pássaro. Passam a noite em uma estalagem em Oxford, onde Agnes mal consegue dormir devido ao ruído de camundongos nas paredes e dos roncos de alguém no quarto vizinho.

Por volta do meio da manhã do terceiro dia de viagem, ela vê a fumaça, um pano cinzento jogado sobre um vazio. Lá está, diz a Bartholomew, e ele assente. Quando chegam mais perto, ouvem o som de sinos e farejam o odor urbano — verduras molhadas, animais, cal e outras coisas que Agnes não sabe identificar — e veem sua vasta densidade, um amontoado irregular de uma cidade, o rio serpenteante que a atravessa, nuvens sugando espirais de fumaça.

Eles se dirigem à vila de Shepherd's Bush, passam pelas pedreiras de Kensington e atravessam o córrego em Maryburne. No local de execuções em Tyburn, Bartholomew se inclina na sela para perguntar como se chega a St. Helen's, em Bishopsgate. Várias pessoas continuam a andar sem lhe responder, um jovem descalço e com os pés feridos ri, antes de correr para a entrada de uma casa e sumir.

Quando se aproximam de Holborn, onde as ruas são mais estreitas e mais escuras, Agnes não acredita no volume do barulho e no fedor. Por todo lado, há lojas e pátios e tavernas e soleiras de portas cheios de gente. Comerciantes os abordam com suas mercadorias — batatas, bolos, maçãs silvestres, uma tigela de castanhas. As pessoas gritam umas para as outras na rua. Agnes vê, tem certeza disso, um homem copulando com uma mulher em um vão estreito entre prédios. Mais à frente, outro se alivia em uma vala. Agnes tem um vislumbre do membro, enrugado e pálido, antes de desviar o olhar. Rapazes — aprendizes, ela supõe — estão do lado de fora das lojas, na tentativa de atrair os transeuntes. Crianças ainda com dentes de leite rolam barris ao longo da via, anunciando seu conteúdo, e velhos e velhas se sentam com cenouras contorcidas, nozes com casca e broas expostas à volta.

O cheiro de repolho e pele queimada e massa de pão e excremento espalhado na rua lhe entra pelas narinas enquanto ela guia a égua, segurando as rédeas com as duas mãos. Bartholomew estende o braço para ajudá-la e para que não se afastem um do outro.

Pensamentos começam a surgir na cabeça de Agnes enquanto ela cavalga próxima ao irmão: e se não o encontrarmos, e se nos perdermos, e se não encontrarmos sua casa até o anoitecer, o que faremos, para onde iremos, devemos procurar por quartos seguros agora, porque viemos, isso foi uma loucura, minha loucura, é minha culpa.

Quando chegam a um lugar que creem ser o bairro do cunhado, Bartholomew pede a uma vendedora de bolos que os leve até o local onde ele mora. Eles têm o endereço anotado em um pedaço de papel, mas a mulher se recusa a olhá-lo, com um sorriso desdentado, e lhes diz para ir por ali, depois por acolá, seguir reto e então dar uma guinada abrupta passando pela igreja.

Agnes segura firme as rédeas, se aprumando na sela. Daria qualquer coisa para descer, para que a viagem acabasse. As costas doem, os pés, as mãos, os ombros também. Sente sede, fome e, no entanto, agora que está prestes a vê-lo, quer dar meia-volta e retornar direto para Stratford. O que estava pensando? Como podem os dois, ela e Bartholomew, aparecerem do nada à porta dele? A ideia foi péssima, o plano, abominável.

— Bartholomew — chama, mas o irmão está à frente, já desmontando, amarrando o cavalo a um poste e se dirigindo a uma porta.

Ela torna a chamar, mas ele não ouve porque está batendo na porta. Agnes sente o coração pulsar de encontro aos ossos. O que vai dizer? O que ele lhes dirá? Não consegue se lembrar do que queria lhe perguntar. Mais uma vez, verifica a presença do cartaz em seu alforje e ergue os olhos para a casa: três ou quatro andares com janelas irregulares e manchadas. A rua é estreita, as casas se inclinam umas para as outras. Uma mulher, encostada a uma porta, os observa com curiosidade ostensiva. Mais além, duas crianças brincam com um pedaço de corda.

Estranho pensar que essas pessoas devem vê-lo todos os dias, quando ele vai e vem, quando sai de casa pela manhã. Será que ele fala com elas? Será que come em suas casas?

Uma janela se abre acima. Agnes e Bartholomew erguem a cabeça. É uma menina de nove ou dez anos, o cabelo repartido ao meio emoldurando um rosto encovado, com um bebê apoiado no quadril.

Bartholomew diz o nome do cunhado e a menina dá de ombros, acalentando o bebê que agora chora.

— É só empurrar a porta — instrui a garota — e subir a escada. Ele fica lá em cima no sótão.

Bartholomew indica, com um movimento de cabeça, que ela deve subir e ele ficará na rua. Pega as rédeas da égua e Agnes desmonta.

A escada é estreita e as pernas dela doem na subida, se é por conta do longo tempo cavalgando ou da peculiaridade da coisa toda, ela não sabe dizer, mas precisa se apoiar no corrimão.

No alto, aguarda um instante, para recuperar o fôlego. Está diante de uma porta revestida de madeira com nós aparentes. Estende a mão e bate. Chama o nome dele. Torna a chamar.

Nada. Resposta alguma. Vira-se a fim de olhar para a escada e quase despenca. Talvez não queira ver o que existe por trás dessa porta. Quem sabe haja sinais da outra vida do marido, das outras mulheres? Pode ser que existam coisas ali que ela não deseje saber.

Volta a se virar para a porta, levanta o ferrolho e entra. O cômodo tem um teto baixo, enviesado, anguloso. Há uma cama baixa, empurrada contra a parede, um pequeno tapete, um armário. Ela reconhece um chapéu, largado em cima da arca, o justilho sobre a cama. Sob a luz da janela fica uma mesa quadrada, com uma cadeira encaixada embaixo. A escrivaninha está aberta e dá para ver um porta-pena, um tinteiro e um canivete. Uma coleção de penas se alinha junto a três ou quatro livros volumosos encadernados pelo marido. Ela reconhece os pontos de costura que ele prefere. Há uma única folha de papel diante da cadeira.

Ela não sabe o que esperava ver, mas não era isso — tamanha austeridade, extrema simplicidade. É a cela de um monge, o estúdio de um mestre. Paira uma sensação no ar, para ela, de que ninguém jamais põe os pés ali, de que ninguém jamais vê esse aposento. Como é possível que o homem que é dono da maior casa de Stratford, além de um bocado de terra, ali resida?

Agnes toca o justilho, o travesseiro na cama. Vira-se para registrar tudo. Vai até a escrivaninha e se debruça sobre a folha de papel, o sangue latejando em sua cabeça. No alto, ela vê as palavras:

Minha querida...

Quase dá um salto para trás, como se tivesse sido queimada, antes de ver, na linha seguinte:

Agnes

Não há mais nada, apenas três palavras, e depois o papel em branco.

O que ele lhe teria escrito? Pressiona os dedos na parte em branco da folha, como se tentasse vislumbrar o que ele teria dito se fosse capaz. Sente a textura do papel, a madeira da mesa, queimada pelo sol, passa o polegar sobre as letras que formam seu nome, sentindo as mínimas marcas da pena.

Leva um susto com um grito, um chamado. Apruma o corpo, tirando a mão da folha. É Bartholomew gritando seu nome.

Atravessa o cômodo, passa pela porta e desce a escada. O irmão a espera junto à porta aberta. Conta que a mulher da casa do outro lado da rua lhe disse que o marido de Agnes não voltará para casa até o cair da noite.

Agnes lança um olhar para a mulher, que continua encostada ao batente da porta. Ela balança a cabeça para Agnes.

— Vocês não vão encontrar o sujeito aí, estou dizendo. Vão procurar no teatro, se querem achá-lo — acrescenta, apontando com o braço: — Do outro lado do rio. Lá longe. É lá que ele está.

A mulher entra em casa e bate a porta.

Agnes e Bartholomew se encaram momentaneamente. Então, Bartholomew vai buscar os cavalos.

—

A vizinha encostada à porta tinha razão: ele está, conforme previsto, no teatro.

De pé no camarim, que fica logo atrás da galeria dos músicos, em uma pequena abertura acima do teatro inteiro. Os outros atores conhecem esse seu hábito e jamais guardam os figurinos e objetos de cenário nesse lugar, jamais ocupam o espaço em volta dessa janela.

Pensam que ele se posta ali para observar o público que chega. Acreditam que ele goste de calcular quantos espectadores haverá, de que tamanho será a plateia, qual será a renda.

Mas esse não é o motivo. Para ele, ali é o melhor lugar para estar antes de uma apresentação: o palco abaixo, a plateia preenchendo o vazio circular em um fluxo constante e os outros atores atrás dele, transmutando-se em espíritos ou príncipes ou soldados ou damas ou monstros. Esse é o único lugar onde é possível ficar sozinho em meio a tamanha multidão. Ele se sente como um pássaro, acima do solo, pousado em nada além de ar. Não pertence a esse lugar, está acima dele, à parte, observando.

Isso o faz lembrar o francelho que a esposa teve no passado e a maneira como ele pairava entre as correntes de ar, bem acima do topo das árvores, com as asas abertas, olhando das alturas para o que o cercava.

Ele aguarda, ambas as mãos apoiadas no batente. Lá embaixo, as pessoas continuam a chegar. Pode ouvir suas vozes, seus murmúrios, os gritos, os cumprimentos. Ouve-as pedindo nozes ou balas, escuta discussões que fermentam rápido e depois fenecem.

Às suas costas, ele ouve um barulho, um palavrão, uma risada. Alguém tropeçou no pé de outro alguém. Menciona-se uma piada de ribalta sobre quedas, sobre virgindade. Mais risadas. Outra pessoa sobe correndo a escada, indagando vocês viram a minha espada, perdi a minha espada, qual dos filhos da mãe aqui pegou a minha espada?

Logo ele terá de se despir, tirar as roupas da vida cotidiana, da rua, da trivialidade, e vestir seu figurino. Terá de confrontar o próprio reflexo em um espelho e fazer dele outra coisa. Com uma pasta de giz e cal, pintará as bochechas, o nariz, a barba. Com carvão escurecerá as cavidades oculares e as sobrancelhas. Fixará no peito uma armadura, porá um elmo sobre a cabeça e um lençol nos ombros. Então, restará esperar, ouvir, seguir o roteiro até receber a deixa para sua entrada, quando sairá para a luz adotando a forma de um outro; depois de respirar fundo, dirá suas falas.

Não é capaz de dizer, ali em pé, se essa nova peça é boa. Às vezes, quando ouve o grupo de atores representar, acha que chegou perto do que queria que ela fosse. Em outras, sente que errou o alvo. É boa, é ruim, algo no meio. Como é possível saber? Tudo que pode fazer é usar a pena em um papel — durante semanas e mais semanas foi tudo que fez, mal saindo do quarto, mal se alimentando, jamais falando com outra pessoa —, na esperança de que ao menos algumas dessas flechas acertem os alvos. A peça, em sua totalidade, lhe enche a cabeça. Equilibra-se ali, como uma bandeja pesada em um único dedo. Move-se em suas entranhas — essa mais que qualquer outra que já escreveu —, flui como o sangue em suas veias.

O rio começa a estender sua frágil rede de bruma. Ele pode farejá-la na brisa, seus vapores úmidos, e o cheiro das algas lhe chegam pelo ar.

Talvez seja a neblina, esse odor pesado de rio, ele não sabe, mas o dia lhe parece ruim. Um desconforto o assola, um leve mau presságio, como se algo estivesse chegando para levá-lo. Será a encenação? Acaso estará sentindo que existe algo de errado com ela? Franze o cenho, pensando, repassando mentalmente qualquer trecho que pareça não ter sido ensaiado ou para o qual esteja mal preparado. Não há nenhum. Está pronto e preparado. Sabe disso, porque ele mesmo os repassou, várias e várias vezes.

O que é, então? Por que essa sensação de que algo se aproxima, que algum tipo de acerto de contas o aguarda, levando-o a espreitar por cima do ombro?

Estremece, a despeito do calor e do aposento abafado. Passa a mão pelo cabelo, brinca com as argolas nas orelhas.

Esta noite, decide do nada, sairá do teatro direto para o quarto. Não vai beber com os amigos. Voltará diretamente para casa. Acenderá uma vela, aprontará uma pena. Há de se recusar a ir a qualquer taverna com o restante da companhia. Será firme. Afastará a mão dos amigos se tentarem arrastá-lo. Atravessará o rio, voltará para Bishopsgate e escreverá para a esposa, como vem tentando fazer há muito tempo. Não evitará o assunto em questão. Contará a ela sobre essa peça. Contará tudo. Esta noite. Tem certeza.

—

Tendo atravessado metade da ponte, Agnes acha não ser capaz de prosseguir. Não tem certeza do que esperava — um mero arco, talvez, de madeira, acima de certa quantidade de água —, mas decerto não era isso. A ponte de Londres é como uma cidade, uma cidade nociva — e opressiva, ainda por cima. Há casas e lojas de cada lado, algumas se projetando sobre o rio. Essas construções sombreiam a via, de modo que, às vezes, ela fica na mais completa escuridão, como se os transeuntes estivessem mergulhados na noite. O rio surge em flashes, entre as edificações, e é mais largo, mais profundo, mais perigoso do que Agnes jamais imaginou. Corre sob seus pés, sob os cascos dos cavalos, mesmo agora, enquanto eles abrem caminho por entre essa multidão.

De cada soleira de casa e de loja, os ambulantes os chamam e gritam, correndo em sua direção com tecidos, pão, contas ou pés de porco assados. Bartholomew puxa a rédea com um gesto abrupto para se afastar. Seu rosto, quando Agnes o fita, é tão inexpressivo como de hábito, mas dá para dizer que ele está tão abalado por isso tudo quanto ela.

— Talvez — sussurra para o irmão, enquanto passam pelo que parece ser um monte de excremento — devêssemos ter preferido um barco.

Bartholomew rosna.

— Talvez, mas aí poderíamos... —interrompe-se, as palavras sumindo antes que ele as verbalize. — Não olhe — diz, erguendo o olhar e depois voltando a encará-la.

Agnes esbugalha os olhos, sem desviá-los do rosto do irmão.

— O que foi? — sussurra. — É ele? Você o viu? Ele está com alguém?

— Não — responde Bartholomew, lançando um olhar furtivo para o que quer que tivesse visto. — É... Não importa. Apenas não olhe.

Agnes não consegue evitar. Vira-se na sela e vê: nuvens cinzentas baixas trespassadas por mastros compridos, estremecendo sob o vento, encimados por coisas que parecem, por um momento, pedras ou nabos. Ela estreita os olhos para enxergar melhor. Estão enegrecidas, em frangalhos, estranhamente desengonçadas. Deixam escapar o que para ela soa como um gemido breve, como animais encurralados. O que podem ser essas coisas? Vê, então, que a mais próxima dela aparentemente tem uma fileira de dentes incrustados. Essas coisas têm boca, percebe Agnes, e narinas, e cavidades oculares profundas que um dia já abrigaram olhos.

Solta um grito e se vira para o irmão, tapando a boca com a mão. Bartholomew dá de ombros.

— Avisei para você não olhar.

—

Quando alcançam o outro lado do rio, Agnes remexe no alforje e dele tira o cartaz que Joan lhe deu.

Ali, de novo, está o nome do filho e as letras pretas, arrumadas na sequência apropriada, tão chocantes quanto da primeira vez em que as viu.

Afasta o cartaz, que aperta com força na mão, e acena com ele para a primeira pessoa que se aproxima do flanco de sua égua. A pessoa — um homem com uma barba pontuda e escovada, usando uma capa jogada sobre os ombros — indica uma rua lateral.

— Vá por ali, depois vire à esquerda e novamente à esquerda, e vai ver logo.

Ela reconhece o teatro pela descrição feita pelo marido: um lugar circular de madeira junto ao rio. Desce do cavalo e Bartholomew pega as rédeas. Sente como se as pernas tivessem perdido seus ossos em algum ponto do caminho. A cena à volta — a rua, a margem do rio, os cavalos, o teatro — parece ondular, entrando e saindo de foco. Bartholomew está dizendo algo. Que vai esperá-la ali, que não sairá do lugar até ela voltar. Pergunta se ela entendeu. O rosto dele está bem próximo ao dela. Dá a impressão de aguardar uma resposta, e Agnes assente. Afasta-se do irmão e entra pela porta larga, pagando o ingresso.

Quando passa pelo arco da entrada, é recebida pela visão de fileiras e mais fileiras de rostos, centenas deles, todos falando e gritando. Ela se vê em um cercado de paredes altas, que vai se enchendo de gente. Há um palco, que se projeta sobre a multidão crescente, e, acima de todos, um teto de céu com um círculo de nuvens que se movem rapidamente, formas de pássaros, movendo-se de uma extremidade à outra.

Agnes se esgueira por entre ombros e corpos, homens e mulheres, alguém com uma galinha debaixo do braço, uma mulher amamentando um bebê, o seio meio escondido por um xale, um homem que vende tortas em uma bandeja. Ela se vira de lado, abre caminho até conseguir se aproximar o máximo possível do palco.

Por todo lado, corpos, cotovelos e braços pressionam uns aos outros. Mais e mais gente jorra porta adentro. Alguns no andar térreo gesticulam e gritam para outros nos balcões mais altos. A multidão se adensa e se lança, primeiro para um lado, depois para outro. Agnes é empurrada para trás e para a frente, mas se mantém firme onde está: a estratégia parece ser nadar com a corrente, em lugar de resistir a ela. É como se manter à tona em um rio: é preciso ceder ao fluxo, não lutar contra ele. Um grupo no balcão mais alto de assentos faz uma algazarra para abaixar um pedaço de corda. Há gritos, algazarras e risos. O homem da torta amarra à corda uma cesta cheia, e quem está lá em cima começa a puxá-la. Vários membros da multidão saltam para agarrá-la, de brincadeira ou por pura fome. O homem da torta aplica em cada um desses um tabefe. Uma moeda é atirada por um dos fregueses do balcão e o homem da torta se esforça para apará-la.

Um dos que ele acabou de estapear chega primeiro e o homem da torta o agarra pelo pescoço. O sujeito acerta um soco no queixo do homem da torta. Os dois caem, com um baque, engolidos pela multidão em meio a aplausos e berros.

A mulher ao lado de Agnes dá de ombros e sorri com dentes enegrecidos e tortos. Tem nos ombros um menino pequeno. Com uma das mãos, a criança agarra o cabelo da mãe, com a outra segura o que parece a Agnes o osso de uma perna de cordeiro, roendo-o com uma indiferença satisfeita, vidrada. O menino a encara com olhos impassíveis, o osso entre os dentinhos afiados.

Um ruído repentino e estridente faz Agnes pular de susto. Trombetas soam em algum lugar. O balbucio da multidão aumenta e se transforma em uma aclamação irregular. Alguns erguem os braços. Há uma salva de palmas, muitos gritos encorajadores, alguns assovios agudos. Às costas de Agnes, alguém fala um palavrão, exige aos gritos um pouco de pressa, pelo amor de Deus.

As trombetas repetem suas notas, um refrão circular, cuja última nota, estendida, paira no ar. O silêncio se instala e dois homens surgem no palco.

Agnes pisca. O fato de estar ali para assistir a uma peça de alguma forma foi esquecido por ela. Mas ali está, no teatro do marido, e a peça está começando.

Dois atores, de pé no palco, falam um com o outro, como se não houvesse ninguém presente, como se estivessem apenas eles.

Agnes os registra, ouve com atenção. Os atores estão nervosos, agitados, olhando à volta, agarrados a suas espadas. Quem está aí?, grita um deles para o outro. Identifique-se, responde o outro, também aos gritos. Mais atores entram no palco, todos nervosos, todos alertas.

A multidão à sua volta, Agnes não pode evitar notar, não emite um único som. Ninguém fala. Ninguém se mexe. Todos estão totalmente concentrados nesses atores e no que eles dizem. Acabaram-se as implicâncias, os assovios, as brigas, a comilança de tortas. Em vez disso, surgiu uma congregação calada e absorta, como se um mágico ou feiticeiro tivesse agitado sua varinha sobre a audiência e transformado todos em pedras.

Agora que está ali e a peça começou, o estranhamento e o desapego que sentiu durante a viagem e o momento que passou nos aposentos dele se despregam dela como fuligem. Sente-se pronta, furiosa. Vamos lá, pensa ela. Mostre-me o que você fez.

Os atores na boca do palco declamam um para o outro. Gesticulam e apontam e marcham de um lado para outro, agarrados a suas armas. Um diz uma fala, depois o outro, depois é a vez do primeiro. Ela assiste, perplexa. Esperava algo familiar, algo sobre o filho. Do que mais pode tratar a peça? Mas essa gente está na esplanada de um castelo, discutindo entre si sobre nada.

Apenas ela, ao que parece, está imune ao feitiço do bruxo. A mágica não a tocou. Sente vontade de vaiar ou caçoar. O marido escreveu essas palavras, esses diálogos, mas o que tem isso a ver com o filho deles? Sente vontade de gritar para os que estão no palco. Você e você, vocês não são nada, isso é nada, comparado ao que ele foi. Não ousem pronunciar seu nome.

Um grande cansaço se abate sobre ela. Toma consciência da dor em suas pernas e no quadril, das muitas horas cavalgando, da falta de sono, da luz que parece ferir seus olhos. Não tem força nem desejo de aguentar essa pressão de corpos à sua volta, essas longas falas, essa torrente de palavras. Não ficará mais ali. Vai embora e o marido não ficará sabendo de nada.

De repente, um ator no palco diz alguma coisa sobre uma visão tenebrosa, e a percepção a invade. O que esses homens estão buscando, discutindo, aguardando é um fantasma, uma aparição. Eles o desejam, mas ao mesmo tempo o temem.

Ela fica imóvel, observando os movimentos e ouvindo as palavras no palco. Cruza os braços, de modo a não ser tocada por ninguém, para não se distrair. Precisa de concentração. Não quer perder um som.

Quando o fantasma aparece, um arquejo coletivo se faz ouvir. Agnes não pestaneja. Encara o fantasma, que está de armadura, o visor do elmo baixado, sua forma semioculta por uma mortalha. Ela não escuta as vociferações e os balidos dos homens amedrontados na esplanada do castelo. Ela assiste a tudo por entre pálpebras semicerradas.

Está de olho no fantasma: a altura, o movimento do braço, a palma da mão virada para cima, o formato específico dos dedos, aquela curva do ombro. Quando ele levanta o visor, ela não sente surpresa, mas, sim, uma espécie de confirmação surda. O rosto foi pintado de branco, a barba, de cinza. Ele usa vestimenta de batalha, armadura e elmo, mas nem por um momento a ilude. Ela sabe exatamente quem está por baixo daquela fantasia, daquele disfarce.

E pensa: Ora, ora. Aí está você. Qual é a ideia?

Como se seus pensamentos tivessem sido transmitidos a ele, de mente para mente, atravessando a multidão — que grita alertas para os homens na esplanada do castelo —, a cabeça do fantasma se vira. O elmo é aberto e os olhos examinam os rostos na plateia.

Sim, diz Agnes a ele, estou aqui. E agora?

O fantasma sai. Parece não ter encontrado o que procurava. Ouve-se um murmúrio decepcionado da plateia. Os homens no palco continuam a falar sem parar. Agnes alterna o peso do corpo, fica na ponta dos pés, se perguntando se o fantasma voltará. Quer mantê-lo sob sua vista, quer que ele volte, quer que ele se explique.

Tenta enxergar por entre a cabeça e os ombros de um homem à sua frente e, acidentalmente, pisa no pé da mulher a seu lado. A mulher solta um gritinho e se desequilibra, fazendo com que a criança em seus ombros deixe cair seu osso de cordeiro. Agnes se desculpa, segura no cotovelo da mulher para equilibrá-la e se abaixa para pegar o osso. Nesse instante, ela ouve uma palavra dita no palco que a faz se empertigar e soltar o osso.

Hamlet, disse um dos atores.

Ela ouviu, tão clara e cristalinamente como o badalar de um sino distante.

E novamente: Hamlet.

Agnes morde o lábio até sentir o gosto do próprio sangue. Junta as mãos com força.

Esses homens lá no palco estão dizendo essa palavra, passando-a entre eles como um marcador em um jogo. Hamlet, Hamlet, Hamlet. Parecem se referir ao fantasma, ao morto, à criatura que partiu.

Ouvir esse nome, ouvi-lo na boca de gente que ela não conhece nem jamais conhecerá, e esse nome ser usado para um velho rei morto... Agnes não consegue entender. Como pôde o marido fazer isso? Por que fingir que esse nome nada significa para ele, senão uma coleção de letras? Como pôde tomá-lo, depois despi-lo e drená-lo de tudo que tal nome encarnava, descartando a própria vida que ele continha? Como pôde pegar a pena e escrevê-lo em uma folha, rompendo sua conexão com o filho deles? Não faz sentido. Trespassa seu coração, eviscera seu corpo, ameaça separá-la de si mesma, dele, de tudo que tiveram, de tudo que foram. Ela pensa naquelas pobres cabeças cortadas, nos dentes à mostra, nos pescoços vulneráveis, nas expressões congeladas de medo, na ponte, e se sente como se fosse uma delas. Pode sentir a ondulação do rio, o balanço das cabeças sem corpo, o lamento inútil e desprovido de voz.

Decide ir embora. Vai sair desse lugar. Vai ao encontro de Bartholomew, montará aquele cavalo exausto e voltará para Stratford, de onde há de escrever uma carta ao marido dizendo não volte para casa nunca mais, fique em Londres. Não queremos mais saber de você. Ela já viu tudo que precisava ver. E é exatamente como temera: ele tomou o nome mais sagrado e meigo de todos e o atirou no meio de um amontoado de outras palavras dentro de um espetáculo teatral.

Pensou que ir até lá, assistir àquilo, pudesse lhe dar um vislumbre do coração do marido. Pudesse lhe mostrar um caminho de volta para ele. Pensou que o nome no cartaz pudesse ter sido um meio para que ele lhe comunicasse algo. Um sinal de algum tipo, uma mão estendida, um chamado. No caminho para Londres, achou que talvez assim pudesse entender sua distância, seu silêncio desde a morte do filho. Agora tem a noção de que não há nada para entender no coração do marido, no qual somente existe isto: um palco de madeira, atores declamando, falas decoradas, multidões de adoradores, tolos fantasiados. Ela vem perseguindo uma aparição, um fogo-fátuo, ao longo de todo esse tempo.

Está arrebanhando as saias, apertando o xale de encontro ao corpo, preparando-se para virar as costas ao marido e sua companhia de atores, quando um menino adentrando o palco lhe chama a atenção. Um menino, pensa ela ao desamarrar e tornar a amarrar o xale. Um menino não, um homem. Um homem não, um rapaz — a meio caminho entre homem e menino.

É como se um chicote açoitasse sua pele. Ele tem cabelo louro espetado acima da testa, um andar leve, flutuante, um meneio impaciente de cabeça. Agnes deixa as mãos caírem. O xale lhe escorrega dos ombros, mas ela não se abaixa para pegá-lo. Fixa o olhar no menino. Não consegue afastar os olhos dele, acha que jamais conseguirá. Sente faltar ar no peito, sente o sangue coagular nas veias. O disco celeste acima parece pressionar sua cabeça, a cabeça de todos ali presentes, como a tampa de um caldeirão. Está congelada, está fervendo. Precisa ir embora e vai ficar ali para todo o sempre naquele lugar.

Quando o rei se dirige ao rapaz como "Hamlet, meu filho", as palavras não a surpreendem. Claro que isso é o que ele é. Claro. Quem mais seria? Ela procurou o filho por tudo que é lado, sem cessar, nesses quatro anos, e ali está ele.

É ele. Não é ele. É ele. Não é ele. A ideia balança como um pêndulo dentro dela. Seu filho, seu Hamnet ou Hamlet, está morto, enterrado no cemitério. Morreu ainda criança. Não passa agora de ossos brancos descarnados em um túmulo. No entanto, ali está ele, crescido e transformado em um quase homem — como seria agora, caso estivesse vivo — no palco, andando como seu filho andava, falando com a voz de seu filho, dizendo palavras escritas para ele pelo pai de seu filho.

Ela aperta a cabeça entre as mãos. É demais: não sabe se vai suportar, como explicar a si mesma tudo isso. É demais. Por um instante, acha que é capaz de desabar, sumir sob esse mar de cabeças e corpos, jazer na terra compacta, ser esmagada sob uma centena de pés.

Mas então o fantasma volta, e o menino Hamlet conversa com ele. Está aterrorizado, furioso, angustiado, e Agnes se enche de um ímpeto antigo, familiar, como o da água enchendo um leito seco. Quer pôr as mãos naquele menino, abrigá-lo em seus braços, confortá-lo e consolá-lo — precisa fazer isso, nem que seja a última coisa que faça na vida.

O jovem Hamlet no palco ouve enquanto o velho Hamlet, o fantasma, conta uma história sobre a própria morte, de um veneno que impregnou seu corpo "como areia movediça", e o menino escuta do mesmo jeito que seu Hamnet faria. Com a mesma maneira de inclinar a cabeça, com o gesto de pressionar a junta de um dedo na boca ao ouvir algo cujo significado lhe escapa. Como é possível? Ela não entende, não entende nada. Como esse ator, esse jovem, sabe ser seu Hamnet se jamais o viu ou o conheceu?

A compreensão se instala como uma fina camada de chuva, enquanto ela caminha em direção aos atores, abrindo espaço por entre a plateia lotada: o marido usou uma espécie de alquimia. Descobriu esse menino, lhe passou instruções, mostrou-lhe como falar, como se portar, como levantar o queixo desse jeito, daquele jeito. Ensaiou, treinou e preparou o rapaz. Escreveu palavras para ele dizer e ouvir. Ela tenta imaginar esses ensaios, como o marido pôde tê-lo adestrado de forma tão exata, tão precisa, e como deve ter se sentido quando o rapaz aprendeu tão bem, quando pela primeira vez incorporou aquele andar, aquele meneio de cabeça de cortar o coração. Será que o marido precisou dizer preste atenção para que o seu gibão não fique aberto, com os cordões desamarrados, para as botas estarem arranhadas, molhe o cabelo para que ele fique espetado só na frente?

Hamlet, nesse palco, é duas pessoas: o jovem, vivo, e o pai, morto. Está ao mesmo tempo vivo e morto. O marido o trouxe de volta à vida, do único jeito que é capaz. Quando o fantasma fala, ela percebe que o marido, ao escrever o texto, está assumindo o papel do fantasma, trocou de lugar com o filho. Pegou a morte do filho e a tornou sua; pôs a si mesmo nas garras da morte, ressuscitando o menino em seu lugar. "É horrível, sim, muito horrível!", murmura a voz fantasmagórica do marido, relembrando a agonia da própria morte. Ele fez, compreende Agnes, o que qualquer pai gostaria de fazer, trocar o sofrimento do filho pelo seu, tomar seu lugar, oferecer-se em sacrifício em prol do filho para que o menino pudesse viver.

Dirá tudo isso ao marido mais tarde, depois que a peça acabar, depois que o silêncio final se instalar, depois que os mortos tiverem renascido para assumir seus lugares na fileira de atores na beira do palco. Depois que o marido e o menino, de mãos dadas, fizerem várias reverências, agradecendo a chuva de aplausos. Depois que o palco ficar deserto, não mais uma esplanada, não mais um cemitério, não mais um castelo. Depois que ele vier encontrá-la, abrindo caminho por entre a multidão, o rosto ainda manchado com os resquícios da maquiagem. Depois que ele a tomar pela mão e a apertar contra as fivelas e o couro da armadura. Depois que os dois tiverem ficado de pé no círculo aberto do teatro, tão vazio quanto o céu acima.

Por enquanto, ela está bem na frente na plateia, junto ao palco, agarrando com ambas as mãos a beirada de madeira. A um braço de distância, talvez dois, está Hamlet, seu Hamlet, como estaria agora se tivesse sobrevivido, e o fantasma, que tem as mãos do marido, a barba do marido, que fala com a voz do marido.

Estende um dos braços, como se quisesse dizer que está ali, como para sentir o ar entre os três, como se desejasse romper a fronteira entre plateia e atores, entre a vida real e a ficção.

O fantasma vira a cabeça em sua direção, enquanto se prepara para sair de cena. Olha diretamente para ela, e seus olhares se encontram enquanto ele diz sua derradeira fala:

— Lembra-te de mim.

NOTA DA AUTORA

—

Esta é uma obra de ficção, inspirada na curta vida de um menino que morreu em Stratford, Warwickshire, no verão de 1596. Tentei, quando possível, me ater aos escassos fatos históricos conhecidos sobre o Hamnet verdadeiro e sua família, mas uns poucos detalhes — nomes, sobretudo — foram alterados ou omitidos.

A maioria das pessoas conhece sua mãe como "Anne", mas ela foi chamada pelo próprio pai, Richard Hathaway, em seu testamento, de "Agnes", e decidi seguir seu exemplo. Alguns acreditam que Joan Hathaway fosse a mãe de Agnes, enquanto outros defendem que era sua madrasta — há poucas provas para apoiar ou refutar uma ou outra hipótese.

A única tia paterna sobrevivente de Hamnet não se chamava Eliza, mas, sim, Joan (assim como a irmã que a precedeu na morte). Troquei seu nome porque a repetição deles, embora comum nos registros paroquiais da época, poderia confundir os leitores.

Ouvi de alguns guias do Shakespeare's Birthplace Trust que Hamnet, Judith e Susanna cresceram na casa dos avós na Henley Street; outros parecem ter certeza de que os três moravam na modesta propriedade contígua. De um jeito ou de outro, as duas moradias eram intimamente ligadas, mas optei pela última hipótese.

Por último, não se sabe por que Hamnet Shakespeare morreu: seu enterro está registrado, mas não a causa da sua morte. A peste bubônica, conhecida no fim do século XVI como "peste negra", não é mencionada sequer uma vez por Shakespeare em qualquer uma de suas peças ou poemas. Sempre questionei essa ausência e seu possível significado. Este romance é o resultado da minha vã especulação.

AGRADECIMENTOS

—

Obrigada, Mary-Anne Harrington.
Obrigada, Victoria Hobbs.
Obrigada, Jordan Pavlin.
Obrigada, Georgina Moore.
Obrigada, Hazel Orme, Yeti Lambregts, Amy Perkins, Vicky Abbott e a todos na Tinder Press.
Obrigada a todos os funcionários do Shakespeare's Birthplace Trust, bem como aos guias da Holy Trinity Church, em Stratford, que foram extremamente generosos e pacientes diante das minhas numerosas perguntas.
Obrigada, Bridget O'Farrell, pelo empréstimo de uma mesa de cozinha.
Obrigada, Charlotte Mendelson e Jules Bradbury, pela consultoria sobre ervas e plantas.

Os seguintes livros foram inestimáveis durante a elaboração deste romance: *The Herball or General Historie of Plantes*, de John Gerard, 1597 (organizado por Marcus Woodward, © Bodley Head, 1927); *Shakespeare's Restless World*, de Neil McGregor (Allen Lane, 2012); *A Shakespeare Botanical*, de Margaret Willes (Bodleian Library, 2015); *The Book of Faulconrie or Hauking*, de George Turbeville (Londres, 1575); *Shakespeare's Wife*, de Germaine Greer (Bloomsbury, 2007); *Shakespeare*, de Bill Bryson (Harper Press, 2007); *Shakespeare: The Biography*, de Peter Ackroyd (Vintage, 2006); *How To Be a Tudor*, de Ruth Goodman (Penguin, 2015); *1599: A Year in the Life of William Shakespeare*, de James Shapiro (Faber & Faber, 2005); e o website Shakespeare Documented, shakespearedocumented.folger.edu/.

Um agradecimento especial é devido ao sr. Henderson, em cujas aulas de inglês, em 1989, descobri a existência de Hamnet. Espero que ele avalie este livro como "não ruim".

Obrigada, SS, IZ e JA.

E obrigada, Will Sutcliffe, por tudo.

1ª EDIÇÃO

PAPEL DE MIOLO
Pólen® Soft 80g/m²

TIPOGRAFIA
Adobe Jenson

IMPRESSÃO
Geográfica